ENQUÊTE SUR **+ DE 100** POSSIBILITÉS DE **CARRIÈRE** au Québec

Le guide
des **professions**

JACQUES LANGLOIS

FORMATION
SECONDAIRE
COLLÉGIALE
UNIVERSITAIRE

E RPi éducation · innovation · passion

5757, rue Cypihot, Saint-Laurent (Québec) H4S 1R3 ▸ **erpi.com**
TÉLÉPHONE : 514 334-2690 TÉLÉCOPIEUR : 514 334-8470 ▸ editoc@erpi.com

Supervision éditoriale : *Pierre Lacerte*
Révision linguistique : *Christine Dufresne*
Correction d'épreuves : *Jocelyne Tétreault*

Direction artistique : *Hélène Cousineau*
Supervision de la production : *Muriel Normand*
Conception graphique de l'intérieur
et de la couverture : *Frédérique Bouvier*
Édition électronique : *Talisman*
illustration design

Dépôt légal : Bibliothèque et Archives nationales du Québec, 2011
Dépôt légal : Bibliothèque et Archives Canada, 2011

Imprimé au Canada

ISBN 978-2-7613-4163-9   1234567890 LIC 14 13 12 11
                                20618 ABCD   PS12

Table des matières

Niveau collégial 102

Niveau universitaire 174

Introduction

Il existe bien d'autres guides des professions. Depuis 20 ans que je suis dans le domaine de l'orientation, je les ai beaucoup utilisés. L'information qu'on y trouve ne m'a jamais pleinement satisfait, ni moi, ni mes clients d'ailleurs. En fait, ces guides sont plutôt des annuaires, des dictionnaires, des répertoires ou des catalogues. Ils sont parfaits quand on cherche certains renseignements, mais pratiquement inutiles quand vient le temps de se faire une idée sur les possibilités de carrière qu'on envisage. J'ai décidé de remédier à la situation en créant un guide dont l'objectif est d'aider le lecteur à se faire une opinion.

Le simple choix des professions qui figurent dans le guide me semblait primordial. Je voulais traiter des professions les plus importantes sans me perdre dans les détails. J'ai toujours trouvé bizarre que certains guides accordent autant d'importance à des professions que presque personne ne pratique, comme archéologue, coroner ou aide-cordonnier. Quand on présente ces professions sur le même plan que les autres, on donne une vision déformée du marché du travail. La réalité, c'est qu'une centaine de professions occupent presque la totalité des travailleurs au Québec. C'est donc sur ces professions qu'il faut se concentrer quand on fait un choix de carrière. On peut découvrir des exceptions plus tard dans son cheminement.

J'ai aussi décidé de faire un guide qui prend position sur les professions, qui n'est pas neutre. Depuis des années, les jeunes que j'aide à s'orienter me disent que l'information qu'ils trouvent sur les professions ne les aide pas à faire leur choix. C'est normal, l'information est toujours présentée sans commentaires, sans interprétation, sans critique. Tout finit par se ressembler. Ici, l'idée, c'est justement de comprendre les différences entre les professions de manière concrète. La journée d'un soudeur n'a rien à voir avec celle d'un professeur ou d'un conseiller financier.

Quand vient le temps de choisir un restaurant, un vin, une destination vacances ou une voiture, nous pouvons consulter toutes sortes de guides qui permettent de se faire une opinion avant de prendre une décision. Je m'en suis inspiré. Les auteurs de ces guides font des classements. Ils n'ont pas peur de se prononcer sur ce qui est bon et ce qui ne l'est pas. C'est exactement ce que j'ai voulu faire ici : une hiérarchie des professions établie sur la base d'une batterie de critères.

On pourra se faire une opinion sur les professions dans l'absolu, mais aussi en fonction de ses propres critères. Celui pour qui le salaire est important portera une attention plus grande à ce critère, alors qu'un autre se concentrera, par exemple, sur la créativité ou les chances de promotion.

Le choix d'une carrière est une des décisions les plus importantes qu'on ait à prendre dans la vie, tant sur le plan financier que personnel. Elle a presque autant de conséquences que le choix d'un conjoint et beaucoup plus que l'achat d'une maison ou d'une voiture. Un mauvais choix peut avoir des répercussions innombrables sur la destinée, peut mener au chômage, à la pauvreté, à la précarité et même entraîner des problèmes de santé mentale et physique. À l'inverse, un choix de carrière judicieux exerce une influence favorable sur le bonheur et la qualité de vie, et peut jouer un rôle déterminant quant à la prospérité, la confiance en soi, le sentiment de réussite et beaucoup d'autres aspects de la vie.

Ce guide a été conçu pour permettre de faire un survol rapide et sensé des principales options de carrière. Il constitue un excellent point de départ pour ceux et celles qui se trouvent en période d'exploration.

Donner de l'information utile

Les renseignements présentés dans ce guide ont été sélectionnés en fonction de leur utilité pour ceux qui sont en train de faire un choix de carrière. Quand on envisage une profession, on veut généralement savoir combien on gagnera et s'il y a du travail. Pour transmettre ces renseignements de manière concrète et fiable, j'ai consulté plusieurs sources[1]. Savoir que le taux de placement est de 10 ou de 38 % ne donne pas grand-chose, car la question, c'est de savoir si, oui ou non, chacun a de bonnes chances de faire une belle carrière dans le domaine.

Voici un exemple. Le taux de placement du programme de formation technique en commercialisation de la mode est de près de 100 %. Ce

---

1. J'ai surtout utilisé les données présentées par l'IMT (Indice du marché du travail) du gouvernement du Québec, mais aussi les données de Statistique Canada, de l'Institut de la statistique du Québec, celles du ministère de l'Éducation, des Loisirs et du Sport du Québec, celles du logiciel REPÈRES, de même que les données que certains ordres et organismes professionnels rendent disponibles. J'ai aussi utilisé les données fournies par des commissions scolaires, des cégeps et des universités quant au placement de leurs diplômés.

programme figure souvent dans les palmarès des professions d'avenir publiés un peu partout. Malheureusement, le taux de placement est trompeur. Les emplois que les finissants en commercialisation de la mode décrochent sont, le plus souvent, ceux qu'ils auraient pu obtenir sans même suivre de formation : vendeur ou gérant dans une boutique. Alors, le taux de placement en commercialisation de la mode est-il bon ? La réponse est oui. Mais la formation en commercialisation de la mode offre-t-elle de bonnes perspectives de carrière ? La réponse est non. Et la deuxième question est beaucoup plus importante que la première. On ne choisit pas un domaine parce que le taux de placement est bon, mais bien parce que les possibilités de carrière et d'avenir sont bonnes.

C'est ce que j'appelle de l'information utile. Dans ce guide, j'ai essayé de présenter des renseignements qui répondent aux questions qui sont vraiment importantes dans un choix de carrière comme le salaire réel, les possibilités de carrière, la valorisation, les possibilités de promotion, etc.

Donner un point de vue différent et indépendant

L'information donnée dans les autres guides de professions est uniforme, car elle provient toujours des mêmes sources. Que l'on fasse des recherches à partir des données des ministères de l'Emploi fédéral ou provincial, du logiciel REPÈRES, du *Dictionnaire Septembre des professions*, des guides « CHOISIR » ou du site Internet « Mon emploi », on constate que les descriptions des professions sont très semblables ou carrément identiques. C'est normal : ces renseignements émanent tous des mêmes sources et ils sont simplement reproduits, sans traitement ni analyse.

Il faut savoir que les organismes qui produisent l'information sur les professions ne sont pas neutres. Qu'il s'agisse d'organisations gouvernementales, d'associations professionnelles ou d'établissements d'enseignement, chacun a des intérêts particuliers et présente l'information en fonction de ses intérêts. Prenons l'exemple des associations professionnelles : elles ont avantage à assurer leur croissance et, par conséquent, à présenter l'image la plus positive qui soit de leur profession. Cela devient problématique lorsque d'autres sources documentaires reproduisent intégralement les données fournies par ces associations professionnelles sans les citer, ce qui laisse croire qu'il s'agit d'information neutre.

J'ai établi mon classement en essayant d'être juste et objectif, tout en sachant qu'il est impossible de l'être parfaitement. J'ai multiplié les sources d'information et j'ai pris le temps d'échanger avec un grand nombre de travailleurs et de professionnels afin de mieux comprendre leur réalité et de valider mes impressions. Je voulais que mon classement brosse un portrait vivant et réaliste du marché du travail.

Je tiens à souligner que j'ai fait cet exercice en étant libre de toute contrainte et de toute pression, hors de tout contexte institutionnel. Ce livre a été élaboré, écrit et produit sans aucune commandite ni subvention. Il n'affiche donc aucun parti pris institutionnel. Il ne sert qu'un intérêt : informer le lecteur le mieux possible.

De plus, comme tout ouvrage de référence qui se respecte, il ne contient aucune publicité, ce qui élimine toute possibilité de conflit d'intérêts.

Présenter une vue d'ensemble

En créant ce guide, j'ai aussi voulu présenter une vue d'ensemble des professions. Choisir, c'est comparer. Pour prendre une décision, il faut connaître les options qui s'offrent à nous et pouvoir les confronter. Personne ne songerait à s'acheter une voiture ou une maison sans en avoir vu et comparé plusieurs au préalable. Il faut faire de même pour son choix de carrière. Il est primordial de considérer plusieurs options et de les évaluer sur la base de critères utiles.

Je n'ai retenu dans ce guide que les professions les plus importantes en fonction du nombre de personnes qui les pratiquent. La majorité des professions répertoriées ici sont exercées par au moins 10 000 personnes au Québec.

Comme je l'ai dit, environ 100 professions regroupent plus de 80 % des travailleurs du Québec. Les analyser permet donc d'obtenir une vue globale du marché du travail. Les professions décrites ici regroupent environ 2,8 millions de travailleurs sur un total de 3,6 millions[2]. On peut donc affirmer que l'ensemble des professions les plus importantes et les plus prometteuses au Québec sont présentées et analysées dans le présent guide.

Le lecteur est ainsi en mesure de repérer, en un coup d'œil, les secteurs les plus avantageux et ceux qui l'attirent. Il ne lui reste ensuite qu'à raffiner ses recherches pour voir si des métiers connexes pourraient l'intéresser davantage ou déterminer vers quelle spécialité il pourrait se diriger.

---

2. Le chiffre réel est un peu plus élevé, selon les données de l'Institut de la statistique du Québec. Voir ministère de l'Emploi et de la Solidarité sociale, 2010, Institut de la statistique du Québec, *Annuaire de l'emploi 2001-2009*, Québec, 2010. J'ai choisi d'utiliser un chiffre plus bas parce que la plupart des données que j'ai analysées datent de 2007.

Comme j'ai pris le parti d'analyser les professions les plus importantes, j'ai aussi évalué des professions qui sont au bas de l'échelle. Elles sont peut-être moins attrayantes, mais elles sont pratiquées par tellement de gens qu'il m'a semblé nécessaire d'en faire état. À elles seules, les professions qui ne demandent qu'un cinquième secondaire ou une scolarité encore moindre regroupent 60 % des travailleurs au Québec. C'est une réalité qui n'est pas négligeable. Constater à quel point les écarts sont grands entre certaines professions peut aider à éliminer des choix.

Éclairer les indécis

J'ai écrit ce guide en me mettant à la place de ceux qui doivent prendre des décisions quant à leur choix de carrière. L'idée est de les aider à repérer les professions qui peuvent être les plus avantageuses, leur offrir la plus grande qualité de vie et les meilleures chances de s'épanouir. C'est en fonction de ces critères que j'ai sélectionné les choix présentés.

On ne peut évidemment pas essayer ou expérimenter toutes les professions. Il m'était donc impossible de les classer à partir d'une expérience directe. Par contre, en recoupant les sources d'information, en discutant avec de nombreux professionnels et en me basant sur une série de critères d'analyse fiables (je les explique plus loin), j'ai pu faire la part des choses et arriver à établir des distinctions qualitatives entre les professions. La question essentielle pour le lecteur est de déterminer dans quelle mesure la profession analysée peut représenter un choix de carrière intéressant pour lui.

Offrir un point de départ

Ce guide vise à éclairer le lecteur dans ses choix, mais je ne lui conseille pas pour autant de se fier uniquement à lui pour prendre une décision ! Les analyses présentées ici sont un point de départ et non une réponse définitive. Traduire la réalité d'une profession en quelques pages oblige à emprunter des raccourcis. Le lecteur devra par conséquent approfondir ses recherches sur les domaines qui l'intéressent. Pour beaucoup de professions, j'ai indiqué des ressources utiles et, à la fin du livre, la section « Les 10 sites Internet les plus utiles quand on cherche un emploi » (page 343) donne de bonnes pistes. En plus, si on consulte ces sites dans l'ordre présenté, on utilise une excellente méthodologie de recherche.

On n'est pas toujours d'accord avec un critique de vin, de cinéma ou d'automobile, il est donc possible que certains ne voient pas les choses de la même manière que moi. Les avis présentés dans ce guide ne sont certainement pas absolus. Il faut se forger une opinion personnelle. Mon opinion est moins importante que celle du lecteur parce que, au bout du compte, c'est lui qui pratiquera le métier qu'il aura choisi. Ce qui est déterminant, dans un choix de carrière, c'est de faire ce qu'on a envie, envers et contre tout.

J'encourage le lecteur à approfondir ses recherches sur les professions avant de prendre des décisions. Plus on en sait, plus on a de chances de bien choisir. Il ne faut pas avoir peur d'investir temps et énergie dans ses recherches. Comme l'écrivait Françoise Dolto, « Son orientation, il faut la prendre en main[3] ».

Mes critères d'évaluation des professions

La grande question que pose l'élaboration d'un guide critique des professions est celle des critères d'évaluation. Au sein d'une même profession, il existe toujours des réalités très différentes. Parmi les gens qui la pratiquent, certains peuvent être très heureux et d'autres, très malheureux.

Il y a du bon et du mauvais dans chaque profession. Celles qui obtiennent les meilleurs résultats ont aussi leurs défauts et ne sont pas faciles tous les jours. À l'opposé, celles qui sont tout au bas de l'échelle peuvent, malgré tout, comporter des avantages. Il n'y a pas d'absolu et, ne l'oublions pas, travailler, c'est travailler. Il est normal que ce soit difficile par moments.

Chaque profession présente tout de même une réalité assez cohérente et tangible pour qu'on puisse se forger une opinion à son sujet. Chacun considérera évidemment ses choix en fonction de ses propres goûts et aptitudes. L'idée est de faire converger ses traits personnels avec la profession la plus attrayante possible. À partir des mêmes traits personnels, il arrive qu'on hésite entre plusieurs options professionnelles. C'est à ce moment qu'une évaluation soigneuse des possibilités professionnelles devient pertinente.

Certains lecteurs pourraient tirer profit de la lecture préalable de *L'orientation, mode d'emploi* afin de bien cerner leurs caractéristiques personnelles[4]. Il vaut mieux bien connaître ses goûts et ses aptitudes avant de s'engager dans l'évaluation de ses options professionnelles.

---

3. Françoise Dolto, *Paroles pour adolescents ou Le complexe du homard*, Paris, 1989.
4. Jacques Langlois, *L'orientation, mode d'emploi*, Montréal, 2010.

La trentaine de critères d'évaluation que j'ai retenus ont pour objectif de permettre de saisir rapidement les avantages et les inconvénients de chaque profession, de les comparer entre elles et de déterminer celles qui sont présentement les plus avantageuses dans les différents segments du marché du travail. Je les explique ici en détails, mais ils sont aussi résumés dans «Comment utiliser ce livre», à la page xxix.

Description de la profession

Au début de chaque évaluation, j'ai tenté de donner une description utile, en précisant avant tout la finalité de la profession. Cela permet de saisir très rapidement la nature d'une profession. Ainsi, un mécanicien répare des voitures, un enseignant est chargé d'enseigner à des élèves, un médecin soigne, etc. En comprenant bien la fonction essentielle d'une profession, il est plus facile de se la représenter. J'indique aussi la variété des emplois dans le domaine, ainsi que les spécialités, s'il y en a. En droit, par exemple, certains avocats participent à des procès criminels alors que d'autres ont un travail très différent qui consiste à fournir des services juridiques aux entreprises.

Le tableau «Coup d'œil» Ce tableau, en plus de présenter mon évaluation, décrit l'importance globale de la profession en examinant les trois données primordiales que sont le nombre de personnes qui l'exercent, le ratio entre les diplômés et les professionnels, et le salaire.

Nombre de professionnels

Une profession répandue n'a pas les mêmes caractéristiques qu'une profession rare. En effet, plus une profession est exercée par un grand nombre de personnes, plus on peut espérer trouver de l'emploi rapidement et dans la région souhaitée. Pour les professions rares, l'insertion professionnelle peut être plus difficile.

Généralement, il est avantageux de se diriger vers une profession exercée par de nombreuses personnes parce que l'importance du nombre facilite la mobilité professionnelle, tant sur le plan de l'avancement que sur celui du choix de la spécialisation. Une profession pratiquée par peu de personnes offre habituellement moins de possibilités, tant dans le choix des emplois que dans celui des tâches. Par exemple, une infirmière qui n'aime pas son travail en pédiatrie peut facilement changer de domaine et aller en chirurgie ou en soins prolongés. Sa collègue archiviste médicale, par contre, a moins d'options. Si elle n'aime pas son travail, ses chances d'en trouver un autre qui lui convienne dans la même branche sont minces. Elle risque plutôt de devoir se réorienter.

Ratio diplômés/professionnels

La quantité de finissants par rapport au nombre total de personnes exerçant une profession est un excellent indicateur des perspectives d'emploi dans un domaine. Plus ce ratio est faible, meilleures sont les chances de trouver du travail. L'équilibre se situe quelque part entre 1 diplômé pour 20 professionnels et 1 pour 30. Dans les professions où le ratio entre les diplômés et les professionnels est plus élevé, on peut s'attendre à ce qu'il n'y ait pas de travail pour tous.

Par exemple, on compte 22 000 avocats au Québec et la profession accueille 850 nouveaux professionnels par année, ce qui se traduit par un ratio de 1 diplômé par tranche de 25 professionnels. Cela permet de supposer que tous les nouveaux arrivants parviendront à trouver du travail dans le marché actuel. À l'opposé, en journalisme, on forme environ 400 personnes par année pour un bassin de 4 500 emplois, ce qui donne un ratio de 1 diplômé pour 11 professionnels. Dans ce contexte, on peut prévoir qu'une partie des finissants n'arriveront pas à faire carrière dans le domaine.

Salaire

Le salaire est sans doute l'une des variables les plus importantes dans l'évaluation d'une profession. Après tout, la raison première du travail est de gagner sa vie.

Les salaires indiqués ici sont toujours bruts, soit avant le prélèvement d'impôt. De plus, le guide indique les salaires moyens et non les salaires d'entrée dans la profession. En effet, c'est le salaire que l'on est susceptible de gagner au bout de quelques années qui est le plus significatif. Par exemple, le salaire d'entrée dans la profession d'enseignant est d'environ 35 000 $, alors que l'équivalent pour les comptables agréés est de 40 000 $. L'écart est mince. Par contre, le salaire moyen des enseignants est de moins de 50 000 $ par année alors que celui des comptables agréés s'élève à 185 000 $. Ce qui n'était qu'un mince écart est devenu un gouffre ! Celui qui hésite a donc avantage à connaître la vraie perspective salariale.

Il faut bien comprendre que la simple donnée du salaire peut être trompeuse. En effet, une foule de facteurs doivent être pris en considération pour que l'on ail une idée précise des revenus d'une personne. Par exemple, le revenu d'un travailleur autonome ne se calcule pas de la même manière que celui d'un salarié : un psychologue qui gagne 100 000 $ par année comme travailleur autonome a certaines dépenses qui font que son salaire réel est plus proche de 70 000 $ par année. À l'opposé, un psychologue qui travaille dans une école pour un salaire annuel de 70 000 $ gagne en réalité plus d'argent que son confrère qui est travailleur autonome, si on tient compte de tous ses avantages sociaux.

On doit aussi tenir compte de l'ensemble des avantages complémentaires liés à un travail, tels les allocations de dépenses, les primes d'éloignement, le droit de s'incorporer ou les biens et services qui viennent avec l'emploi. Bénéficier d'une voiture fournie, ce n'est pas rien. En général, ce sont dans les emplois les plus élevés dans l'échelle sociale et traditionnellement masculins que ces avantages sont les plus importants. Les emplois syndiqués comportent également plus d'avantages que les emplois non syndiqués. Les gens qui travaillent dans des domaines d'usage commun ont aussi des avantages. Par exemple, un travailleur de la construction peut accomplir pour lui-même beaucoup de travail qui lui fera économiser des sommes importantes. Cela ne fait pas officiellement partie de sa rémunération, mais augmente significativement son pouvoir d'achat. Enfin, bien que le travail au noir soit illégal, il est très répandu dans certains domaines, ce qui fait que les salaires officiels sous-estiment la richesse réelle des membres de certaines professions.

Il faut aussi prendre en compte le moment de l'entrée dans une profession pour se faire une opinion juste de la rémunération. Ainsi, un travailleur de la construction qui a entamé sa carrière à 18 ans et qui gagne 50 000 $ par année est considérablement plus riche à 30 ans qu'un psychologue du même âge touchant le même salaire, mais qui a obtenu son diplôme à 28 ans, n'a toujours pas de poste permanent, doit rembourser de lourdes dettes d'études et assumer des dépenses comme la cotisation à un ordre professionnel et les frais de formation continue obligatoire. Malgré de très longues études, le psychologue n'aura droit à un train de vie correct que dans la trentaine. Avant cela, ses conditions peuvent avoir frôlé le seuil de la pauvreté.

FORMATION J'indique la formation nécessaire pour accéder à la profession. Les indications fournies portent sur le type de diplôme et le niveau d'études exigés. La nécessité de faire partie d'un ordre professionnel est aussi indiquée. En contrepartie, je n'ai pas indiqué quels établissements offrent la formation exigée. On peut trouver cette information très facilement dans d'autres guides ou sur Internet.

Toutes les professions du guide sont classées selon le niveau moyen de formation de leurs membres même si, parfois, certains d'entre eux ont une formation supérieure ou différente. Ainsi, la profession d'infirmière figure dans la section du collégial même si environ le tiers de ces professionnelles possède une formation universitaire.

DEGRÉ D'HOMOGÉNÉITÉ Ce critère établit dans quelle mesure tous les emplois dans une profession se ressemblent. Dans le cas des professions plus disparates, il faut considérer l'analyse avec plus de prudence. Certaines professions comme enseignant au primaire, policier ou hygiéniste dentaire sont très homogènes, alors que d'autres comme le droit ou l'administration le sont assez peu.

HOMMES-FEMMES Dans toute profession, un certain équilibre entre les sexes est une qualité en soi. En effet, les professions où la proportion d'hommes et de femmes est à peu près égale offrent généralement un contexte de travail plus agréable que celles qui sont composées presque exclusivement d'hommes ou de femmes. Cette donnée est intéressante parce qu'elle permet de constater certains déséquilibres.

TAUX DE CHÔMAGE Le chômage n'existe pas dans certaines professions alors qu'il est fréquent dans d'autres. Il faut bien comprendre la nature du chômage dans chaque profession. Ainsi, pour les travailleurs de la construction, le chômage est assez fréquent, mais il est saisonnier, puisqu'ils sont moins occupés l'hiver. Cette caractéristique n'est pas nécessairement un inconvénient. À l'opposé, le chômage que connaissent les journalistes est très différent parce qu'ils manquent de travail de manière prolongée. Ce chômage en oblige plusieurs à changer de carrière.

GÉOGRAPHIE Certaines professions sont très concentrées géographiquement alors que d'autres sont bien réparties dans toute la province. Il faut tenir compte de ce facteur dans son choix. Par exemple, s'orienter en finance si on souhaite vivre en Gaspésie n'est probablement pas une bonne idée. Les variations régionales peuvent être très importantes pour certaines professions.

EMPLOYEURS En règle générale, il vaut nettement mieux que les employeurs potentiels soient nombreux, ce qui rend les emplois et ceux qui les occupent moins vulnérables aux événements conjoncturels. Il est aussi important de savoir si les principaux employeurs sont dans le secteur public ou privé. En effet, dans les professions où presque tous les emplois sont offerts par l'État, la moindre décision politique peut tuer des espoirs de carrière. De même, dans certaines professions spécialisées, la fermeture d'une seule usine signifie parfois la fin d'un très grand nombre de carrières. Indiquer s'il s'agit de grandes ou de petites entreprises donne également une meilleure idée du milieu de travail.

■ SYNDICALISATION Comme je l'ai indiqué plus haut, il y a généralement de meilleures conditions de travail et plus d'avantages sociaux dans les milieux syndiqués. Au Québec, les salaires des travailleurs syndiqués sont en moyenne 30 % plus élevés que ceux des travailleurs non syndiqués. Pour un travail équivalent, une secrétaire qui travaille en milieu syndiqué aura une rémunération globale (salaire et avantages sociaux) de 25 à 50 % supérieure à celle de sa consœur en milieu non syndiqué. C'est sans doute dans les emplois les moins qualifiés que la syndicalisation fait la plus grande différence.

■ QUALITÉ DES EMPLOIS Un emploi de qualité est à plein temps et permanent. Un emploi typique est à plein temps et à durée indéterminée. Dans une profession, plus la quantité d'emplois typiques est importante, mieux c'est. Un emploi atypique est celui où l'on est forcé au travail à temps partiel et au chômage intermittent. Une grande proportion d'emplois atypiques est l'indice d'un marché du travail saturé ou défavorable aux travailleurs. Dans certaines professions, à peine la moitié des travailleurs bénéficie d'un emploi permanent à plein temps. En service social et en physiothérapie, par exemple, la proportion d'emplois de qualité est très basse, si on compare avec d'autres professions de même niveau de scolarité.

Une pratique d'emploi qui est devenue fréquente est d'embaucher les travailleurs pour des périodes déterminées. Les chargés de cours au cégep ou à l'université, par exemple, ne savent jamais s'ils auront du travail le trimestre suivant et dans quelle mesure. Tant que leur situation n'est pas stabilisée par l'obtention d'un poste permanent, ces travailleurs vivent dans un état continuel d'insécurité financière. Il leur est difficile de s'engager dans des projets à long terme comme acheter une maison ou fonder une famille parce qu'ils ne savent pas ce que l'avenir leur réserve.

INSERTION PROFESSIONNELLE L'insertion professionnelle comporte deux volets. Le premier est la capacité à trouver du travail, ce que les taux de placement à la sortie des études expriment bien. Le deuxième est la facilité à s'insérer de manière permanente dans une carrière, ce qui implique non seulement d'avoir accès à des emplois permanents, mais aussi d'avoir la possibilité d'acquérir le plein statut lié à la profession.

L'insertion professionnelle ne consiste donc pas simplement à trouver un travail, il faut également pouvoir s'y maintenir à long terme et s'y épanouir. Prenons l'exemple de professions comme l'enseignement ou les sciences infirmières. Il est relativement facile de trouver du travail, mais nombreux sont ceux qui ne parviennent pas à s'adapter aux exigences de ces emplois. Par conséquent, malgré d'excellents taux de placement, l'insertion dans ces professions est difficile. L'une des raisons pour lesquelles tant d'enseignants au Québec quittent la profession est précisément liée aux difficultés d'adaptation. Même si l'on a son diplôme en poche et qu'on a décroché un emploi, il faut encore plusieurs années pour se sentir vraiment à l'aise dans ce travail complexe et difficile. Ce sont les emplois les plus qualifiés et ceux où les facteurs humains ont le plus d'importance qui présentent les plus grandes difficultés d'insertion professionnelle. Ainsi, pour un psychologue ou pour un enseignant, jusqu'à une dizaine d'années peuvent être nécessaires avant d'être véritablement intégré dans sa profession.

PÉRENNITÉ Ce critère et le suivant ont trait à l'avenir de la profession. Il s'agit d'abord d'analyser la pérennité de l'emploi, les facteurs de compression due à la technologie, les possibilités, pour les employeurs, d'impartir ou de transférer le travail à l'étranger et tout autre facteur qui risque d'influencer la demande de main-d'œuvre et les perspectives d'emploi à long terme. Certaines professions sont en danger, alors que, pour d'autres, il n'y a aucune raison de penser que le travail puisse venir à manquer. C'est un facteur à considérer.

PERSPECTIVES D'EMPLOI Pour chaque profession, le guide présente une synthèse de l'analyse du marché et qualifie les perspectives d'avenir. Sont-elles excellentes, bonnes, passables ou mauvaises ?

Des perspectives excellentes indiquent un marché du travail presque parfait, tant en ce qui concerne la qualité que la quantité des emplois disponibles. À l'inverse, des perspectives d'emploi mauvaises signifient que la qualité et la quantité des emplois dans le secteur sont déficientes.

DEGRÉ D'AUTONOMIE

Généralement, plus une profession permet d'autonomie, plus il est facile de s'y épanouir[5]. À l'opposé, plus le degré de contrôle exercé sur le travailleur est élevé, moins il est probable qu'il puisse aimer son travail. Le degré de taylorisation du travail est aussi un indice important[6]. Par exemple, les ébénistes qui trouvent un emploi en usine sont souvent étonnés du caractère routinier de leur travail. À l'autre bout du spectre, les professeurs d'université jouissent d'un niveau d'autonomie presque sans égal.

Évidemment, l'autonomie varie selon les emplois et les personnes. Il s'agit d'une variable relative et assez subjective. Une personne peut se sentir trop encadrée dans un travail objectivement autonome, alors qu'une autre peut avoir l'impression d'être très autonome malgré un travail qui laisse peu de latitude.

HORAIRES

Il s'agit ici d'indiquer les styles d'horaires de travail prévalant dans la profession. Dans certaines, les horaires de travail sont très constants et typiques alors qu'ils ne le sont pas du tout dans d'autres. Aujourd'hui, dans plus de la moitié des emplois, les horaires sont atypiques. Il faut être conscient qu'avec le choix d'une profession vient celui d'un horaire de travail qui aura beaucoup d'influence sur la vie quotidienne.

Je ne saurais dire tout le mal que je pense du travail de nuit. Les conséquences psychologiques, physiques et sociales de ce mode de travail sont nombreuses et très sous-estimées. On commence à peine à en prendre la réelle mesure dans la recherche scientifique. J'espère que cette pratique passera un jour à l'histoire comme une des aberrations du capitalisme industriel, à l'exception, bien sûr, des domaines où elle est absolument nécessaire, comme en santé. Au moment de choisir une carrière, chacun devrait d'emblée considérer d'un œil défavorable toutes les professions où le travail de nuit est fréquent.

---

5. André Gorz, *Métamorphose du travail, Quête du sens, Critique de la raison économique*, Paris, 1988.
6. Le terme «taylorisation» vient de Frederick Taylor, ingénieur américain qui a inventé la division scientifique du travail. Selon cette idée, le travail doit être divisé dans les tâches les plus simples possible, celles qu'un employé peut exécuter sans réfléchir. L'idée de Taylor était qu'éventuellement un singe puisse accomplir le travail tant il aurait été vidé de sa substance. Il va sans dire qu'un travail fortement taylorisé est rarement passionnant. Voir aussi Vincent de Gaulejac, *La société malade de la gestion*, Paris, 2005.

INDICE FAMILLE Cet indice indique dans quelle mesure la profession est compatible avec les aspirations familiales. Dans certaines professions, il est assez facile de concilier travail et famille alors que dans d'autres, cela est pratiquement impossible. Il s'agit d'un critère important à considérer dans son choix. L'enseignement universitaire, par exemple, est une carrière prestigieuse, mais elle peut rendre difficile la conciliation des aspirations professionnelles et des objectifs familiaux. À l'opposé, dans l'enseignement au primaire et au secondaire, la conciliation travail-famille est très bien intégrée dans la culture professionnelle : un congé parental ne représente pas une menace à la carrière. Dans certains bastions masculins comme le génie ou la finance, il est encore fréquent que la carrière d'un homme se construise grâce à la disponibilité d'une femme à la maison. Il reste énormément de progrès à faire pour que la conciliation travail-famille fasse vraiment partie des mœurs et qu'elle soit équitable pour tous[7].

DURÉE DES CARRIÈRES Ce critère a trait à la probabilité de se maintenir dans une carrière. À partir de différentes sources d'information, j'ai évalué pour chaque profession la probabilité de connaître une longue carrière ou, au contraire, d'avoir éventuellement à se diriger vers un autre métier. Il va sans dire que les professions où les carrières sont les plus longues sont aussi les plus avantageuses. La durée des carrières est donc un critère très significatif dans le choix d'une profession.

Le cas de l'enseignement est bien connu : 20 % des professeurs quittent la profession dans les cinq ans qui suivent la fin de leurs études. D'autres professions connaissent également des pourcentages de départs élevés. Les taux de roulement ou de maintien en poste (« rétention ») sont des indices très significatifs quant à la qualité des conditions prévalant dans une profession. Quand les gens quittent le navire, il y a des raisons ! Des esthéticiennes ou des massothérapeutes qui ont 30 ans de métier, c'est très rare. Par contre, peu de plombiers se réorientent.

DÉPLACEMENTS À 20 ans, tout le monde pense que plus une profession offre de possibilités de voyage, mieux c'est. En vieillissant, on se rend compte des inconvénients que représentent de nombreux déplacements. Dans certaines professions où la mobilité est très importante, cet aspect peut devenir un enjeu. Ainsi, les militaires, les géologues et certains travailleurs spécialisés de la construction doivent fréquemment

---

7. Arlie Russell Hochschild, *The Time Bind*, Berkeley, 2002.

travailler dans des endroits éloignés. Les déplacements peuvent donner lieu à d'importants problèmes de logistique et de stabilité, et rendre encore plus difficile la conciliation travail-famille.

SENTIMENT D'UTILITÉ Bien sûr, chaque profession a son importance. Toutefois, le fait de se sentir utile varie beaucoup d'une activité à l'autre. Plus les buts du travail sont précis, plus grandes sont les chances de se sentir utile. Un chirurgien n'a généralement pas de doutes sur le sens de son travail, l'utilité de ses interventions n'a pas besoin d'être démontrée. À l'opposé, les employés de très grands services bureaucratiques se questionnent parfois sur l'utilité de ce qu'ils font. Dans certains emplois, le travail est décomposé de telle façon qu'il devient difficile pour ceux qui l'accomplissent de comprendre exactement à quoi sert leur tâche. L'utilité réelle de leur travail leur échappe. Des auteurs comme Harry Braverman et Georges Friedmann[8] ont décrit cette tendance dans le travail moderne.

Le travail qui laisse des traces tangibles et durables ou encore les emplois dont le produit modifie directement la vie d'autrui sont ceux où l'impression d'utilité est la plus grande. Moins un travail est touché par la séparation des tâches, plus on s'y sent utile.

DEGRÉ D'HUMANISME Lorsque le but immédiat d'une profession contribue au bien-être, au développement, à la santé ou à la sécurité matérielle d'autrui, on peut dire qu'elle possède un fort degré d'humanisme. Plus on travaille directement pour le mieux-être et l'épanouissement des gens, plus on se sent mobilisé par son travail. Certains acceptent de travailler à de moins bonnes conditions parce qu'ils savent que leur travail aide d'autres personnes à mieux vivre. Par ailleurs, les emplois qui ne visent que le profit doivent être très bien rémunérés pour que la motivation soit maintenue. Par exemple, les représentants ont continuellement besoin de séminaires de motivation, alors que les psychoéducateurs et les travailleurs sociaux s'en passent facilement.

PLAISIR INTRINSÈQUE Le niveau de plaisir lié à un travail varie d'une profession à l'autre. Un sommelier, par exemple, dont la tâche consiste à goûter et à servir du vin, est directement branché sur le plaisir.

---

8. Harry Braverman, *Travail et capitalisme monopoliste*, Paris, 1976 ; Georges Friedmann, *Le travail en miettes*, Paris, 1964.

Le travail d'un actuaire, bien que potentiellement intéressant, est *a priori* plus austère. Le travail peut être en soi un acte de plaisir. Les emplois qui permettent de fabriquer ou de créer procurent beaucoup de plaisir.

Les emplois dans lesquels on peut s'engager physiquement et émotivement dans la tâche entraînent un phénomène que le psychologue américain Mihaly Csikszentmihalyi appelle le *flow*[9]. Il s'agit d'un état de plaisir où toute l'attention est absorbée par le travail et où la notion du temps qui passe s'estompe. Les emplois où on ne « voit pas le temps passer » sont donc plus intéressants que ceux où on regarde fréquemment l'horloge. Dans les emplois de surveillance ou dans ceux qui exigent d'attendre, on peut avoir l'impression que le temps passe très lentement. Les emplois routiniers qui ne permettent pas de se sentir mobilisé peuvent également donner cette impression.

STIMULATION INTELLECTUELLE Plus un travail est stimulant, moins on risque de s'en fatiguer rapidement. L'ennui au travail provient de la routine et de l'absence de défis. Les emplois qui ne stimulent ni l'intelligence ni les sens sont donc ceux qui créent le plus d'insatisfaction. C'est dans l'industrie et les grandes organisations qu'on trouve les emplois aux tâches les moins motivantes. Notons qu'un travail manuel peut être très stimulant intellectuellement, pour autant qu'il pose des défis, nous place dans des situations nouvelles ou nous offre des problèmes à résoudre.

J'ai tenté d'évaluer le degré de stimulation intellectuelle de chaque profession en me basant sur la variété des tâches et des situations, ainsi que sur la complexité des problèmes à résoudre. Il y a évidemment un lien direct entre le niveau de scolarité exigé et le degré de complexité d'une profession, mais ce n'est pas l'unique facteur. Ainsi, un emploi de soudeur peut offrir un degré de stimulation assez élevé même s'il s'agit d'un travail manuel alors que certains emplois en représentation ou en ressources humaines, pourtant de niveau universitaire, s'avèrent peu stimulants et très routiniers. Dans *Éloge du carburateur*, Matthew B. Crawford raconte que l'emploi qu'il occupait dans un groupe de recherche politique lui procurait moins de stimulation que son travail de mécanicien de motos[10]. Selon lui, remettre une moto en état de marche s'avère un défi plus grand, même sur le plan intellectuel, qu'élaborer des stratégies politiques.

---

9. Traduit en français par « expérience optimale » ou « flot ». Voir Mihaly Csikszentmihalyi, *Vivre : La psychologie du bonheur*, Paris, 2004.
10. Matthew B. Crawford, *Éloge du carburateur*, Montréal, 2010.

Un autre aspect de la stimulation intellectuelle concerne les possibilités d'apprentissage. Dans bien des professions, le champ des connaissances est infini et on peut y faire des découvertes tout au long de sa carrière. Cela est particulièrement vrai pour toutes les professions scientifiques.

CRÉATIVITÉ Un travail qui permet d'exprimer sa créativité est habituellement plus intéressant et il n'est pas nécessaire qu'il soit artistique pour cela. L'important est que le travail permette à la personne de s'exprimer et d'innover, ce qui est généralement le cas quand on a un espace professionnel et une emprise sur le déroulement des événements. Plus un travail est qualifié, plus le pouvoir de modeler ses activités est grand.

Certains emplois sont plus favorables que d'autres à l'expression de la créativité. Les professions liées à l'enseignement, à la relation d'aide, de même que l'architecture et le droit, par exemple, permettent à la créativité de s'exprimer. D'autres domaines au contraire ne le permettent pas, en particulier ceux où le respect des règles est important. Dans le travail de policier ou celui de technicien de laboratoire, la créativité est peu sollicitée.

Les emplois très routiniers et qui requièrent peu de qualifications[11] sont également ceux où on exprime le moins de créativité. Par contre, dans les métiers manuels comme la construction ou la mécanique, les problèmes posés par le travail et la recherche de solutions exigent plus d'imagination que bien des professions universitaires.

INDICE BUREAUCRATIE Presque toutes les professions comportent un aspect bureaucratique. J'entends par cela tout ce qui relève de la paperasse, des procédures administratives et des formulaires à remplir. Par exemple, tous les actes accomplis par les infirmières, les médecins et les policiers doivent être consignés dans des dossiers. Dans certaines professions, l'aspect bureaucratique peut occuper plus de la moitié du temps de travail. C'est le cas, notamment, des comptables ou des agents de bureau. Presque toutes les professions de niveau universitaire comportent un aspect bureaucratique. À l'opposé, la plupart des métiers manuels requièrent très peu de travail de bureau.

---

11. Qualification : le degré de connaissances et d'habiletés requis pour pratiquer une profession. C'est l'adéquation entre la qualification de la profession, de la formation et de la personne qui fait un bon mariage professionnel.

C'est une évaluation qui est complexe parce que les variations sont importantes d'un employeur à l'autre. En règle générale, on peut établir que la bureaucratie dans un travail est proportionnelle à la taille de l'employeur. C'est dans les appareils d'État et dans les grandes entreprises qu'elle se fait le plus sentir.

SOLITAIRE / EN ÉQUIPE Il s'agit ici d'indiquer si l'on travaille en équipe ou plutôt seul dans cette profession, si on s'y sent épaulé ou, au contraire, isolé. Même si on travaille avec d'autres, on peut parfois être très seul. Quand on est professeur, médecin ou travailleur social, on travaille auprès du public, mais on est seul face à ses élèves, ses patients ou ses clients. Pour bien des personnes, cela ne pose pas problème. Par contre, pour ceux qui sont moins confiants, surtout en début de carrière, il peut s'agir d'un facteur important à considérer, en particulier dans les professions universitaires. Même si la solitude n'est pas en soi négative, j'ai tenté de déterminer les professions où elle peut s'avérer lourde à porter. À l'inverse, les pompiers, les employés de bureau (surtout dans les espaces à aire ouverte) ou le personnel de restauration travaillent presque toujours en groupe. Dans certaines professions, cela nécessite de pouvoir compter sur de bonnes compétences sociales.

TRAVAILLER À SON COMPTE Le travail autonome peut être aussi positif que négatif, selon les situations. Dans certains secteurs, il est surtout associé au sous-emploi[12] et à la précarité. Il est le produit de stratégies d'entreprises qui se délestent des charges sociales liées au salariat et qui confinent les travailleurs à la sous-traitance. On trouve ce type d'emploi dans des secteurs aussi diversifiés que la production industrielle, le transport, l'édition, les soins personnels, la relation d'aide, l'administration, la vente et la publicité.

À l'opposé, le travail autonome peut être synonyme de prestige, d'indépendance et de promotion sociale. Ainsi, un mécanicien qui ouvre son propre garage s'élève dans l'échelle sociale. Un pharmacien ou un dentiste qui travaille à son compte gagne généralement mieux sa vie que ses collègues salariés.

---

12. Sous-emploi : le sous-emploi correspond à une situation où un travailleur ne parvient pas à travailler autant qu'il le voudrait. Ainsi, celui qui est obligé d'acccpter un emploi à temps partiel ou un emploi saisonnier alors qu'il souhaite travailler à temps plein et à l'année est en situation de sous-emploi.

En règle générale, on peut avancer que ceux qui sont travailleurs autonomes par obligation y perdent au change, alors que ceux qui sont à leur compte par choix sont gagnants. Pour certains, le fait d'être maître de leur destinée a une valeur inestimable. Une seconde règle quant au travail autonome est que ses avantages augmentent avec l'expérience. Un psychologue en début de carrière a tout intérêt à être salarié afin d'acquérir de l'expérience dans un milieu structuré. Ce n'est que plus tard qu'il possédera l'autonomie et les atouts nécessaires pour bénéficier pleinement des avantages d'être à son compte.

RÉUSSITE OU ÉCHEC Le philosophe Aristote faisait déjà la distinction entre les disciplines qui atteignent toujours leur cible et celles où les résultats ne sont pas certains. Ainsi, il avait remarqué que le médecin, malgré ses meilleurs efforts, n'arrive pas toujours à guérir son patient. La médecine est donc une profession où il faut posséder une bonne tolérance à l'échec.

L'évaluateur agréé vit rarement des échecs, tout comme l'électricien. Par contre, le créateur publicitaire ou le psychoéducateur connaissent souvent des revers. Il faut bien tolérer l'échec pour faire de la recherche scientifique ou pour travailler auprès de certaines clientèles difficiles. Par les temps qui courent, les spécialistes de l'alzheimer doivent savoir affronter l'échec. Bref, le rapport à l'échec varie selon les professions et c'est un facteur à considérer. En règle générale, c'est surtout dans les emplois qui nécessitent le plus de qualifications, et particulièrement dans les emplois où l'on a des contacts avec des personnes en détresse, que l'on affronte plus directement l'échec.

RECONNAISSANCE SOCIALE On peut estimer le niveau de reconnaissance dont jouit une profession à une foule d'indices. La place qu'elle occupe dans les œuvres de fiction en est un. Le niveau de scolarité, le salaire et le statut en sont d'autres. À qualification égale, les policiers bénéficient d'un niveau de reconnaissance bien plus élevé que celui de la plupart des autres métiers du collégial. Au secondaire, les métiers masculins sont, à quelques exceptions près, plus reconnus que les professions féminines.

J'insiste ici sur le fait qu'il n'y a pas de lien entre l'utilité d'une profession et la reconnaissance sociale dont elle jouit. Il existe bien des métiers extrêmement utiles qui n'obtiennent malheureusement pas beaucoup de reconnaissance. C'est particulièrement vrai en ce qui concerne les métiers manuels, de même que toutes les professions qui ont trait à la relation d'aide. Un travailleur social compétent n'aura jamais le statut d'un avocat parce que son travail est discret, voire invisible.

DEGRÉ DE POUVOIR Bien entendu, les professions qui requièrent le plus de qualifications sont aussi celles où se concentre le pouvoir. Au sens strict, le terme pouvoir fait référence à la possibilité d'accomplir des choses ou d'influencer des situations. Le pouvoir est un potentiel, une action en devenir. En milieu de travail, il désigne le plus souvent la position occupée dans la hiérarchie. Le pouvoir indique aussi le degré d'influence qu'un travailleur peut avoir sur les événements ou les choses. Ceux dont le travail influe sur le destin d'autrui ou sur celui de la société ont beaucoup de pouvoir. Les ingénieurs, par exemple, dont la qualité du travail garantit la sécurité de populations entières, ont beaucoup de pouvoir.

À qualification et formation égales, certaines professions ont plus de pouvoir que d'autres. Ainsi, un avocat a beaucoup plus de pouvoir qu'un physiothérapeute même si leur niveau d'études est semblable. Une inhalothérapeute possède un niveau de pouvoir similaire à celui d'un physiothérapeute même si elle a un niveau d'études moins élevé. Le pouvoir rattaché aux professions dépend d'une foule de facteurs. Généralement, les professions qui ont les traditions les mieux établies et dont le nombre de membres est important sont celles qui ont le plus de pouvoir. Les professions qui sont au cœur de l'appareil industriel, financier et politique ont également plus de pouvoir, comme la comptabilité, la finance, le génie et le droit.

MOBILITÉ ET AVANCEMENT La mobilité professionnelle désigne les possibilités de mouvements professionnels, soit d'une région à une autre, soit dans les emplois offerts localement. La mobilité peut aussi être possible à l'intérieur d'un même emploi, dans la mesure où il y a des possibilités d'avancement ou de changement sur le plan des tâches.

Plus la mobilité professionnelle est aisée, plus il y a de chances de trouver un emploi vraiment satisfaisant. La mobilité professionnelle est généralement proportionnelle à la vigueur et à l'envergure d'une profession. Par exemple, pour une secrétaire, il est assez facile de changer d'emploi dans une région donnée si, pour une raison ou une autre, elle n'aime pas celui qu'elle occupe. Souvent, il lui est aussi possible de changer de poste à l'intérieur même de l'organisation qui l'embauche, ce qui lui permet d'explorer jusqu'au moment où elle trouve un poste qui la satisfait pleinement. Inversement, pour un enseignant qui n'est pas satisfait de son travail, la mobilité est plus difficile : les possibilités de changer d'emploi sont très limitées et les solutions de rechange sont restreintes.

Sur le plan de l'avancement, certaines professions sont aussi plus avantageuses que d'autres. Dans les secteurs du génie, du droit et de l'administration, l'avancement est très fréquent. Dans des emplois moins qualifiés ou plus spécialisés, les promotions sont beaucoup plus rares.

NIVEAU DE STRESS Il y a des emplois plus stressants que d'autres. Aux dernières nouvelles, la profession de contrôleur aérien remportait la palme du métier le plus stressant. À l'opposé, les emplois de massothérapeute ou d'acupuncteur ne sont normalement pas trop stressants.

Le niveau de stress est lié au degré de pouvoir dans une profession, mais de manière inversement proportionnelle. Ceux qui ont le plus de pouvoir sentent moins de stress parce qu'ils ont la possibilité de modifier leur situation.

Le stress est aussi lié aux responsabilités et à la charge de travail. Dans des professions comme la médecine et les sciences infirmières, on joue carrément avec la vie des gens et les erreurs, qui sont inévitables, peuvent avoir des conséquences catastrophiques. La charge de travail est un facteur névralgique. Si elle est systématiquement trop lourde, elle entraîne invariablement des blessures physiques ou psychologiques. De nombreux professionnels des services publics sont continuellement aux prises avec des problèmes de surcharge de travail.

DANGER ET POLLUTION Il y a des professions plus dangereuses que d'autres. Certaines sont propices aux blessures physiques, notamment dans les domaines de l'agriculture, de l'industrie, de la santé, de la restauration ou des transports. D'autres peuvent causer des lésions psychologiques telles que dépression et épuisement professionnel, entre autres dans les domaines de l'enseignement, de la santé et de la relation d'aide. Le site de la Commission de la santé et de la sécurité du travail (www.csst.qc.ca) contient une information abondante permettant de repérer les professions les plus risquées. Dans certaines, le danger fait partie du travail : plongeur professionnel, dynamiteur, soldat, policier, pompier, garde-côte, pilote de brousse. Composer avec des risques modestes peut s'avérer stimulant, mais quand les blessures psychologiques et physiques deviennent la norme, comme c'est le cas présentement pour les soldats canadiens, le risque n'est plus un facteur de motivation.

Il faut noter que, malheureusement, les données disponibles sont rarement assez précises pour évaluer avec certitude le niveau de risque dans les professions ; je suis donc obligé de spéculer. Toutefois, je préfère me prononcer, quitte à être imprécis, que de ne rien dire de ces enjeux importants dans le choix d'une carrière.

EN VRAC Cette rubrique permet d'indiquer les problèmes ou les qualités spécifiques d'une profession. Certaines connaissent des problèmes particuliers desquels il vaut mieux être au courant. Par exemple, les infirmières sont débordées, c'est bien connu. Les professeurs se plaignent que les jeunes sont de plus en plus désagréables. Les ingénieurs sont présentement touchés par un cycle économique turbulent et par une très forte concurrence internationale. J'ai indiqué ces problèmes quand ils peuvent influer sur la décision.

D'autres professions possèdent des qualités spécifiques qui, elles aussi, peuvent influer sur le choix de carrière. Je les signale également.

Professions semblables
Dans certains cas, j'ai mentionné des professions connexes à celle qui est évaluée pour que le lecteur puisse comparer. Dans les professions liées à la santé, par exemple, il est utile de tracer un parallèle entre la physiothérapie et la chiropractie. Ceux qui hésitent entre ces deux domaines pourront ainsi se faire une idée plus juste.

Évaluation globale
J'ai noté chaque profession d'après un système allant d'une à cinq étoiles. Le tableau « Coup d'œil » indique le nombre d'étoiles que j'ai accordé à chaque profession et, en fin de chapitre, le lecteur trouvera en plus une synthèse de mon évaluation, qui tient compte de l'ensemble des qualités et des défauts de la profession et de toutes les données analysées. L'attribution de cette note globale a sans doute constitué pour moi l'étape la plus difficile de l'évaluation, mais je m'y suis astreint pour offrir au lecteur la possibilité de comparer les professions entre elles.

Toutes les professions comportent des qualités et des défauts, et il est périlleux de les traduire par une valeur absolue, d'autant plus que les situations varient d'une profession à l'autre et à l'intérieur d'une même profession. La note globale exprime donc un portrait d'ensemble et peut prêter à discussion.

La profession qui ne remporte qu'une seule étoile se classe parmi les pires sur le marché. C'est probablement par défaut qu'on y aboutit. La profession qui obtient deux étoiles n'est pas très attrayante. Elle possède bien quelques qualités, mais ce sont les défauts qui l'emportent. La note de trois étoiles indique le niveau minimal pour qu'on s'intéresse vraiment à une profession : les qualités l'emportent sur les défauts et il est possible de faire une carrière enviable. Une profession quatre étoiles possède de grandes qualités qui l'emportent largement sur les défauts : on peut espérer faire une très belle carrière. Enfin, les cinq étoiles indiquent la crème des professions. Elle a quand même des défauts parce que la perfection n'existe pas, mais ceux qui l'ont adoptée ont un vif sentiment d'accomplissement et d'excellentes possibilités d'épanouissement personnel et professionnel.

Les professions qui se classent au sommet et celles qui sont en queue de peloton étaient les plus faciles à évaluer. Par contre, celles qui se situent au milieu, entre deux étoiles et demie et trois étoiles et demie, ont été difficiles à coter. Tous ne seront pas d'accord avec mes évaluations, ce qui n'est pas grave. L'important est que chaque lecteur prenne le temps de lire, de réfléchir, de comparer et de se faire sa propre opinion.

Comment utiliser ce livre

Les professions présentées dans ce guide ont été analysées et évaluées en fonction d'une trentaine de critères. Les voici tous. Pour chacun, le guide répond aux questions indiquées. Certains de ces critères peuvent ne pas s'appliquer à l'analyse d'une profession en particulier. Il est donc normal que tous les critères ne figurent pas dans chaque section du guide.

Chaque chapitre s'ouvre sur une description succincte de la profession qui précise les fonctions spécifiques, les différents types d'emplois et les spécialités.

Coup d'œil

PROFESSION	PROFESSIONNELS / FINISSANTS	RATIO	SALAIRE ANNUEL MOYEN
Charpentier-menuisier ★ ★ ★ ★ ★	75 000 / 1 500	1 / 24	38 000 $

Ce tableau en trois colonnes indique :

1re colonne
La(les) profession(s) et leur évaluation globale, allant de une à cinq étoiles.

★ ★ ★ ★ ★ *Profession parmi les moins intéressantes sur le marché*

★ ★ ★ ★ ★ *Profession peu attrayante*

★ ★ ★ ★ ★ *Profession où l'on peut faire une carrière enviable*

★ ★ ★ ★ ★ *Profession où les qualités l'emportent sur les défauts*

★ ★ ★ ★ ★ *Profession offrant d'excellentes possibilités d'épanouissement*

2e colonne
Le nombre de personnes qui pratiquent cette profession, le nombre de diplômés et le ratio entre les diplômés et les professionnels.

Le ratio entre les professionnels et les diplômés donne déjà une idée des perspectives d'emploi : un bon ratio se situe entre 1 pour 20 et 1 pour 30.

N.B. : L'abréviation « s.o. » (sans objet) signifie qu'il n'y a pas de programme de formation ou trop de programmes différents pour que l'on puisse indiquer un nombre de diplômés, alors que l'abréviation « n.d. » (non disponible) indique qu'on ne dispose d'aucune statistique.

3e colonne
Le salaire annuel moyen

Tous les salaires indiqués dans le présent guide sont des salaires annuels moyens. On peut donc comparer.

FORMATION	Quelle est la formation nécessaire pour accéder à la profession ? S'il y a plusieurs possibilités, quel est le meilleur choix ?
DEGRÉ D'HOMOGÉNÉITÉ	Dans quelle mesure les emplois dans cette profession se ressemblent-ils ?

Analyse du marché de l'emploi

HOMMES-FEMMES	Quelle est la proportion d'hommes et de femmes pratiquant cette profession ? Est-ce une situation en évolution ?
TAUX DE CHÔMAGE	Est-ce une profession où il y aura des périodes de chômage fréquentes ou occasionnelles ?
GÉOGRAPHIE	Peut-on pratiquer cette profession dans toutes les régions du Québec ?
EMPLOYEURS	Y a-t-il beaucoup d'employeurs ? Sont-ils dans le secteur public ou privé ? S'agit-il de grandes ou de petites entreprises ?
SYNDICALISATION	S'agit-il d'un milieu où les emplois sont syndiqués ?
QUALITÉ DES EMPLOIS	Quelle est la proportion d'emplois à temps partiel, d'emplois de qualité et d'emplois atypiques dans cette profession ?
INSERTION PROFESSIONNELLE	Est-il possible de trouver rapidement du travail et de s'y adapter facilement ? Après combien de temps peut-on mener une carrière épanouissante et à long terme ?

Avenir de la profession

PÉRENNITÉ	Y aura-t-il compression des emplois en raison de la technologie ? Y a-t-il un risque de transfert à l'étranger ? Le nombre d'emplois sera-t-il stable dans les prochaines années ?
PERSPECTIVES D'EMPLOI	Comment qualifier les perspectives d'avenir dans le domaine ? Sont-elles excellentes, bonnes, passables ou mauvaises ?

DEGRÉ D'AUTONOMIE	Est-on très encadré ou plutôt autonome dans cette profession ?
HORAIRES	Travaille-t-on en fonction d'horaires normaux et typiques ou plutôt d'horaires brisés ? Doit-on travailler le soir ou le week-end ?
INDICE FAMILLE	La conciliation travail-famille est-elle facile ? Peut-on fonder une famille en début de carrière ou faut-il remettre ses projets de famille à plus tard ?
DURÉE DES CARRIÈRES	Quelle est la probabilité de connaître une longue carrière dans cette profession ? Y a-t-il beaucoup de roulement ? Un taux élevé d'insatisfaction ?
DÉPLACEMENTS	Doit-on beaucoup voyager ou se déplacer pour exercer cette profession ?
SENTIMENT D'UTILITÉ	Se sent-on utile à la société quand on pratique cette profession ?
DEGRÉ D'HUMANISME	Cette profession contribue-t-elle au bien-être ou à l'épanouissement d'autrui ?
PLAISIR INTRINSÈQUE	Ce travail est-il perçu comme plaisant par ceux qui l'exercent ?
STIMULATION INTELLECTUELLE	Ce travail est-il stimulant sur le plan intellectuel ? Offre-t-il la possibilité d'apprendre et de réfléchir ? Au contraire, est-il plutôt routinier ?
CRÉATIVITÉ	Cette profession sollicite-t-elle la créativité ?
INDICE BUREAUCRATIE	L'aspect paperasse et procédurier est-il important dans cette profession ?
SOLITAIRE / EN ÉQUIPE	Travaille-t-on en équipe ou toujours seul ? Se sent-on entouré et épaulé ou, au contraire, plutôt isolé dans cette profession ?

TRAVAILLER À SON COMPTE	Le travail autonome est-il possible ? Dans l'affirmative, est-il associé à l'indépendance ou à la précarité ?
RÉUSSITE OU ÉCHEC	Est-ce une profession où on connaît beaucoup de réussites ou une où l'on doit avoir une grande tolérance à l'échec ?
RECONNAISSANCE SOCIALE	De quel type de reconnaissance cette profession jouit-elle dans la société ?
DEGRÉ DE POUVOIR	Cette profession donne-t-elle des possibilités de changer les choses ? Permet-elle d'influencer des situations ?
MOBILITÉ ET AVANCEMENT	Peut-on changer d'emploi facilement ? Peut-on espérer obtenir des promotions ?
NIVEAU DE STRESS	Les responsabilités et la charge de travail sont-elles des facteurs de stress dans cette profession ?
DANGER ET POLLUTION	Y a-t-il des dangers de blessures physiques ou psychologiques dans cette profession ?
EN VRAC	Y a-t-il des problèmes spécifiques à cette profession ? A-t-elle des qualités particulières ?

Professions semblables

Y a-t-il d'autres choix de carrière possibles ?

Évaluation globale

Cette synthèse explique la note accordée à la profession.

avenir

perspectives d'emploi
influence sur le bonheur,
la santé et la vie quotidienne

formation
employeur
in e famille
éva ation globale
analyse du marché de l'emploi

NIVEAU
secondaire

Les métiers qui exigent des diplômes

de secondaire gagnent à être connus, en particulier ceux de la construction, qui offrent des conditions de travail étonnamment bonnes, et qui sont en plus stimulants. Ceux et celles qui les pratiquent s'y plaisent le plus souvent.

J'écris «ceux et celles», mais en fait les femmes sont peu représentées dans ces professions, qu'un plus grand nombre d'entre elles devraient envisager. Une électricienne peut très bien gagner sa vie dès la vingtaine et, souvent même, arriver à bien concilier le travail et la vie familiale.

Les inégalités entre les hommes et les femmes sur le marché du travail sont présentes partout, mais c'est sans doute dans cette section du guide qu'elles sont le plus frappantes. Même dans les métiers du secondaire où les proportions d'hommes et de femmes sont plus équilibrées, on remarque que les hommes occupent systématiquement le haut du pavé. Le cas des femmes de ménage et des concierges d'immeuble l'illustre bien : les seconds gagnent en moyenne 25 % de plus et bénéficient de conditions de travail systématiquement meilleures pour un travail somme toute assez semblable. Le sexe de la personne qui tient la serpillière influe sur son salaire...

3

Les métiers de la construction

Il s'agit ici de tous les métiers qui sont pratiqués sur les chantiers de construction ou de rénovation. Bien qu'ils comportent de nombreuses différences entre eux, je les ai regroupés pour en faire une évaluation commune, car les perspectives d'emploi et la plupart des autres critères peuvent s'appliquer à l'ensemble. On peut trouver des descriptions précises de chacun de ces métiers sur de nombreux sites Web (voir « Les 10 meilleurs sites... », page 343).

Les professionnels de la construction participent selon leur champ de compétence à la réalisation ou à la modification de toutes sortes de bâtiments, résidentiels ou autres. Il est très facile de se représenter les activités de construction résidentielle. Il faut savoir que les travailleurs de la construction construisent aussi des fermes, des hôpitaux, des centres commerciaux, des tours de bureaux et, même, des barrages hydroélectriques.

Coup d'œil

PROFESSION	PROFESSIONNELS / FINISSANTS	RATIO	SALAIRE ANNUEL MOYEN
Charpentier-menuisier ★ ★ ★ ★ ★	75 000 / 1 500	1 / 50	38 000 $
Briqueteur, maçon ★ ★ ★ ★ ★	4 500 / 488	1 / 10	38 000 $
Finisseur de béton, carreleur, couvreur, vitrier, peintre, poseur de revêtements d'intérieur, calorifugeur ★ ★ ★ ★ ★ Plâtrier ★ ★ ★ ★ ★	27 000 / 900	1 / 30	30 000 $ - 35 000 $
Électricien industriel, électricien de réseau, monteur de lignes, opérateur de centrale électrique ★ ★ ★ ★ ★	40 000 / 2 400	1 / 16	47 000 $
Plombier ★ ★ ★ ★ ★	13 000 / 540	1 / 24	50 000 $
Entrepreneur général en construction ★ ★ ★ ★ ★	8 000 / s.o.		50 000 $
Manœuvre ★ ★ ★ ★ ★	26 000 / s.o.		35 000 $
Ébéniste ★ ★ ★ ★ ★	8 000 / s.o.		28 000 $

Au total, on compte environ 150 000 travailleurs dans le domaine de la construction. Les trois métiers les plus importants sont charpentier-menuisier, électricien et plombier. Il faut mentionner, et cela vaut pour tous les travailleurs du domaine, que les salaires réels sont probablement supérieurs à ce que les données officielles montrent, et ce, pour trois raisons.

- Premièrement, comme le travail au noir est très fréquent dans ce secteur, une partie significative des revenus échappe aux statistiques. Les salaires réels sont probablement de 10 à 15 % plus élevés que ce que les chiffres révèlent.

- Deuxièmement, les travailleurs de la construction ont souvent à leur disposition des véhicules et des matériaux à bas prix pour leur usage personnel. Ces avantages non négligeables ajoutent quelques milliers de dollars à leur salaire réel.

- Troisièmement, la nature même de leur travail facilite pour eux l'accès à la propriété. Ils sont nombreux à utiliser leurs périodes de chômage pour exécuter des travaux à leur résidence personnelle. Ces avantages ne sont pas des revenus, mais ils augmentent sans l'ombre d'un doute leur richesse personnelle.

Les travailleurs de la construction peuvent être très bien logés tout en n'ayant pas une lourde hypothèque à rembourser.

Soulignons qu'un étudiant du secondaire qui décide assez tôt d'opter pour un métier de la construction peut accéder au marché du travail dès l'âge de 17 ans et sans dettes d'études. Il peut bénéficier, dès la trentaine, d'un revenu de plus de 50 000 $ par année tout en étant affranchi de toute dette et peut-être même d'hypothèque, alors que bien des diplômés de l'université seront, au même âge, en début de carrière, criblés de dettes, menacés par la précarité et recevront un salaire parfois moins intéressants.

En ce qui concerne le tableau de la page de gauche, soulignons que, dans la troisième catégorie de métiers, malgré le nombre peu élevé de finissants, le marché est parfois difficile, particulièrement pour les peintres et les poseurs de revêtements d'intérieur. Par contre, il est excellent pour les calorifugeurs, car il y a peu de finissants et ces emplois sont plus payants que la moyenne.

Comme on peut aussi le voir dans le tableau, le salaire annuel moyen des 13 000 électriciens du secteur industriel est de 47 000 $, ce qui est bon[1]. Par contre, le salaire

---

1. Dans le secteur de l'électricité, la proportion d'emplois dans la grande entreprise est un peu plus importante que dans les autres secteurs de la construction, aussi le travail au noir y est peut-être un peu moins répandu.

annuel moyen des monteurs de lignes, électriciens de réseau et opérateurs de centrale électrique est de plus de 70 000 $, ce qui place ces métiers parmi les plus payants du niveau secondaire. Les salaires sont aussi excellents dans les emplois d'électricien industriel, ainsi que dans les secteurs de la construction d'avions et de trains. En réalité, le salaire de bien des travailleurs de la construction se compare avantageusement à celui de bien des professions du niveau universitaire.

Il est curieux de constater que le salaire moyen des manœuvres, travailleurs moins qualifiés, est aussi élevé que celui des charpentiers, des vitriers ou des couvreurs, par exemple. J'y vois la preuve que les conditions de travail sont généralement très bonnes dans l'industrie de la construction et que les moyennes salariales sont à prendre avec un grain de sel. On peut travailler comme manœuvre dans la construction après une simple formation en santé et sécurité au travail.

Les ébénistes, qui sont au nombre de 8 000, ne gagnent en moyenne que 28 000 $ par année, ce qui est nettement inférieur aux autres emplois dans la construction, pour accomplir un travail en usine plus pénible et plus routinier que celui de leurs confrères d'autres métiers. À un jeune qui hésite entre l'ébénisterie et un autre métier de la construction, je recommanderai presque toujours le deuxième choix.

FORMATION

Les différents programmes de formation qui donnent accès aux métiers de la construction sont offerts au niveau secondaire. La formation dure environ 24 mois et peut être entreprise dès la quatrième année du secondaire.

Il faut savoir que, malheureusement, l'admission à de nombreux programmes de formation dans ce domaine est très contingentée. Certaines commissions scolaires reçoivent jusqu'à 50 candidatures pour une seule place. Je recommande fortement à ceux qui sont intéressés par ces programmes de poser leur candidature dans plusieurs commissions scolaires et de vérifier le contingentement pour chacun. On peut facilement trouver l'information nécessaire dans Internet (*www.fcsq.qc.ca*). Si la formation qu'un jeune homme souhaite suivre n'est pas offerte dans sa région, c'est un avantage. Une fois diplômé, il trouvera très facilement du travail, puisque le marché local est mal pourvu dans cette spécialité.

HOMMES-FEMMES

Le nombre de femmes dans les métiers de la construction est ridiculement bas. Pourtant, elles seraient sans aucun doute capables d'effectuer l'immense majorité des tâches normalement accomplies dans ces professions. De plus, si on compare les conditions de travail dans ces métiers avec celles qui prévalent dans les métiers féminins qui nécessitent peu de scolarité, on comprend mal que les femmes ne soient pas plus nombreuses à tenter leur chance.

TAUX DE CHÔMAGE

Le domaine de la construction fonctionne d'une manière un peu particulière. Il n'est pas rare que, malgré une carrière bien entamée, on connaisse régulièrement des épisodes de chômage. Très souvent, tout se passe en été et les mois d'hiver sont moins occupés. Les employeurs sont conscients des problèmes que cela suscite et accommodent généralement de leur mieux leurs employés afin que leurs revenus soient aussi réguliers que possible. Les travailleurs de la construction s'adaptent généralement bien aux périodes de chômage qui leur sont imposées. Certains y voient même des avantages.

GÉOGRAPHIE

L'emploi est très bien réparti sur le territoire. Si on est obligé de travailler en région très éloignée, on peut voir son salaire augmenter significativement. Ainsi, ceux qui travaillent dans les grands projets hydroélectriques gagnent souvent des salaires de plus de 80 000 $ par année, en plus de jouir de conditions de travail très avantageuses. Dans les prochaines années, les travailleurs qui participeront au développement du Plan Nord du gouvernement québécois auront accès à une manne d'emplois très bien payés.

EMPLOYEURS

Les employeurs sont très nombreux et ne se limitent pas au milieu de la construction, mais vont de la très petite entreprise jusqu'aux très grandes organisations. Dans le secteur de l'électricité, Hydro-Québec joue un rôle dominant. C'est aussi un secteur où plusieurs choisissent de travailler à leur compte.

SYNDICALISATION

Le monde de la construction est syndiqué « mur à mur ». La loi dans ce domaine est stricte, et tout le travail accompli dans la construction doit l'être sous la férule de puissants syndicats, en particulier la Fédération des travailleurs du Québec (FTQ) et la Confédération des syndicats nationaux (CSN). Les syndicats du domaine de la construction ont une réputation sulfureuse, sans doute en partie justifiée. Par contre, il faut admettre que leur présence assure à leurs membres des conditions de travail et salariales avantageuses.

QUALITÉ DES EMPLOIS

Le principal inconvénient des emplois dans la construction est l'intermittence du travail, qui peut donner le sentiment de toujours être à la merci de la conjoncture économique et des projets en cours. Comme les chantiers ne durent jamais très longtemps (à part celui du fameux CHUM, à Montréal!), on est appelé à changer souvent de milieu de travail, avec tout ce que cela comporte de désagréments et d'adaptation.

INSERTION PROFESSIONNELLE

À une certaine époque, il pouvait être assez long de se tailler une place dans certains métiers de la construction. Ce n'est plus le cas aujourd'hui. La vaste majorité des finissants trouvent rapidement du travail.

Avenir de la profession

PÉRENNITÉ

C'est une des beautés des métiers de la construction. Ce genre de travail est presque impossible à comprimer, et encore moins possible à impartir à l'étranger. On peut donc choisir d'y faire carrière sans aucune crainte. Les gains en productivité sont assez limités. Les perspectives d'avenir dans la profession sont très bonnes.

PERSPECTIVES D'EMPLOI

Si l'on tient compte de la volonté des gouvernements fédéral et provincial d'entreprendre de vastes programmes d'infrastructure, de la robustesse du marché du travail québécois, de la vigoureuse reprise économique, des faibles taux d'intérêt et de la reprise de la natalité, je suis optimiste pour les métiers de la construction. Je pense que tous ceux qui choisiront un tel métier et qui feront preuve de sérieux pourront bien gagner leur vie.

Les perspectives d'avenir sont excellentes.

DEGRÉ D'AUTONOMIE

Le travail dans la construction est généralement assez structuré. La hiérarchie est importante sur les chantiers ou dans les services techniques des grandes entreprises. Toutefois, dans le quotidien, chacun finit par se ménager un espace de travail qui lui est propre et dans lequel il possède une certaine autonomie.

HORAIRES

Les horaires de travail dans ces métiers sont souvent très inégaux. On peut travailler plus de 50 heures par semaine durant la haute saison et très peu à d'autres moments. Le travail est généralement de jour, ce qui est une bonne chose. Les journées commencent souvent très tôt. On travaille habituellement peu la fin de semaine, et les deux semaines de congé estivales dites « vacances de la construction » ont un statut presque sacré.

INDICE FAMILLE

La haute saison en construction coïncide avec les vacances scolaires : les horaires de travail peuvent donc être assez difficiles à concilier avec la vie familiale durant cette période. À part cette contrainte, les métiers de la construction sont plutôt compatibles avec la famille. Souvent, les hommes qui occupent ces métiers ont des conjointes dont les horaires plus typiques peuvent compenser un manque de disponibilité.

DURÉE DES CARRIÈRES

Au cours des mauvaises périodes, une certaine proportion des travailleurs de la construction, surtout dans les secteurs où il y a moins d'emplois, peut se décourager et chercher à se réorienter. Toutefois, le taux de maintien en poste est élevé et l'immense majorité de ceux qui entreprennent une carrière dans les métiers de la construction persiste dans leur choix. Le niveau de satisfaction dans ces métiers est généralement élevé.

DÉPLACEMENTS

Il n'est pas rare que des ouvriers travaillent sur des chantiers situés loin de leur domicile. Pour compenser le désagrément, on leur accorde une prime d'éloignement de 500 $ par semaine, libre d'impôt, et parfois aussi des logements gratuits et d'autres services. Les chantiers éloignés sont très payants, mais ils peuvent être difficiles pour la vie familiale. Heureusement, les travailleurs de la construction sont nombreux à compter sur une conjointe conciliante.

SENTIMENT D'UTILITÉ

Comme les métiers de la construction sont très concrets, chacun sait exactement ce qu'il a accompli à la fin de sa journée. Le fait de contribuer à la construction d'édifices ou d'infrastructures est valorisant. On peut contempler le résultat de son travail.

PLAISIR INTRINSÈQUE

Tous les hommes ont joué à des jeux de construction quand ils étaient petits. Malgré une certaine dureté du travail, il y a un réel plaisir à accomplir un travail physique et constructif. L'animal humain a besoin de bouger et d'épuiser son énergie. En ce sens, le travail dans la construction est probablement plus sain pour le corps que le travail de bureau. On entend plus souvent des charpentiers siffler en travaillant que des comptables... Un travail concret qui avance bien procure une réelle sensation de bien-être.

STIMULATION INTELLECTUELLE

Sans être très complexes, les emplois de la construction ne sont pas débilitants, bien au contraire. Les bons artisans développent des manières de faire

satisfaisantes pour l'esprit, et la qualité de leur travail est palpable. Contrairement aux idées reçues, le travail manuel peut stimuler l'intelligence autant qu'un travail intellectuel.

CRÉATIVITÉ

Je ne pousserai pas le bouchon jusqu'à affirmer qu'il s'agit de métiers créatifs! Ils nécessitent toutefois une certaine souplesse de l'esprit.

INDICE BUREAUCRATIE

Il est pratiquement nul pour la plupart de ces métiers. Évidemment, pour ceux qui deviennent entrepreneurs, c'est différent. Ceux-ci doivent alors apprendre les joies de la gestion et de la bureaucratie. Un bon soutien sur ce plan peut s'avérer vital.

SOLITAIRE / EN ÉQUIPE

Il n'y a pas plus grégaires que les travailleurs de la construction. Le travail dans ce domaine s'effectue beaucoup plus souvent en groupe que seul. Les contacts sociaux dans ces métiers sont nombreux.

TRAVAILLER À SON COMPTE

Selon les secteurs, entre 10 et 20 % des travailleurs du domaine de la construction travaillent à leur compte. Certains sont simplement travailleurs autonomes, comme c'est typique des électriciens et des plombiers, alors que d'autres deviennent entrepreneurs généraux et créent parfois de véritables PME.

RÉUSSITE OU ÉCHEC

On échoue rarement dans la construction, mais il faut être patient. Une quantité infinie de pépins peuvent survenir sur les chantiers et ralentir les travaux. Il faut cultiver une bonne tolérance aux délais. On peut aussi tomber sur des clients malcommodes et insatisfaits. Sur les grands chantiers auxquels collaborent des ingénieurs et des architectes, il n'est pas inhabituel de devoir défaire et refaire un travail parce qu'un détail de construction n'a pas été respecté. Certaines situations peuvent paraître absurdes.

RECONNAISSANCE SOCIALE

Les nombreux conflits survenus sur les grands chantiers et les interventions parfois robustes des grands syndicats ont terni l'image des travailleurs de la construction au cours des dernières années. De plus, comme il s'agit de métiers pour lesquels on n'a pas besoin d'étudier très longtemps, ces travailleurs n'obtiennent pas toujours la reconnaissance qu'ils méritent. Malgré tout, le statut social des travailleurs de la construction n'est pas mauvais du tout.

DEGRÉ DE POUVOIR

À l'échelon des ouvriers, le pouvoir est assez mince. Par contre, les entrepreneurs peuvent voir leur pouvoir augmenter très vite.

MOBILITÉ ET AVANCEMENT

La mobilité professionnelle est très fréquente parce que les liens d'emploi dans le domaine ne durent souvent que le temps d'un chantier. Le nombre d'employeurs est important et les travailleurs bougent beaucoup.

L'avancement est assez fréquent. Il y a quelques échelons à gravir dans les carrières en construction pour passer du statut d'apprenti à celui de compagnon. Pour plusieurs travailleurs, l'aboutissement de la carrière consiste à démarrer sa propre entreprise.

NIVEAU DE STRESS

Les métiers de la construction ne sont pas très stressants. L'épuisement professionnel est rare. Les charges de travail sont raisonnables. Les travailleurs manuels ont la sagesse de prendre le temps qu'il faut pour bien faire les choses.

La situation des entrepreneurs est différente. Ils doivent assumer des responsabilités financières énormes, et c'est à eux qu'il revient de s'assurer que les opérations se déroulent correctement.

La Commission de la santé et de la sécurité du travail (CSST) consacre beaucoup d'efforts à renforcer la sécurité sur les chantiers de construction. Des accidents de travail surviennent encore, mais leur fréquence tend à diminuer. Ce sont souvent les plus petits entrepreneurs qui négligent les normes de sécurité. Les travailleurs eux-mêmes prennent encore bien des risques, souvent parce que le respect des consignes de sécurité ralentit leur travail ou s'avère encombrant. On voit encore des ouvriers juchés sur des toits de maisons qui ne portent pas de harnais de sécurité.

EN VRAC

Le plus gros problème des métiers de la construction, c'est la magouille présente dans le secteur. La politicaillerie, les jeux de pouvoir, le favoritisme, le blanchiment d'argent, le maraudage syndical, le travail au noir, le sabotage, les pots de vin, et j'en passe, font malheureusement partie de la réalité de bien des travailleurs dans le domaine. Les

Évaluation globale

Les métiers de la construction offrent des conditions de travail remarquables, si on considère le peu d'études requises pour y accéder. Les salaires sont déterminés par convention collective et protégés par les décrets de la construction. Au degré supérieur des échelles, la majorité des travailleurs de la construction touchent plus de 30 $ de l'heure, ce qui rend leur rémunération comparable à celle de travailleurs beaucoup plus scolarisés. Dans ce secteur, ce sont les métiers reliés à l'électricité qui bénéficient des meilleures conditions, sans aucun doute à cause de la vache à lait qu'est Hydro-Québec. Ceux qui deviennent entrepreneurs jouissent également d'une situation enviable.

En n'étant menacé ni par la concurrence internationale, ni par les avancées technologiques, le travail dans les métiers de la construction a été moins affecté que d'autres par les efforts d'amélioration de la productivité. Les nouveaux modes de gestion n'y ont pas fait trop de ravages, et l'atmosphère quotidienne du travail y est donc demeurée plus légère. Il règne encore sur les chantiers de construction une ambiance de détente et de problèmes sont sans doute moins importants dans les emplois plus structurés des grandes entreprises, mais ils sont très présents chez les entrepreneurs de toutes tailles. L'autre problème, mentionné plus haut, concerne le manque de travail stable. Une apparente frustration peut s'installer dans certains corps de métiers et dans les régions où le manque de travail se fait le plus sentir.

Peu à peu, un marché se développe pour les bâtiments écologiques et les structures construites en bois selon les principes du développement durable. Les travailleurs de la construction auront la chance dans le futur de jouer un rôle important dans la transformation des manières de faire.

Professions semblables

Il y a en tout 26 métiers de la construction. On peut consulter le site de la Commission de la construction du Québec (*www.ccq.org*) pour en savoir plus.

camaraderie enviable et peut-être même étonnante à notre époque, souvent si sérieuse.

Si on considère l'ensemble des avantages et inconvénients des métiers de la construction et les exigences d'entrée raisonnables pour y accéder, on doit conclure qu'ils sont parmi les plus attrayants sur le marché du travail. Tous les garçons – et les filles ! – qui n'aiment pas trop l'école et qui ont besoin de bouger devraient sérieusement considérer ce type de carrière dès le milieu du secondaire. Ceux qui développeront de bonnes habitudes de travail et feront preuve de débrouillardise pourront y faire des carrières fructueuses et probablement bien plus amusantes que dans bien d'autres métiers sédentaires et nécessitant de plus longues études. C'est pour toutes ces raisons que les métiers de la construction reçoivent une note de quatre étoiles.

Le métier de manœuvre et la spécialité de plâtrier, qui sont moins attrayants et moins bien rémunérés, sont évalués à trois étoiles et demie.

Le métier d'ébéniste, où le salaire est moyen et les conditions de travail moins avantageuses, ne mérite que trois étoiles. ∎

Mécanicien

Un bleu de travail, du métal, des outils à air comprimé et beaucoup d'huile : voilà l'univers des mécaniciens. Dans tous les cas, le travail est manuel, salissant, mais aussi stimulant, parce qu'il s'agit presque toujours de comprendre et de résoudre des problèmes. Il existe divers types de mécaniciens qui travaillent dans plusieurs domaines. L'essentiel de leur travail revient cependant à peu près toujours au même : réparer des appareils mécaniques. Tout ce qui contient un moteur électrique, à essence ou au diesel, qui se déplace ou qui transporte des objets ou des personnes est du domaine des mécaniciens. Les spécialités de la mécanique sont l'automobile, les camions et les moteurs diesel, les avions et les hélicoptères, les trains, les bateaux, la machinerie industrielle, la construction et les ascenseurs. On peut ajouter les carrossiers et les débosseleurs, dont le rôle consiste à réparer la carrosserie endommagée ou rouillée des voitures.

Ceux qui veulent en savoir plus sur le domaine peuvent lire *Éloge du carburateur* de Matthew Crawford, qui raconte la conversion d'un docteur en philosophie en réparateur de motocyclettes. Dans le même ordre d'idée, le *Traité du zen et de l' entretien de la motocyclette* de Robert Pirsig, publié dans les années 1970, reste toujours d'actualité.

Coup d'œil

PROFESSION	PROFESSIONNELS / FINISSANTS	RATIO	SALAIRE ANNUEL MOYEN
Mécanicien d'automobile, de camion et d'autobus ★ ★ ★ ★ ★	37 000 / 1 500	1 / 25	36 000 $
Débosseleur ★ ★ ★ ★ ★	8 000 / 350	1 / 23	32 000 $
Mécanicien de chantier, industriel, de machine fixe ★ ★ ★ ★ ★	25 000 / 400	1 / 63	54 000 $
Mécanicien d'équipement lourd ★ ★ ★ ★ ★	8 000 / 260	1 / 30	47 000 $
Mécanicien de train, d'avion et de bateau ★ ★ ★ ★ ★	4 400 / 200	1 / 22	60 000 $

PROFESSION	PROFESSIONNELS / FINISSANTS	RATIO	SALAIRE ANNUEL MOYEN
Mécanicien d'ascenseur ★★★★★	700 / 35	1 / 20	57 000 $
Électromécanicien ★★★★★	4 500 / 750	1 / 6	45 000 $

Au total, 89 000 personnes travaillent dans les domaines de la mécanique. Le salaire réel des mécaniciens d'automobile et des débosseleurs est probablement un peu plus élevé que ce que révèlent les statistiques à cause du travail au noir, qui est très répandu dans ces deux secteurs. De plus, les gens qui travaillent dans des ateliers de mécanique et de débosselage ont souvent accès à des véhicules à bon compte, ce qui ajoute quelques milliers de dollars à la valeur de leurs revenus.

■ FORMATION

Les programmes de formation qui donnent accès aux métiers de la mécanique sont des diplômes d'études secondaires professionnels. Ils durent environ 18 mois et peuvent être entrepris dès la quatrième secondaire. Ceux qui choisissent rapidement peuvent entamer leur carrière avant d'avoir 20 ans. Dans certains cas, comme pour la mécanique des avions ou des navires, une formation technique au collégial est nécessaire.

Analyse du marché de l'emploi

■ HOMMES-FEMMES

Les femmes représentent moins de 1 % de la main-d'œuvre de ce secteur.

■ TAUX DE CHÔMAGE

Il est pratiquement nul dans l'ensemble des métiers de la mécanique.

■ GÉOGRAPHIE

Partout où il y a des moteurs, il y a des mécaniciens... Certaines spécialités sont concentrées géo-graphiquement : les mécaniciens d'ascenseur travaillent presque tous à Montréal ou à Québec.

■ EMPLOYEURS

Pour les mécaniciens d'auto-mobile et de camion, les débosse-leurs, les mécaniciens industriels, de chantier et d'équipement lourd, il existe une foule de petits employeurs. Dans les cas des mécaniciens d'autobus, de train, d'avion et de navire, les employeurs sont moins nombreux. Il s'agit géné-ralement de grandes entreprises offrant d'excellentes conditions de travail.

Mis à part les mécaniciens d'autobus et de train, presque tous les autres travailleurs du secteur sont embauchés par des entreprises privées.

SYNDICALISATION

Les taux de syndicalisation augmentent avec la taille des entreprises.

QUALITÉ DES EMPLOIS

On note dans le domaine une majorité d'emplois de qualité :

bons salaires, bonnes conditions de travail et bons avantages sociaux pour presque tous les travailleurs.

INSERTION PROFESSIONNELLE

Étant donné les ratios finissants/travailleurs, on peut affirmer qu'il est facile, voire très facile, de trouver du travail dans les métiers de la mécanique. Être spécialisé constitue un atout. Les électromécaniciens, malgré un ratio moins avantageux de un diplômé pour six professionnels, trouvent aussi aisément du travail.

Avenir de la profession

PÉRENNITÉ

Ce sont surtout les mécaniciens industriels qui pourraient voir leurs emplois délocalisés ou abolis à cause de transformations technologiques. En réalité, le marché leur est si favorable que le chômage ne représente pas vraiment une menace même si, parfois, des usines ferment.

Pour tous les autres, les emplois ne peuvent être transférés à l'étranger et ne sont certainement pas menacés à court terme par des technologies de remplacement. Les véhicules à essence ont encore quelques belles années devant eux.

Les travailleurs du secteur de l'aviation sont plus affectés par les cycles économiques et les délocalisations. Dans ce secteur, le marché du travail est passablement volatil.

PERSPECTIVES D'EMPLOI

Dans la conjoncture présente, je pense qu'on peut s'orienter dans les métiers de la mécanique en toute confiance. Les niveaux d'emploi sont excellents, surprenants même.

Le seul bémol concerne le secteur de l'aviation, qui connaît souvent des turbulences. Choisir une carrière dans ce domaine est un pari. Les emplois sont d'excellente qualité, mais il faut tolérer une certaine instabilité.

Les perspectives d'avenir sont excellentes.

Influence sur le bonheur, la santé et la vie quotidienne

DEGRÉ D'AUTONOMIE

À l'intérieur d'un cadre précis, les mécaniciens sont libres de travailler comme ils l'entendent.

HORAIRES

Seuls les mécaniciens industriels et les mécaniciens de bateau ont des horaires franchement atypiques. Pour la majorité des autres, le travail s'effectue le jour et la semaine.

INDICE FAMILLE

Comme les horaires sont généralement typiques dans ces professions, elles sont facilement compatibles avec la vie familiale.

DURÉE DES CARRIÈRES

Les carrières dans le domaine sont longues et stables.

DÉPLACEMENTS

Sauf exception, le travail de mécanicien est plutôt sédentaire.

SENTIMENT D'UTILITÉ

Remettre en marche un objet qui ne fonctionnait plus est satisfaisant. Les mécaniciens font un travail concret et utile.

DEGRÉ D'HUMANISME

On ne peut pas tout avoir. Les mécaniciens n'ont souvent pas beaucoup de contact direct avec leurs clients.

PLAISIR INTRINSÈQUE

La mécanique peut être un métier assez dur, mais il est plaisant pour ceux qui aiment travailler de leurs mains, résoudre des problèmes et réparer des objets. Il est fréquent que les mécaniciens se passionnent pour leur domaine. Pour plusieurs, la frontière entre le travail et les loisirs est mince. Beaucoup de mécaniciens font de la mécanique même dans leurs temps libres.

STIMULATION INTELLECTUELLE

Le travail n'est généralement pas très complexe, mais il existe de nombreuses possibilités d'apprentissage et on peut presque toujours améliorer ses qualifications.

CRÉATIVITÉ

Le travail n'est pas, à proprement parler, créatif. Par contre, il requiert de bonnes capacités à résoudre des problèmes et à trouver ou inventer des solutions. Il faut avoir un côté «patenteux», bricoleur.

INDICE BUREAUCRATIE

Il est pratiquement nul. Bien sûr, les mécaniciens et les débosseleurs qui sont à leur compte doivent composer avec plus de contraintes administratives.

SOLITAIRE / EN ÉQUIPE

La proportion de travail solitaire est assez importante dans les métiers de la mécanique, mais elle peut varier selon les emplois et les secteurs d'activité. En règle générale, chacun travaille de son côté. Par contre, il y a souvent pas mal de monde dans les ateliers et une atmosphère conviviale s'installe.

TRAVAILLER À SON COMPTE

Entre 10 et 15 % des mécaniciens d'automobiles et des débosseleurs possèdent leur propre atelier. Presque tous les mécaniciens acceptent de travailler le soir ou les week-ends à leur compte (et très souvent au noir).

RÉUSSITE OU ÉCHEC

Malgré toutes les vis rouillées, les pièces mal ajustées et les autres problèmes qu'ils doivent régler chaque jour, les mécaniciens finissent presque toujours par venir à bout des obstacles et par réparer ce qu'ils ont à réparer.

RECONNAISSANCE SOCIALE

La reconnaissance sociale est correcte. On ne fait pas de la mécanique pour le prestige, c'est certain. On peut par contre être fier de son travail.

DEGRÉ DE POUVOIR

Il va de faible à moyen. Les mécaniciens ont un pouvoir concret sur les choses. Par contre, ils exercent peu d'influence dans les organisations où ils travaillent parce qu'ils sont au bas de l'échelle hiérarchique.

MOBILITÉ ET AVANCEMENT

Dans les secteurs de la mécanique automobile et du débosselage, il est très facile de changer d'emploi. Par contre, les emplois sont semblables. Dans les secteurs où les employeurs sont moins nombreux, la mobilité est plus difficile. Pour ce qui est de l'avancement, les possibilités sont assez limitées. La principale est d'ouvrir son propre atelier dans les domaines où c'est possible.

NIVEAU DE STRESS

Le travail en mécanique n'est pas très stressant. Comme dans tous les métiers manuels, on respecte d'instinct le temps nécessaire pour faire les choses.

Les outils et la nature du travail comportent certains risques. Les blessures les plus fréquentes sont les doigts écrasés ou coupés, les brûlures et les problèmes musculo-squelettiques en « ite » comme la tendinite.

On peut aussi se demander si le fait de travailler avec de l'huile, des produits pétroliers et chimiques ainsi que la soudure ne finit pas par entraîner certains problèmes de santé à long terme. Malheureusement, il n'existe pas de réponse définitive à cette question.

Professions semblables

Il existe d'autres types de travail en mécanique, entre autres dans le domaine du textile, en réfrigération, ou en réparation de motocyclettes et de petits moteurs. Il faut signaler que le travail dans l'industrie textile est moins payant.

Évaluation globale

Le domaine de la mécanique réunit plusieurs conditions qui en font un bon choix de carrière. Les travailleurs reçoivent de très bons salaires et bénéficient de bonnes conditions de travail. Il y a peu de finissants par rapport à l'ampleur du bassin de main-d'œuvre. Les emplois en mécanique sont nombreux et variés, et ils se composent généralement de tâches claires et précises, jamais simplistes et faciles à aimer. De nombreux mécaniciens sont passionnés par leur travail. Enfin, les mécaniciens ont une identité professionnelle bien définie et un bon sentiment d'appartenance à leur secteur.

J'avoue avoir une toute petite préférence pour les métiers de la construction parce qu'ils me semblent moins confinés à des espaces clos et qu'ils offrent souvent la possibilité de travailler au grand air, alors que la mécanique, c'est toujours un peu salissant. Malgré cela, je pense que la profession mérite bien ses quatre étoiles. ■

Soudeur

Le métier de soudeur consiste à assembler différentes pièces de métal afin d'obtenir des structures solides aux usages multiples. Les soudeurs participent à une très grande variété d'activités telles que l'assemblage de machines industrielles, l'érection d'éoliennes, la construction de squelettes métalliques de nombreux bâtiments, de châssis d'autobus, de charpentes de bateau, de fuselages d'avion, etc. Il existe plusieurs spécialités en soudure, dont le travail sous l'eau ou celui en altitude.

Coup d'œil

PROFESSION		PROFESSIONNELS / FINISSANTS	RATIO	SALAIRE ANNUEL MOYEN
Soudeur	★ ★ ★ ★ ★	22 000 / 1 000	1 / 22	40 000 $ - 60 000 $
Monteur de charpentes métalliques	★ ★ ★ ★ ★	2 500		45 000 $
Tôlier	★ ★ ★ ★ ★	4 000		44 000 $
Entrepreneur	★ ★ ★ ★ ★	1 500		60 000 $

Le groupe des soudeurs comprend en tout environ 32 000 travailleurs. Le salaire annuel moyen est d'un peu plus de 40 000 $ par année, mais plus un soudeur est spécialisé, meilleur est son revenu. Les plus qualifiés peuvent facilement toucher un salaire qui dépasse 60 000 $ par année.

FORMATION

Les programmes de formation permettent d'obtenir un diplôme d'études professionnelles (DEP) ou une attestation de spécialité professionnelle (ASP), soit une formation complémentaire au DEP d'environ six mois.

Chaque année, un peu plus de 1 000 finissants obtiennent leur diplôme dans le secteur, dont 700 en soudage-montage. Compte tenu du bassin d'emplois, il n'y a pas de problème à trouver du travail. Les taux de placement à la sortie des études sont plutôt satisfaisants.

DEGRÉ D'HOMOGÉNÉITÉ

Les emplois de soudeur sont moyennement homogènes.

HOMMES-FEMMES

Présentement, les femmes représentent environ 5 % de la main-d'œuvre et 10 % des diplômés dans le domaine. Leur présence est en croissance, mais elle restera probablement assez marginale.

TAUX DE CHÔMAGE

La soudure connaît à la fois le chômage et les pénuries de main-d'œuvre. C'est un domaine sensible à la conjoncture économique, donc aux périodes de récession et de croissance. Dans le pire des cas, le travail sera intermittent ou on devra accepter un emploi loin de chez soi.

GÉOGRAPHIE

C'est un domaine où l'emploi est très bien réparti sur le territoire, mais on note une légère concentration dans les régions situées au sud du Saint-Laurent.

EMPLOYEURS

Les employeurs dans le domaine sont très nombreux. Les emplois se concentrent surtout dans le secteur manufacturier et dans la construction, dans de grandes entreprises et dans de petites et moyennes entreprises (PME).

SYNDICALISATION

Les soudeurs employés par de grandes entreprises sont tous syndiqués. Ceux qui travaillent dans le domaine de la construction sont également tous syndiqués et font partie des mêmes syndicats que leurs confrères sur les chantiers. Du côté des PME, la syndicalisation est moins répandue. Au total, plus de la moitié des soudeurs est syndiquée.

QUALITÉ DES EMPLOIS

La qualité des emplois dans le domaine de la soudure est comparable à celle des emplois de la construction et de la mécanique. Ici encore, elle dépend de la spécialisation et de la taille des employeurs.

INSERTION PROFESSIONNELLE

La durée de l'insertion professionnelle est relativement

courte. On peut s'établir dans la profession dès la sortie de l'école et, mois de cinq ans plus tard, posséder les connaissances et l'expérience nécessaires pour accéder aux meilleurs emplois.

Avenir de la profession

PÉRENNITÉ

On peut supposer que, dans certaines industries, une partie des emplois en soudure seront éventuellement remplacés par des machines ou déplacés à l'étranger. À mon avis, environ 25 % des emplois dans le secteur sont vulnérables à moyen terme, soit dans un horizon d'une dizaine d'années.

Mon impression est que l'immense majorité des travaux dans le domaine est difficile à automatiser et à déplacer. Ce qui pouvait être automatisé l'a déjà été. De plus, les pertes encourues par l'automatisation devraient être compensées par la croissance et l'émergence de nouveaux projets. Le total des emplois, donc, devrait se maintenir.

PERSPECTIVES D'EMPLOI

Comme on assiste à une reprise vigoureuse dans le domaine de la construction et que beaucoup de projets sont mis en place pour exploiter de nouvelles sources d'énergie et construire des infrastructures, on peut s'attendre à quelques très bonnes années. La pénurie de main-d'œuvre l'emportera largement sur le chômage. Je pense même qu'on pourrait former quelques centaines de soudeurs de plus par année et qu'ils parviendraient tous à trouver du travail.

Les perspectives d'avenir sont excellentes.

Influence sur le bonheur, la santé et la vie quotidienne

DEGRÉ D'AUTONOMIE

Le degré d'autonomie dans la profession est modéré. Dans certaines industries, les tâches sont répétitives et standardisées.

Par contre, dans les productions spécialisées ou à courte série, comme dans l'assemblage de machines industrielles ou la construction de bâtiments, les soudeurs ont plus d'autonomie parce que le travail est moins structuré : on ne sait pas toujours d'avance comment procéder et il faut le déterminer soi-même.

HORAIRES

La plupart des soudeurs ont des horaires de jour et à plein temps. Certains emplois en usine sont répartis en quarts de soir et de nuit.

INDICE FAMILLE

C'est un travail moyennement compatible avec la vie familiale. La conciliation varie en fonction de la qualité des emplois. Ceux qui bénéficient des horaires les plus typiques sont les plus favorisés.

DURÉE DES CARRIÈRES

En raison du manque de travail permanent, de la mauvaise qualité de certains emplois au départ et parce qu'une proportion des nouveaux soudeurs découvrent qu'ils n'aiment pas le métier, un certain nombre d'entre eux quittent rapidement la profession. De plus, la dureté du travail et les dangers associés font qu'un nombre important de travailleurs changent de métier pour des raisons de santé (voir Danger et pollution).

DÉPLACEMENTS

La grande majorité des soudeurs est sédentaire. Les rares qui se déplacent le font par choix pour effectuer des travaux lucratifs ou accomplir des tâches très spécialisées et stimulantes. Les soudeurs spécialisés dans les travaux sous-marins ou en hauteur, par exemple, peuvent beaucoup voyager.

SENTIMENT D'UTILITÉ

Ceux qui occupent des emplois moins qualifiés et plus routiniers peuvent éprouver un sentiment de redondance et de vacuité. Par contre, le travail, qui est très concret, peut aussi être valorisant dans bien des cas. Monter la charpente de métal d'un nouvel hôpital ou le fuselage d'un avion a de quoi rendre fier.

PLAISIR INTRINSÈQUE

Bien sûr, c'est une question de goût, mais jouer avec le feu, ça peut certainement avoir un petit côté excitant. Bien des hommes ont adoré jouer au Meccano ou au Lego quand ils étaient jeunes. La soudure, comme tous les métiers de la construction, est une sorte de prolongement de ces jeux. En outre, les hommes trouvent toujours le moyen d'avoir du plaisir dans le cadre de leur travail.

STIMULATION INTELLECTUELLE

C'est un des aspects intéressants de la soudure. On peut y effectuer des tâches sans cesse plus difficiles en améliorant ses qualifications. Toutefois, seule une minorité des soudeurs accomplissent des travaux vraiment complexes. Les autres exécutent un travail de qualification moyenne.

CRÉATIVITÉ

Elle est rarement importante.

INDICE BUREAUCRATIE

Il est minime, sauf pour les entrepreneurs.

SOLITAIRE / EN ÉQUIPE

Généralement, le travail est joyeusement grégaire. Les ateliers et les usines offrent une vie collective plaisante. Il est toutefois évident que le gros de la tâche s'effectue isolément. On ne fait pas la conversation avec un chalumeau et un masque sur le visage.

TRAVAILLER À SON COMPTE

On peut devenir entrepreneur en soudure et sous-traiter avec de plus grandes entreprises. On peut travailler à son compte dans le domaine de la construction. On peut aussi développer une spécialité rare et faire carrière comme travailleur autonome.

RÉUSSITE OU ÉCHEC

C'est un métier où on réussit généralement ce qu'on entreprend.

RECONNAISSANCE SOCIALE

On est dans la catégorie des ouvriers et des bleus de travail.

Les soudeurs font un travail utile, mais qui n'est pas nécessairement reconnu à sa juste valeur par la société.

DEGRÉ DE POUVOIR

Les emplois de soudeur sont au bas de l'échelle du pouvoir, mais comme dans tous les métiers manuels, chacun règne sur son territoire.

MOBILITÉ ET AVANCEMENT

En raison du nombre d'employeurs, la mobilité professionnelle est facile. On peut changer d'emploi pour améliorer son sort. Pour ce qui est des possibilités d'avancement, elles sont plus rares. Avec l'expérience, on acquiert un certain statut, mais les chances d'accéder à un poste de direction sont minces.

NIVEAU DE STRESS

Le niveau de stress est moyen. Il provient surtout du danger lié au métier et des impératifs de production.

DANGER ET POLLUTION

Une simple recherche dans Google à l'aide des mots « soudeur » et « danger » permet de trouver une myriade de sites, d'articles et de recherches sur les dangers associés au métier. Les chances de faire une carrière de soudeur sans jamais subir de blessures mineures sont probablement proches de zéro. Celles de subir un traumatisme plus important sont réelles, même si on ne peut les chiffrer avec précision.

Le danger et les risques pour la santé sont certainement les plus graves inconvénients du métier. Mon critère personnel est d'évaluer les chances d'un travailleur de parvenir à 60 ans entier et en santé. Or, le métier de soudeur est un de ceux où cette probabilité est la moins grande. On peut penser que c'est pour cette raison qu'une proportion importante des soudeurs finit par changer de domaine de travail.

Le métier de soudeur est dur physiquement. On doit manipuler des objets lourds et travailler dans des positions inconfortables. C'est une autre raison qui peut inciter à quitter la profession.

Évaluation globale

Le métier de soudeur est un des plus dangereux et des plus durs qui soient, selon les critères de notre époque où, tout de même, les travailleurs bénéficient d'assez bonnes conditions de santé et de sécurité. Par contre, on y gagne assez bien sa vie et plus de la moitié des emplois du domaine sont de qualité et intéressants. On peut faire une belle et fructueuse carrière dans de nombreux secteurs liés à la soudure, à condition de faire de bons choix. La profession soutient bien la comparaison avec les autres métiers masculins du secondaire et c'est pourquoi je lui attribue une note de trois étoiles et demie.

Pour des jeunes qui sont attirés par le travail sur le métal et par les techniques qui utilisent le feu, la soudure peut s'avérer une voie satisfaisante. Ceux qui n'aiment pas particulièrement l'école peuvent trouver là une solution convenable pour bâtir leur avenir. Il vaut certainement mieux consacrer une année à apprendre le métier de soudeur que de quitter l'école sans projet et se retrouver dans un emploi de seconde zone. ∎

Pour en savoir plus
Comité sectoriel de la main-d'œuvre dans la fabrication métallique industrielle (CSMOFMI) *www.csmofmi.qc.ca*

Producteur agricole / Ouvrier agricole

La tâche fondamentale des agriculteurs est de produire le maximum de nourriture avec la terre dont ils disposent, au moindre coût possible et, idéalement, en assurant la pérennité de la production. Les grands secteurs de production sont le bétail (viande), le lait, les céréales et les fruits et légumes.

Au fil des ans, le nombre de fermes au Québec tend à diminuer, mais leur taille suit la tendance contraire. S'il y avait autrefois des fermes de 50 vaches laitières ou des porcheries de 500 cochons, il est plus fréquent aujourd'hui de trouver des installations de 200 vaches et de plusieurs milliers de cochons. Soumise à la concurrence internationale, la production est de plus en plus industrialisée, pour le meilleur et pour le pire.

La carrière d'ouvrier agricole est, dans bien des cas, transitoire. Le plus souvent, il s'agit de membres de la famille où de proches qui travaillent sur la ferme en attendant de passer à autre chose ou d'accéder à la propriété.

Une réalité importante est celle des travailleurs saisonniers immigrés qui, à ma connaissance, ne figurent pas dans les statistiques.

Coup d'œil

PROFESSION		PROFESSIONNELS / FINISSANTS	RATIO	SALAIRE ANNUEL MOYEN
Producteur agricole	★ ★ ★ ★ ★	30 000 / s.o.	s.o.	22 000 $
Ouvrier agricole	★ ★ ★ ★ ★	20 000 / 400	1 / 50	22 000 $

On compte environ 30 000 exploitants et 20 000 ouvriers agricoles au Québec. Leur salaire moyen est identique, soit 22 000 $ par année. Toutefois, le salaire des producteurs est trompeur parce que ces derniers réinvestissent la majeure partie de leurs revenus d'exploitation. Certains peuvent ainsi diriger des fermes valant plus d'un million de dollars tout en ne se versant qu'un très modeste salaire. De plus, comme une grande partie de leurs dépenses domestiques peuvent être déduites à titre de dépenses de production, ils peuvent bénéficier d'un excellent niveau de vie même si leurs revenus semblent maigres. Autrement dit, un agriculteur peut posséder une grande maison et une camionnette dernier modèle tout en ne touchant qu'un petit salaire. Les frontières entre ses revenus et ceux de la ferme demeurent volontairement floues.

 FORMATION

Avec moins de 400 diplômés dans tout le secteur pour 50 000 travailleurs, la formation demeure marginale. C'est plutôt par legs familial et par apprentissage direct que le métier s'acquiert.

Les rares jeunes qui suivent une formation technique dans le domaine arrivent peut-être à mieux tirer leur épingle du jeu, mais cela reste à prouver. Étant donné la nature du travail sur les fermes modernes, ce sont sans doute des baccalauréats en génie ou en administration qui seraient plus appropriés pour former les fermiers de demain.

 DEGRÉ D'HOMOGÉNÉITÉ

Il s'agit de professions plutôt homogènes.

Analyse du marché de l'emploi

 HOMMES-FEMMES

Officiellement, il y a 24 % de productrices agricoles. En réalité, la majorité des fermes sont familiales, et la vie s'y déroule selon un modèle plutôt traditionnel. Tout le monde met l'épaule à la roue dans le monde agricole. C'est un domaine où les frontières entre le travail et la vie personnelle sont beaucoup plus floues que dans d'autres professions.

Chez les ouvriers agricoles, on compte plus de 75 % d'hommes.

 TAUX DE CHÔMAGE

Les propriétaires d'exploitation sont rarement touchés par le chômage. Par contre, les travailleurs salariés chôment généralement pendant la saison froide.

 GÉOGRAPHIE

Plutôt à la campagne... Les fermes sont plus nombreuses dans la vallée du Saint-Laurent et dans les Cantons-de-l'Est.

EMPLOYEURS

Il y a environ 20 000 fermes en activité au Québec, donc 20 000 employeurs potentiels pour les ouvriers agricoles.

SYNDICALISATION

Les ouvriers agricoles ne sont pas syndiqués.

QUALITÉ DES EMPLOIS

L'agriculture est un style de vie autant qu'une profession. Cela étant dit, il faut admettre qu'un écart tend à se creuser entre les critères de qualité de vie des autres travailleurs et les conditions que connaissent les producteurs agricoles. De moins en moins de gens sont prêts à accepter les responsabilités et les obligations liées à ce mode de vie contraignant. Ce n'est pas sans raison que le monde agricole est en crise.

Les emplois d'ouvrier agricole sont de mauvaise qualité. Il n'y a ni sécurité d'emploi, ni avantages sociaux.

INSERTION PROFESSIONNELLE

Il est pratiquement impossible de démarrer une nouvelle ferme au Québec, sauf dans des productions ultraspécialisées. Ceux qui souhaitent une ferme traditionnelle devront racheter une exploitation à prix d'or. Trop souvent, les montages financiers sont difficiles à soutenir.

Les emplois d'ouvrier agricole sont par contre très facilement accessibles. Les propriétaires ont de plus en plus de difficultés à recruter des travailleurs.

Avenir de la profession

PÉRENNITÉ

Avec la folie de la déréglementation, de la libéralisation des marchés et la concurrence internationale, l'agriculture s'est transformée radicalement. L'horizon du fermier s'arrêtait jadis à la limite de sa terre ; désormais, il doit répondre aux impératifs de la mondialisation. Les conséquences sont désastreuses pour la qualité de vie des agriculteurs :

- Investissement massif dans l'équipement
- Cercle vicieux de l'endettement
- Dépossession de leur pouvoir au profit des multinationales qui dictent les cultures et les prix
- Déshumanisation du travail
- Dommages à l'environnement
- Perte de contact avec les autres citoyens

- Diminution de la variété des espèces et tendance vers la monoculture
- Industrialisation du travail agricole et augmentation des rythmes de production
- Pénuries de main-d'œuvre
- Difficulté de transmission du patrimoine

Les perspectives d'avenir à court et à moyen terme sont assez difficiles. En étant très optimiste, on peut espérer que la situation s'améliore dans quelques années.

Avec l'augmentation de la taille des fermes, il est possible que se créent à l'avenir plus d'emplois d'ouvrier de meilleure qualité. Les propriétaires auront de plus en plus besoin d'aide pour exploiter leurs installations. Pour l'instant, cette tendance est marginale.

PERSPECTIVES D'EMPLOI

La profession est en déclin et vieillissante. Les jeunes qui souhaitent faire carrière dans le domaine auront des occasions, mais la difficulté sera de trouver des moyens financiers pour réaliser leurs projets.

Les emplois sont abondants, mais les emplois de qualité offrant des perspectives intéressantes sont très rares.

Les perspectives d'avenir sont mauvaises.

Influence sur le bonheur, la santé et la vie quotidienne

DEGRÉ D'AUTONOMIE

Au cours des dernières années, les producteurs agricoles ont abdiqué une partie de leur autonomie au profit des grandes compagnies d'équipement et de fournitures agricoles qui ont de plus en plus de pouvoir sur les manières de produire. Les associations agricoles prennent aussi beaucoup de place. Il faut dire que les tractations politiques et les guerres de pouvoir sont nombreuses autour de l'agriculture, car les enjeux économiques et sociaux sont cruciaux. Le secteur agroalimentaire est, et de loin, celui qui pèse le plus lourd dans l'économie, devançant même la santé. Malgré tout, le travail agricole demeure un solide fief de liberté. Chacun est maître de sa terre.

De leur côté, les ouvriers ont très peu d'autonomie. Ils travaillent directement sous les ordres des propriétaires.

HORAIRES

Un des grands avantages de la nouvelle machinerie est d'offrir plus de liberté aux agriculteurs. Les machines à traire automatiques, par exemple, libèrent les producteurs de la corvée biquotidienne de la traite.

Malgré cela, on travaille encore beaucoup sur les fermes, souvent plus de 70 heures par semaine durant l'été. L'hiver est plus calme.

INDICE FAMILLE

Le problème pour ce qui est de la vie de famille des producteurs agricoles est de trouver une conjointe qui accepte le mode de vie de la ferme. Le nombre de célibataires a doublé au cours des dernières années et s'établit désormais à 25 % des producteurs. Les producteurs font des pieds et des mains pour attirer des jeunes femmes à la campagne. Le succès de leurs démarches est mitigé.

Les obligations et activités de la ferme sont très accaparantes. Ceux qui en sont chargés n'ont probablement pas toute la disponibilité qu'ils souhaiteraient pour l'éducation des enfants. Traditionnellement, les hommes sont plutôt absents.

La conciliation travail-famille est sans doute encore plus difficile pour les ouvriers agricoles, qui sont tributaires des problèmes que vivent les producteurs. La précarité de leur situation et leurs faibles revenus rendent les projets familiaux très difficiles. De plus, les ouvriers sont souvent logés à la ferme, où il n'y a pas de place pour un conjoint et des enfants.

DURÉE DES CARRIÈRES

On naît, on vit et on meurt sur une ferme. Quand on possède une terre, c'est à regret qu'on la quitte ou qu'on la vend.

Les carrières d'ouvrier agricole dépassent rarement 10 ans. Soit on devient propriétaire, soit on se redirige vers une autre profession. Le fait de demeurer ouvrier agricole toute sa vie peut être interprété comme un échec plutôt qu'une réussite.

DÉPLACEMENTS

Les déplacements ne sont pas très dérangeants en agriculture. Au contraire, c'est de s'éloigner de la ferme qui est difficile. Pour beaucoup d'agriculteurs, il est pratiquement impossible de prendre des vacances.

SENTIMENT D'UTILITÉ

Le fruit du travail agricole, c'est le cas de le dire, est on ne peut plus concret. Les agriculteurs pensent, à raison, qu'ils nourrissent le monde. C'est un travail dont on ne peut que sous-estimer l'utilité sociale. Il est seulement dommage qu'il soit si mal reconnu.

L'agriculture demeurera certainement un enjeu crucial tout au long
du 21e siècle.

DEGRÉ D'HUMANISME

Les producteurs et les
ouvriers agricoles sont souvent
trop loin des consommateurs.
Des efforts sont faits pour retisser
des liens entre les producteurs et
la population, mais cela demeure
marginal.

PLAISIR INTRINSÈQUE

On ressent certainement
beaucoup de plaisir à travailler
sur une ferme. C'est un mode de vie
proche de la nature et agréable.
Des gens quittent la ville pour se
recycler en *gentlemen-farmers*.
Plusieurs des activités agricoles
sont saines pour le corps et
occupent agréablement l'esprit.
Entretenir la terre et soigner les
animaux rapproche l'homme de
la nature.

Les tâches des ouvriers
agricoles sont plus souvent routinières et ingrates.

STIMULATION INTELLECTUELLE

Le travail agricole compte
parmi ceux qui ont le plus évolué
au cours des dernières décennies.
La chimie, la mécanique, la biologie
et la finance y occupent désormais
beaucoup de place. On travaille
avec des équipements sophistiqués
qui valent des centaines de milliers
de dollars et les opérations sont

menées avec une précision
chirurgicale grâce à des logiciels
de production complexes. Pour
maîtriser la situation, les producteurs agricoles n'ont d'autre choix
que de se renseigner et d'acquérir
des connaissances variées.

Les ouvriers font le plus
souvent les tâches les moins
complexes et ils sont moins
stimulés intellectuellement.

CRÉATIVITÉ

Elle est peu sollicitée,
quoique la solution à certains
problèmes exige sans doute de
l'imagination.

INDICE BUREAUCRATIE

Comme toute entreprise,
une ferme requiert un minimum
d'administration et de bureaucratie.

SOLITAIRE / EN ÉQUIPE

Les producteurs peuvent se
sentir seuls pour faire face à leurs
obligations, mais ce sentiment
est contrebalancé par une forte
tradition de solidarité rurale.

Le travail des ouvriers est
plutôt solitaire. Contrairement aux
ouvriers industriels, les ouvriers
agricoles sont souvent seuls ou peu
nombreux. Cela mine d'ailleurs
leur rapport de force par rapport
à leur employeur. Leur solitude
les rend même vulnérables dans
les pires cas.

TRAVAILLER À SON COMPTE

La majeure partie des producteurs agricoles travaillent à leur compte. Une certaine proportion des ouvriers deviennent propriétaires et donc à leur compte. L'accès à la propriété est difficile.

RÉUSSITE OU ÉCHEC

Les agriculteurs ont, encore aujourd'hui, la joie et la peine d'être tributaires de la générosité de la nature. Certaines années peuvent être fastes et d'autres, catastrophiques. À cela s'ajoute l'instabilité des marchés mondiaux qui fait en sorte que, malgré de bons résultats de production, les temps peuvent être difficiles à cause de la chute des prix ou de la concurrence internationale. Les agriculteurs sont de très petits joueurs face aux géants de l'agroalimentaire. Certaines productions sont impossibles à rentabiliser sans l'aide des subventions gouvernementales. La hausse actuelle du prix du pétrole risque aussi d'influer sur la rentabilité des productions.

RECONNAISSANCE SOCIALE

La production agricole n'est pas très prestigieuse. Les préjugés et le mépris envers les fermiers sont encore bien ancrés dans la culture, ce qui est malheureux, car la profession mériterait plus de considération. Les ouvriers sont encore moins reconnus que les propriétaires.

DEGRÉ DE POUVOIR

Tout en étant maître de son travail, le producteur agricole doit se conformer à d'innombrables impératifs. Bien des agriculteurs se sentent dépossédés de leur pouvoir.

Les ouvriers ont encore moins de pouvoir que les producteurs.

MOBILITÉ ET AVANCEMENT

Les employés de ferme circulent un peu, mais leur mobilité est faible. Celle des propriétaires est évidemment inexistante.

Pour les employés, l'avancement consiste à devenir propriétaire et, pour les propriétaires, à faire croître leur entreprise. Certains y parviennent et leurs fermes sont de véritables PME.

NIVEAU DE STRESS

Les producteurs agricoles vivent beaucoup de tension au travail. Le taux de suicide a augmenté au cours des dernières années. Ce sont la mondialisation des marchés agricoles et l'emprise de plus en plus féroce des multinationales sur leur travail qui sont à la source de ces tensions. Les agriculteurs sont à la merci des marchés, et les fluctuations de prix leur causent d'énormes soucis. Chaque fois que les prix chutent, c'est toute la planification de leur production qui est réduite à néant. Comme ces fluctuations sont de plus en plus brutales, les agriculteurs se sentent de plus en plus démunis.

Le travail des ouvriers est beaucoup moins stressant. Ils ne portent pas toutes les responsabilités des producteurs.

DANGER ET POLLUTION

Les fournisseurs d'engrais et d'insecticides chimiques sont peu loquaces sur les dangers associés à leurs produits. On peut tout de même supposer que l'épandage de produits toxiques n'est pas idéal pour la santé.

Par ailleurs, les accidents de ferme sont encore fréquents. Le travail avec la machinerie entraîne des risques, et il existe peu d'exploitations agricoles qui n'aient jamais été le théâtre d'accidents graves.

Professions semblables

Horticulteur, jardinier-paysagiste

Ces métiers se rapprochent de la production agricole. Ils présentent souvent les mêmes difficultés, notamment des niveaux de rémunération très faibles.

Évaluation globale

L'agriculture n'est pas une profession comme les autres. On ne choisit que très rarement de devenir agriculteur si on n'a pas été élevé sur une ferme. Pour ceux dont c'est le cas, la question est de savoir s'ils souhaitent ou non suivre les traces de leurs parents.

Le nombre de fermes et de producteurs agricoles diminue rapidement au Québec. Il est difficile de prévoir l'avenir dans ce secteur. Ce qu'on peut dire avec certitude, c'est qu'il y aura encore bien des turbulences avant que le domaine ne se stabilise.

L'agriculture est un mode de vie. Ceux qui le choisissent y sont souvent très attachés. Les traditions, les valeurs et les rituels du métier leur sont chers. On peut très bien gagner sa vie en tant que producteur agricole, mais c'est un choix exigeant.

▶

Il faut vraiment avoir la foi et la vocation pour s'épanouir dans ce métier. C'est probablement l'isolement social et le côté anachronique du mode de vie qui sont les plus difficiles à supporter.

La profession est remplie de contrastes. Elle peut déclencher des passions comme elle peut s'avérer très difficile. Toutefois, étant donné l'état général de la situation, mon évaluation finale de la profession de producteur agricole est de deux étoiles et demie.

La situation des ouvriers agricoles est moins intéressante que celle des producteurs. Ils connaissent presque tous les inconvénients de la vie agricole, mais ne bénéficient que de très peu d'avantages. Heureusement, pour la plupart d'entre eux, ce travail est une situation transitoire. J'attribue une note d'une seule étoile à la profession d'ouvrier agricole. ∎

Machiniste / Opérateur de machine industrielle

Les machinistes et opérateurs de machines industrielles travaillent à la production de différents biens dans les usines. Les grands secteurs industriels sont le métal, les pâtes et papiers, le bois, le textile, le caoutchouc, le plastique, les engins industriels, les transports, etc.

L'essentiel du travail des machinistes et opérateurs consiste à surveiller, faire fonctionner et réparer des machines qui ont parfois des dimensions humaines ou qui, très souvent, sont des monstres de métal. Avec les avancées technologiques, le travail consiste de plus en plus à surveiller les machines et à les réparer en cas de bris. D'une industrie à l'autre, le travail peut être assez différent.

Coup d'œil

PROFESSION MACHINISTE, OPÉRATEUR DE MACHINERIE DANS L'INDUSTRIE…	PROFESSIONNELS / FINISSANTS	RATIO	SALAIRE ANNUEL MOYEN
des mines ★★★★★	3 500 / s.o.		58 000 $
des pâtes et papiers ★★★★★	7 000 / 200	1 / 30	60 000 $
de l'aviation ★★★★★	5 000 / 145	1 / 34	57 000 $
chimique ★★★★★	5 000 / s.o.		49 000 $
du caoutchouc ★★★★★	3 000 / s.o.		46 000 $
de l'imprimerie ★★★★★	14 000 / 57	1 / 300	41 000 $
alimentaire ★★★★★	8 000 / s.o.		40 000 $
du bois et sciage ★★★★★	8 000 / 46	1 / 160	36 000 $
des produits électriques et électroniques ★★★★★	12 000 / s.o.		34 000 $
du plastique ★★★★★	7 500 / s.o.		31 000 $
du meuble ★★★★★	17 000 / 480	1 / 35	28 000 $

▶

PROFESSION MACHINISTE, OPÉRATEUR DE MACHINERIE DANS L'INDUSTRIE...		PROFESSIONNELS / FINISSANTS RATIO	SALAIRE ANNUEL MOYEN
du textile	★ ★ ★ ★ ★	22 500 / s.o.	24 000 $
Autres industries	★ ★ ★ ★ ★	18 000 / 500 1 / 36	42 000 $
Ajusteur de machines	★ ★ ★ ★ ★	2 500 / s.o.	49 000 $

Environ 140 000 machinistes et opérateurs de machines travaillent dans la production industrielle. Ils sont répartis dans les secteurs indiqués dans le tableau.

Comme on peut le voir, d'un domaine à l'autre, les écarts de salaire sont spectaculaires. Dans les secteurs les plus payants, on gagne plus de 50 000 $ par année, alors que dans les moins payants, on touche moins de 30 000 $. La situation est d'autant plus ironique que les emplois les mieux payés sont également les plus agréables, et que les salaires n'ont rien à voir avec les qualifications exigées, qui sont à peu près équivalentes. Ce sont les marchés qui déterminent la rémunération bien plus que la nature du travail à accomplir.

De plus, force est de constater qu'on forme bien peu de travailleurs pour l'industrie. Dans bien des secteurs, il n'y a pas de formation et, là où il y en a, le nombre de finissants est très faible par rapport au nombre d'emplois. Dans certains domaines comme l'aviation, la chimie et les pâtes et papiers, il existe une formation collégiale.

Les très bons salaires offerts dans certains secteurs et le peu de finissants font que ces programmes de formation sont avantageux pour ceux qui s'y intéressent.

FORMATION

Les principaux programmes de formation de machiniste et d'opérateur de machine sont de niveau secondaire dans des domaines comme les techniques d'usinage, l'usinage de machinerie à commande numérique, les pâtes et papiers ou l'équipement de production. Il existe un déséquilibre majeur entre le petit nombre de personnes formées dans les domaines de la production et le nombre d'emplois dans le secteur. On forme environ 1 200 personnes par année, alors qu'il y a 140 000 emplois industriels. Il en résulte que bien des travailleurs dans ce secteur n'ont pas de formation particulière.

DEGRÉ D'HOMOGÉNÉITÉ

Le travail en usine est assez homogène.

HOMMES-FEMMES

Mis à part le secteur du textile, les emplois d'opérateur et de machiniste sont à plus de 90 % occupés par les hommes.

TAUX DE CHÔMAGE

Le chômage varie d'un secteur à l'autre. Présentement, les industries du textile, des mines, des pâtes et papiers ainsi que du bois souffrent particulièrement de la conjoncture économique. Le secteur de l'aviation, toujours en dents de scie, a aussi procédé à des mises à pied. En dehors de ces problèmes temporaires (permanents dans le cas du textile), il y a peu de chômage dans les emplois industriels.

En raison des aléas de l'économie moderne, les chances de faire une carrière complète dans un seul et même secteur industriel sans connaître le chômage ou même une réorientation de carrière sont minces. Certains secteurs sont évidemment plus vulnérables que d'autres. Nous sommes à l'ère des multinationales, de la mondialisation et de la déréglementation. À tout moment, même dans les industries qui semblent les plus stables, les entreprises peuvent faire l'objet d'une fusion, leur marché peut s'effondrer ou leur produit devenir dépassé.

GÉOGRAPHIE

La géographie de l'emploi industriel est variable. Ceux qui possèdent une formation plus générale, les machinistes, les ajusteurs, et les opérateurs de machine d'imprimerie peuvent trouver de l'emploi un peu partout. Pour les autres, les emplois sont souvent concentrés dans une région et il n'y a parfois qu'un seul employeur potentiel dans leur domaine. Pour ces travailleurs, si l'usine ferme, c'est le chômage assuré et, dans la plupart des cas, une réorientation forcée ou une délocalisation, ou les deux.

Les emplois dans les industries du bois, des pâtes et papiers, des mines et des métaux sont concentrés dans certaines régions éloignées. Les emplois dans les industries du plastique et du caoutchouc se trouvent surtout dans la région de Montréal et en Montérégie. Les emplois en alimentation, dans l'aviation et dans l'industrie chimique et pétrochimique sont regroupés à Montréal et dans les environs. Il faut bien vérifier que des emplois existent dans la région où l'on souhaite s'établir avant de s'engager dans une carrière industrielle.

Dans les industries où les salaires sont les meilleurs, les employeurs sont peu nombreux, mais ce sont de grandes entreprises du secteur privé. Certaines usines appartiennent à des groupes industriels qui embauchent des centaines de milliers de travailleurs. Dans les domaines où l'on observe les salaires les moins élevés, les employeurs sont plus souvent des entreprises de petite ou de moyenne taille.

 QUALITÉ DES EMPLOIS

Les meilleurs emplois de machiniste se trouvent évidemment dans les industries les plus importantes. Les grandes installations comme les alumineries, les usines de pâtes et papiers, les mines et usines de transformation du minerai, ainsi que les grandes usines de production du secteur aéronautique coûtent des centaines de millions de dollars à construire et à exploiter. Les emplois qu'elles offrent sont d'excellente qualité.

 SYNDICALISATION

La qualité des conventions collectives est proportionnelle à la taille des entreprises.

INSERTION PROFESSIONNELLE

L'accès aux meilleurs emplois industriels est parfois difficile et nécessite de bons contacts. Toutefois, la démographie joue en faveur des jeunes.

Avenir de la profession

PÉRENNITÉ

Il y a quelques décennies à peine, les emplois industriels représentaient près du tiers des emplois disponibles. Aujourd'hui, environ 12 % de la main-d'œuvre travaille dans le secteur secondaire. Cette proportion pourrait encore diminuer, mais probablement pas beaucoup. On peut s'attendre à ce que d'autres emplois disparaissent dans les domaines du textile et du meuble, qui sont des

secteurs à faible valeur ajoutée et à forte concentration de main-d'œuvre. Beaucoup de ces emplois seront transférés à l'étranger. Dans les autres domaines, il y aura sûrement des fluctuations, mais pas d'hécatombe. Ajoutons que la force actuelle du dollar canadien nuit beaucoup à ces industries.

Pour ce qui est du remplacement de la main-d'œuvre par la technologie, on peut supposer que le monde industriel a presque atteint le point de saturation. Il existe de moins en moins d'emplois routiniers où on pourrait remplacer le travailleur par une machine. Dans les nouveaux emplois industriels, chaque travailleur est déjà entouré d'équipements sophistiqués. Il n'est pas rare qu'un emploi créé dans les nouvelles usines ait nécessité un ou plusieurs millions de dollars en investissement technologique.

En somme, le secteur devrait se maintenir, malgré d'inévitables crises sectorielles. C'est un domaine où les risques de compression ou de transferts restent toujours présents. Il faut garder à l'esprit que les usines sont souvent de petits rouages au sein d'immenses multinationales. Les décisions se prennent à l'échelle mondiale.

PERSPECTIVES D'EMPLOI

Le secteur industriel n'est pas un mauvais domaine pour faire carrière. Il compte encore de nombreux emplois et les salaires y sont généralement bons. Les secteurs les moins payants sont à éviter, car ce sont les plus vulnérables et ceux qui offrent les moins bonnes conditions de travail. Dans les autres domaines, les chances de faire une carrière longue et fructueuse sont bonnes.

Dans les secteurs payants de l'industrie, les perspectives d'avenir sont bonnes.

Influence sur le bonheur, la santé et la vie quotidienne

DEGRÉ D'AUTONOMIE

Il est variable d'une usine à l'autre. Certains courants de pensée en gestion prônent une grande autonomie des travailleurs, alors que d'autres insistent au contraire sur le contrôle. Les gestionnaires sont toujours tentés de contrôler le plus possible le travail des ouvriers.

Les secteurs de l'électronique, du meuble et du textile se distinguent par le peu d'autonomie laissée aux travailleurs. Dans l'industrie électronique, le contrôle du travail peut atteindre des dimensions inhumaines, les superviseurs allant jusqu'à chronométrer chaque opération au dixième de seconde près!

HORAIRES

La production industrielle a le vilain défaut de se dérouler de manière ininterrompue. Dans les grandes usines, les activités se poursuivent 24 heures sur 24 et le travail se répartit en quarts de jour, de soir et de nuit.

INDICE FAMILLE

Bien sûr, les horaires de nuit ne facilitent pas la vie familiale. Les secteurs où les horaires sont assez stables sont plus compatibles avec la vie de famille.

DURÉE DES CARRIÈRES

Généralement, ceux qui ont accédé à de bons emplois industriels y passent leur vie. Les conditions de travail et l'esprit d'appartenance font que les départs sont rares.

DÉPLACEMENTS

Les déplacements sont rares. Par contre, quand une usine ferme, il peut arriver que les travailleurs soient déplacés dans une autre région.

SENTIMENT D'UTILITÉ

Il est variable. Dans l'industrie dite « de processus[2] », le travail consiste essentiellement à surveiller le déroulement des opérations. C'est la machine qui fait tout, ou presque. On peut alors tirer sa fierté de l'atteinte de certains objectifs de production et de l'absence de bris ou d'accidents.

L'industrie des pâtes et papiers, l'industrie chimique et pétrochimique, les alumineries, l'industrie alimentaire et l'industrie du caoutchouc correspondent à ce modèle. Malgré tout, la plupart du temps, les ouvriers trouvent leur travail satisfaisant.

Dans les industries de grande production, en particulier dans les secteurs de l'aviation et de la production de machines et d'équipement mécanique, le produit du travail est plus concret, et la valorisation, plus directe. Un avion sortant d'une chaîne de montage, c'est un objet de fierté.

PLAISIR INTRINSÈQUE

Le travail en usine est généralement plaisant. L'époque où il était routinier et abrutissant est révolue. Désormais, il requiert plus de connaissances et d'habiletés, et il est stimulant. Les ouvriers développent le plus souvent un vif intérêt pour le type de production qu'ils accomplissent, et ils s'identifient à leur entreprise.

STIMULATION INTELLECTUELLE

Ici encore, deux courants de pensée s'affrontent. Dans certaines industries, on s'applique à rendre le travail le plus simple possible. L'idéal, pour ce courant de gestion,

---

2. L'industrie « de processus » est une industrie où le processus de production s'assimile plus à une recette répétée perpétuellement qu'à une chaîne de montage. Ces industries sont fondées sur un cycle de production en continu, fixé une fois pour toutes, avec un équipement qui ne vaut que pour le produit réalisé et lui seul (industrie chimique, sidérurgique).

le taylorisme, serait qu'un singe puisse faire le travail...

Heureusement, les emplois taylorisés sont de plus en plus rares au Québec. Désormais, les industries installées ici misent sur des ouvriers de plus en plus qualifiés, qu'elles forment continuellement.

CRÉATIVITÉ

Le travail en usine est rarement créatif.

INDICE BUREAUCRATIE

Les structures sont lourdes dans l'industrie. On doit respecter d'innombrables règles et normes. La bureaucratie, bien qu'elle soit généralement raisonnable, tend à augmenter.

SOLITAIRE / EN ÉQUIPE

L'esprit de corps et le sentiment d'appartenance sont très importants dans ces métiers. Les entreprises déploient aussi beaucoup d'efforts pour souder leurs effectifs grâce à des activités sociales et sportives.

TRAVAILLER À SON COMPTE

Travailler à son compte est plutôt rare dans ce domaine.

RÉUSSITE OU ÉCHEC

La réussite l'emporte sur les échecs dans le travail en usine. Généralement, on fonctionne par objectifs à atteindre et critères de qualité. Le travail est organisé de manière que les objectifs soient atteints la plupart du temps.

RECONNAISSANCE SOCIALE

Dans le passé, les ouvriers se sentaient complexés d'être au bas de l'échelle sociale et peu instruits. De nos jours, les ouvriers sont des travailleurs décomplexés, bien payés et plus instruits.

DEGRÉ DE POUVOIR

Dans les usines, les ouvriers sont au bas de l'échelle de pouvoir. Ils sont sous la supervision des ingénieurs et des gestionnaires. Malgré tout, ils exercent un pouvoir certain sur le déroulement des opérations. Plusieurs études démontrent que les expériences de changement tentées sans leur collaboration échouent invariablement[3].

MOBILITÉ ET AVANCEMENT

Voilà un des inconvénients majeurs des emplois industriels. Les possibilités de mobilité y sont presque inexistantes, surtout dans les grandes entreprises. Elles sont meilleures dans les petites et moyennes entreprises (PME). La mobilité professionnelle est limitée par deux facteurs. Le premier est la qualification des travailleurs, qui sont généralement peu scolarisés et très spécialisés,

---

3. Voir Shoshana Zuboff, *In the Age of Smart Machine : The Future of Work and Power*, 1989.

ce qui ne leur permet d'être efficaces que dans leur domaine. Le deuxième est le petit nombre d'employeurs. Quand il n'y a qu'une seule usine dans la région, il faut bien s'en contenter.

Quant aux possibilités de promotion, la situation est partagée. Certains ouvriers peuvent gravir les échelons, mais ils n'ont pas accès aux postes de direction, réservés aux travailleurs plus scolarisés. Il faut faire des études collégiales ou universitaires pour obtenir un poste de cadre.

NIVEAU DE STRESS

Les emplois où l'on surcharge les ouvriers sont de plus en plus rares, mais il y en a encore dans les industries du textile, du meuble et de l'électronique. Dans les autres industries, le stress est surtout dû aux enjeux de sécurité. On travaille avec des machines et des procédés pour lesquels le contrôle des risques est une préoccupation constante.

DANGER ET POLLUTION

Les normes de sécurité sont si élevées dans les grandes usines qu'un emploi d'opérateur de machine est probablement moins dangereux que n'importe quel autre métier masculin du secondaire. La pollution, par contre, peut représenter un risque

dans presque tous les secteurs industriels. Il peut se passer beaucoup de temps avant que les scientifiques reconnaissent ou établissent la dangerosité de certaines pratiques et, dans l'intervalle, les travailleurs en font les frais. Il arrive qu'on découvre après des décennies que des ouvriers ont été exposés à des substances ou des procédés mortels. Maladie de Minamata, amiantose: l'histoire industrielle et minière est jonchée de cas désastreux.

EN VRAC

Les deux problèmes principaux dans les carrières industrielles sont le travail de nuit et les incertitudes liées aux grands enjeux économiques mondiaux. Même quand la situation paraît solide, tout peut changer très vite. Les modifications aux lois, la signature d'accords commerciaux ou la vente d'entreprises peuvent tout chambarder. Il arrive que des usines valant des milliards de dollars ferment du jour au lendemain pour cause de chute des prix ou de fusion.

Du côté des qualités, quand tout va bien, le travail en usine peut être très agréable et fournir un style de vie qui plaît à bien des travailleurs.

Manœuvre

Dans tous les secteurs industriels, on trouve un nombre important de travailleurs non spécialisés qui gagnent environ 80 % du salaire de leurs confrères. Par exemple, les 5 000 manœuvres du secteur des mines gagnent 48 000 $ en moyenne, les 2 000 manœuvres de l'industrie chimique touchent 40 000 $ et les 18 000 manœuvres de l'industrie de l'alimentation ont un salaire moyen de 30 000 $. Au total, on compte 68 000 manœuvres dans le secteur industriel, ce qui porte le nombre total des travailleurs industriels à 208 000. Les emplois de manœuvre obtiennent une évaluation inférieure d'une demi-étoile à ceux de machiniste et d'opérateur du même secteur.

Évaluation globale

La qualité des emplois dans le secteur industriel est généralement bonne. On peut très bien gagner sa vie dans des emplois qui s'avèrent agréables, où les conditions et les avantages sociaux sont bons. Les emplois du secteur industriel obtiennent donc une note globale de trois étoiles et demie.

Il faut toutefois faire une exception pour les industries du meuble, du textile, du plastique et de l'électronique, où les emplois sont plus précaires, les salaires moins élevés et les conditions de travail moins bonnes. J'accorde donc une note moins élevée aux emplois dans ces trois secteurs. ∎

Chauffeur / Conducteur / Pilote

Il est question ici de tous ceux dont le métier est de conduire ou de piloter un véhicule, un appareil ou un engin de chantier : camion, autobus, taxi, avion, train, navire et hélicoptère, machinerie lourde, pelle mécanique, équipement forestier, grue, monte-charge, grue portuaire.

Coup d'œil

PROFESSION	PROFESSIONNELS / FINISSANTS	RATIO	SALAIRE ANNUEL MOYEN
Camionneur ★ ★ ★ ★ – ★ ★ ★ ★ ★ Chauffeur de camion de livraison ★ ★ ★ ★	94 000 / 1 600	1 / 60	36 000 $
Chauffeur d'autobus, de métro ★ ★ ★ ★ ★ Chauffeur de train ★ ★ ★ ★ ★	19 000 / s.o.		44 000 $ 64 000 $
Chauffeur d'équipement lourd, d'engin de chantier, de camion de déneigement ★ ★ ★ ★ ★	18 500 / 160	1 / 110	43 000 $
Débardeur ★ ★ ★ ★ ★	1 500 / s.o.		82 000 $
Pilote d'avion, d'hélicoptère, de bateau ★ ★ ★ ★ ★	2 500 / s.o.		94 000 $
Grutier ★ ★ ★ ★ ★	2 500 / 40		61 000 $
Chauffeur de taxi ★ ★ ★ ★ ★	10 000 / s.o.		18 000 $

On compte 148 000 chauffeurs et pilotes de toutes sortes au Québec. Pour ce qui est des pilotes d'avion, le nombre de finissants est difficile à déterminer : on sait qu'il est de quelques dizaines dans les écoles publiques, mais on ne connaît pas le nombre de ceux qui ont réussi la formation d'une école privée ou militaire. Il est difficile d'accéder à la formation, mais ceux qui obtiennent leur brevet gagnent très bien leur vie. C'est le genre de rêve qu'il vaut la peine de poursuivre.

Les chauffeurs de taxi qui sont propriétaires de leur voiture gagnent bien leur vie. Pour les autres, c'est plus difficile. Présentement, le marché du taxi est particulièrement mauvais à Montréal. La majeure partie de la main-d'œuvre est composée d'immigrants. Leur surnombre entraîne une détérioration des conditions de travail.

FORMATION

On peut devenir chauffeur de camion, chauffeur d'autobus ou débardeur sans formation spécifique. Pour les autres types de véhicule ou d'équipement, un diplôme d'études secondaires est généralement requis. Le pilotage de navire, d'hélicoptère et d'avion nécessite une formation technique ou un brevet d'un institut privé ou les deux. L'accès à ces trois dernières professions est plus restreint.

Analyse du marché de l'emploi

HOMMES-FEMMES

Il s'agit encore de professions à écrasante majorité masculine. Les femmes commencent à se tailler une place dans certains secteurs en tant que chauffeuses d'autobus, de métro, de taxi ou de camion.

TAUX DE CHÔMAGE

Il est relativement bas, sauf pour les chauffeurs de taxi, qui chôment souvent.

GÉOGRAPHIE

L'emploi est très bien réparti, sauf, bien sûr, pour les pilotes d'avion et de navire, et les chauffeurs de train, qui sont concentrés dans certaines régions. Les débardeurs travaillent exclusivement le long du fleuve Saint-Laurent, à Montréal, à Québec et à Trois-Rivières.

EMPLOYEURS

Les employeurs sont nombreux et variés. Comme dans les autres secteurs, les meilleurs emplois se trouvent dans les grandes entreprises et dans les milieux syndiqués. Il vaut certainement mieux conduire un camion pour la Ville de Montréal ou pour Hydro-Québec que pour un sous-traitant.

SYNDICALISATION

Les chauffeurs d'autobus, de métro, de train, d'équipement lourd, d'engin de chantier, les débardeurs, les pilotes d'avion et d'hélicoptère, les grutiers de même que près de la moitié des camionneurs sont syndiqués. Et – ce n'est pas un hasard – ce sont eux qui gagnent les meilleurs salaires. Une écrasante majorité des non-syndiqués doit se contenter de moins de 40 000 $ par année, voire, dans bien des cas, de moins de 30 000 $.

QUALITÉ DES EMPLOIS

La qualité des emplois dans le secteur est très variable. Au sein de grandes entreprises ou dans les secteurs spécialisés, ils sont de bonne qualité. Ceux qui font du petit camionnage ou du taxi connaissent des conditions de travail difficiles. Donc, si on veut devenir chauffeur, mieux vaut se trouver un bon créneau. On peut généralement se fier à la règle suivante : plus ce qu'on doit conduire est imposant, meilleures seront les conditions de travail.

INSERTION PROFESSIONNELLE

Il peut être difficile de travailler dans ces métiers au début de la vingtaine. On considère généralement que les jeunes sont moins fiables et moins prudents, et les employeurs hésitent à leur confier la conduite d'un véhicule ou d'un engin coûteux avant l'âge de 25 ans. De ce point de vue, les filles, plus prudentes, bénéficient sans doute d'un avantage.

Avenir de la profession

PÉRENNITÉ

Les facteurs de compression dus à la technologie et les possibilités de transférer le travail à l'étranger sont nuls. Les perspectives d'avenir dans la profession sont bonnes. Les échanges commerciaux ne cessent de s'intensifier, et il faut une armée de travailleurs de plus en plus vaste pour répondre à la demande.

PERSPECTIVES D'EMPLOI

Du point de vue des travailleurs, les perspectives sont bonnes. La tendance est plutôt à la pénurie de main-d'œuvre un peu partout.

Les perspectives d'avenir sont bonnes.

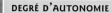

Influence sur le bonheur, la santé et la vie quotidienne

DEGRÉ D'AUTONOMIE

Il y a des instructions et des règles à suivre. Malgré tout, on tient soi-même le volant, la manette ou le régulateur, ce qui montre que la zone d'autonomie dans le quotidien existe bel et bien.

HORAIRES

En fonction des déplacements nécessaires, on peut être mobilisé pendant plusieurs jours. Et bien que le nombre d'heures de conduite consécutives soit réglementé au Québec, il demeure tout de même assez élevé.

Ceux qui travaillent sur des chantiers ou dans le secteur des travaux publics ont des horaires variables. Ils peuvent travailler plus de 50 heures par semaine et même la nuit quand c'est nécessaire, et connaître des périodes où ils ne travaillent presque pas. Les chauffeurs de train et pilotes d'avion ont des périodes de travail suivies de périodes de congé. Les grutiers ont des horaires typiques.

Il est fréquent qu'on travaille les week-ends et les jours fériés dans ces secteurs d'emploi.

INDICE FAMILLE

Ceux qui sont appelés à se déplacer ont intérêt à avoir un conjoint ou une conjointe plus disponible. Les horaires de travail et les distances à parcourir font que les chances de pouvoir aller chercher les enfants à la sortie de l'école sont minces. La conciliation avec la vie familiale oscille entre difficile et très difficile.

Les chauffeuses d'autobus, le plus souvent, sont à l'emploi des services de transport municipaux ou scolaires, par opposition au transport interurbain. Elles travaillent selon des horaires atypiques, donc aussi le soir et les fins de semaine, mais constants. La conciliation travail-famille présente pour elles des défis assez importants.

DURÉE DES CARRIÈRES

La moitié des travailleurs de ce secteur, ceux qui occupent les meilleurs emplois, sont sans doute satisfaits de leur sort. L'autre moitié, soit les chauffeurs de taxi et les camionneurs, donc ceux qui ont écopé des emplois de moins bonne qualité et qui ont les pires horaires de travail, ne sont pas satisfaits. Plusieurs d'entre eux cherchent à améliorer leur situation et ils quittent la profession à la première occasion.

DÉPLACEMENTS

Beaucoup de ces métiers consistent précisément à se

déplacer. Un tel mode de vie peut être attirant et même romantique. Par contre, ça rend la vie familiale assez difficile. Avec le temps, les déplacements peuvent devenir routiniers, voire un peu déprimants.

SENTIMENT D'UTILITÉ

Il est moyen, variable selon les métiers et sans doute directement proportionnel à la taille du véhicule conduit. Les chauffeurs et les pilotes tendent à s'identifier à leur véhicule.

DEGRÉ D'HUMANISME

Les chauffeurs de taxi et d'autobus travaillent de près avec le public. Ils ont parfois un rôle social important à jouer auprès des personnes âgées ou en déficit de mobilité, par exemple. Dans les autres métiers, il n'y a pas de contact avec le public.

PLAISIR INTRINSÈQUE

Vroom vroom! Conduire un train, piloter un avion ou un bateau, remonter le Saint-Laurent ou traverser les grandes prairies, cela peut être jouissif!

Être coincé dans la circulation en banlieue de Philadelphie, rouler 10 heures par jour, tous les jours, effectuer sans cesse le même trajet d'autobus, déneiger une autoroute à quatre heures du matin, c'est un peu moins drôle. Malgré tout, il faut reconnaître

que les chauffeurs s'identifient à leur métier et, fréquemment, se passionnent pour leur travail.

En somme, ceux qui occupent les meilleurs emplois dans le secteur peuvent en tirer beaucoup de plaisir. Mais très souvent, il faut accepter certains aspects plus routiniers et moins amusants.

STIMULATION INTELLECTUELLE

Mis à part les conducteurs des véhicules les plus gros et les plus sophistiqués (avions, trains, bateaux, métros, etc.), les travailleurs du secteur ont des emplois peu complexes où les possibilités d'apprentissage sont limitées.

CRÉATIVITÉ

Dans ces secteurs, elle est à peu près nulle.

INDICE BUREAUCRATIE

Il est modéré.

SOLITAIRE / EN ÉQUIPE

Le camionnage, grande communauté de solitaires, est le royaume du CB, de la radio AM, de la musique country, des relais routiers et des nuits inconfortables dans des endroits isolés. Les pilotes d'avion et de navires ainsi que les chauffeurs de train travaillent en équipe.

TRAVAILLER À SON COMPTE

Il existe un certain nombre de camionneurs-artisans. Dans le cas des chauffeurs de taxi, environ la moitié sont travailleurs autonomes. Dans les autres métiers, on est employé.

On finit toujours par arriver. De plus en plus, le trafic routier, maritime, aérien et ferroviaire est lourd et frustrant, ce qui fait qu'on n'arrive pas toujours à destination dans les délais souhaités.

Les chauffeurs de taxi obtiennent très peu de reconnaissance. Les chauffeurs de camion, d'autobus et les grutiers sont mieux reconnus.

Les pilotes d'avion occupent une classe à part, surtout ceux qui font voler de gros porteurs ou des avions de ligne. Dans leur cas, le travail est prestigieux.

Proportionnel à la grosseur du moteur ou du véhicule ? Non, sérieusement, ce ne sont pas des professions où le pouvoir est très important même si, effectivement, le nombre de chevaux-vapeurs procure un sentiment de pouvoir.

Pour les camionneurs, il est très facile de changer d'emploi. C'est plus difficile dans les autres métiers parce que le nombre

d'employeurs potentiels est restreint.

Il est assez élevé. La sécurité et la prudence figurent au nombre des préoccupations, et on est toujours déchiré entre les impératifs de sécurité et la volonté de faire vite.

En ce qui concerne l'avancement, il est limité dans tous les secteurs, sauf pour les pilotes d'avion et de bateau et les chauffeurs de train, dont les responsabilités augmentent au cours de la carrière.

Accidents de la route, gaz carbonique, bitume, poussière, maux de dos, problèmes d'intestins, sédentarité, malbouffe, obésité, manque de sommeil, stress, solitude, surconsommation de café et de stimulants sont le lot de nombreux travailleurs de ce secteur, l'un des plus difficiles pour la santé. Rester assis 10 ou 12 heures par jour dans la même position, c'est mauvais pour le corps.

Évaluation globale

La moitié des travailleurs dans ce secteur gagne très bien leur vie, l'autre assez mal. C'est un domaine où il vaut mieux avoir des qualifications spécifiques. Les débardeurs, les grutiers, les pilotes d'avion et de bateau et les chauffeurs de train touchent de très bons salaires, ont de très bonnes conditions de travail et font un travail intéressant. Les horaires de travail sont souvent atypiques et pénibles pour tous les travailleurs du secteur. La position assise et les nombreux déplacements mettent la santé physique et psychologique à rude épreuve. La qualité des carrières dans le secteur étant très inégale, j'ai divisé mon évaluation finale en trois groupes.

Pilotes d'avion, d'hélicoptère, de bateau et chauffeur de train : ils sont peu nombreux, mais quelles professions ! Remonter le fleuve à la barre d'un cargo vers Montréal et être payé cher pour le faire, c'est une belle carrière. Ce groupe obtient une note de quatre étoiles et demie.

Grutier, débardeur, chauffeur d'autobus et de métro, conducteur d'équipement lourd et d'engins de chantier, camionneur occupant un bon emploi (environ 30 % d'entre eux). Il s'agit de très bons emplois, souvent assez intéressants et qui ne requièrent pas de très longues études. Ce groupe obtient une note globale de trois étoiles et demie.

Enfin, en ce qui concerne les 50 000 autres camionneurs, les chauffeurs de camion de livraison et les chauffeurs de taxi, la piètre qualité de leur emploi, la routine de leur tâche et leur moins bon salaire les placent loin derrière, avec une note globale de deux étoiles. Ce sont des emplois que je ne peux pas recommander. ■

Pour en savoir plus sur le camionnage

Conseil canadien des ressources humaines en camionnage
www.cthrc.com/fr/index.php

Association du camionnage du Québec
www.carrefour-acq.org

Diverses professions dans le commerce de détail

Le commerce de détail est un secteur en pleine croissance. Jamais il n'y a eu autant de choses à vendre et, à aucun moment, les cycles de consommation n'ont été aussi courts. L'économie occidentale est basée sur la consommation. Or, pour que tous les biens puissent être distribués, offerts à la vente et achetés, une armée de travailleurs est nécessaire. Leur travail consiste à faire fonctionner la chaîne de consommation depuis la réception de la marchandise jusqu'à sa sortie des magasins. Ils sont directeurs de magasins, superviseurs, vendeurs, commis et caissières[4] et passent leur journée à manutentionner divers articles, à diriger, renseigner et conseiller les clients, à enregistrer les transactions et à emballer les produits vendus.

Coup d'œil

PROFESSION	PROFESSIONNELS	SALAIRE ANNUEL MOYEN
Directeur de commerce de détail ★ ★ ★ ★	75 000	39 000 $
Superviseur ★ ★ ★ ★	13 000	33 000 $
Vendeur et commis ★ ★ ★ ★ ★	167 000 (35 % à plein temps)	30 000 $
Commis d'épicerie et garnisseur de tablettes ★ ★ ★ ★ ★	40 000 (32 % à plein temps)	23 000 $
Caissière ★ ★ ★ ★ ★	83 000 (23 % à plein temps)	19 000 $

Bien que le tableau indique les salaires annuels moyens pour un travail à plein temps, la majorité des emplois dans ce secteur sont à temps partiel : il ne faut donc pas surestimer les revenus réels, particulièrement ceux des vendeurs, des caissières et des commis, d'autant plus que les meilleurs salaires horaires sont versés aux employés à plein temps. Dans bien des commerces, la

---

4. J'écris le mot «caissière» au féminin parce que la profession est féminine à 88 %.

rémunération des vendeurs et des commis est à peine plus élevée que le salaire minimum.

FORMATION

La plupart des travailleurs de ce secteur ne possèdent pas de diplôme particulier. Toutefois, il existe des programmes de formation au secondaire et au collégial portant sur le commerce de détail. Au secondaire, on diplôme environ 600 personnes par année dans ce domaine et, au collégial,

près de 700 personnes par année en gestion de commerce ou en commercialisation de la mode. Ces diplômés ne permettent de répondre qu'à 10 % des besoins de main-d'œuvre.

DEGRÉ D'HOMOGÉNÉITÉ

Le milieu est assez homogène. Quelques secteurs d'emploi, notamment celui des produits de luxe, et quelques employeurs se distinguent par de meilleures conditions de travail.

Analyse du marché de l'emploi

HOMMES-FEMMES

Chez les vendeurs et les commis du commerce de détail, on compte 60 % de femmes et 40 % d'hommes. Bien sûr, les proportions varient sensiblement selon les secteurs de commerce.

Chez les commis d'épicerie, on dénombre 30 % de femmes et 70 % d'hommes. Il y a 12 % de caissiers et 88 % de caissières.

TAUX DE CHÔMAGE

Le taux de chômage est faible dans ce secteur.

GÉOGRAPHIE

Les emplois du commerce de détail sont répartis dans toute la

province, mais les meilleurs sont sans doute concentrés dans les grands centres urbains.

EMPLOYEURS

Walmart, Zellers, Aldo, Winners, Future Shop, Bureau en gros, Loblaws, Metro, Rona, SAQ, Costco... La traversée de n'importe quel centre commercial permet de se faire une opinion rapide du secteur. Les emplois se concentrent de plus en plus dans les grandes chaînes et on observe une nette tendance à la mondialisation. Des bannières comme H&M, Zara ou Ikea sont présentes dans des dizaines de pays.

SYNDICALISATION

Très peu de travailleurs sont syndiqués. Les entreprises de ce secteur opposent une résistance féroce aux tentatives de syndicalisation. Les cas de Walmart et, plus récemment, de Couche-Tard montrent la détermination dont font preuve certains employeurs à cet égard.

QUALITÉ DES EMPLOIS

Le commerce de détail est un énorme secteur d'emploi, parmi les plus importants. Il n'est pas rare que, dans une ville, l'endroit où s'activent le plus de travailleurs soit le centre commercial. Toutefois, les emplois sont majoritairement à temps partiel et, très souvent, à durée déterminée. On embauche des travailleurs supplémentaires pour les périodes les plus achalandées et on les met ensuite à pied.

On est là au cœur du royaume de l'emploi précaire. Les embauches fluctuent en fonction des saisons et des succès commerciaux. Le volume de main-d'œuvre varie continuellement. Quelques rares chaînes de commerce se distinguent par la qualité des conditions de travail qu'elles offrent à leurs employés. La Société des alcools du Québec (SAQ) et l'américaine Costco, notamment, proposent des salaires environ deux fois plus élevés que les autres chaînes.

Une certaine proportion des travailleurs dans ce secteur sont à leur compte. Généralement, ce sont eux qui bénéficient de la meilleure situation.

INSERTION PROFESSIONNELLE

Il s'agit d'un secteur d'entrée sur le marché du travail. On peut y trouver une place à partir de l'âge de 16 ans.

Avenir de la profession

PÉRENNITÉ

C'est un domaine où l'emploi n'est ni exportable, ni compressible. En étant optimiste, on peut supposer que la pénurie de main-d'œuvre finira par entraîner une hausse de la qualité des emplois.

PERSPECTIVES D'EMPLOI

Il n'y a aucune difficulté à trouver du travail dans le commerce de détail. Y gagner sa vie correctement semble plus compliqué.

Toutefois, le secteur offre de belles possibilités aux personnes ambitieuses et entreprenantes.

Les perspectives d'avenir sont passables.

Influence sur le bonheur, la santé et la vie quotidienne

DEGRÉ D'AUTONOMIE

Le contrôle et la supervision sont omniprésents dans le commerce de détail. Souvent, on filme les employés et on scrute à la loupe leur travail et les fluctuations de leurs ventes. Les chaînes de magasins déploient des trésors de créativité pour maximiser leur chiffre d'affaires et maintenir une certaine pression sur le personnel. On préfère l'obéissance à l'autonomie.

HORAIRES

Le travail le soir et les week-ends est fréquent, et les commerces respectent de moins en moins les jours fériés.

Les superviseurs et les directeurs sont, dans bien des cas, payés à la semaine et on s'attend à ce qu'ils fassent de très longues journées, ce qui ramène leur taux horaire à des niveaux ridicules.

Les caissières ont souvent des horaires brisés en fonction des périodes de pointe.

INDICE FAMILLE

Les horaires et les conditions de travail rendent la conciliation travail-famille difficile.

DURÉE DES CARRIÈRES

Pour la plupart, il s'agit d'emplois de transition ou d'emplois étudiants. Parmi ceux qui ne sont plus aux études, une vaste majorité cherche à trouver un meilleur travail dans un autre secteur. Les taux de roulement de personnel sont très élevés.

SENTIMENT D'UTILITÉ

Le sentiment d'utilité n'est pas très élevé. Il l'est un peu plus dans les domaines où le travail exige une certaine expertise, dans les commerces spécialisés, par exemple.

DEGRÉ D'HUMANISME

Tout en étant dominé par le mercantilisme généralisé, le travail offre tout de même l'occasion de nombreux contacts sociaux. Ces contacts sont plutôt brefs et superficiels, mais ils peuvent être satisfaisants dans certains commerces où une véritable relation s'établit entre les clients et les employés.

Le travail dans le domaine du commerce est grégaire. On travaille en groupe et c'est souvent l'esprit d'équipe qui représente l'aspect le plus satisfaisant de ces emplois.

PLAISIR INTRINSÈQUE

Le plaisir varie en fonction du degré de spécialisation et de sophistication des produits. Certains commerçants sont passionnés par leurs produits. Dans le commerce général et les biens de consommation courante, les tâches offrent moins de plaisir.

RÉUSSITE OU ÉCHEC

Très souvent, on a des objectifs de vente à respecter. Dans certains milieux, les stratégies commerciales sont fondées sur des objectifs faciles à atteindre, alors que dans d'autres, on croit qu'il est plus rentable de fixer des objectifs difficiles à atteindre.

STIMULATION INTELLECTUELLE

Le travail est simple et peu qualifié. On peut toujours apprendre des techniques de vente plus efficaces, mais c'est peu intéressant. Seule une minorité de détaillants basent leur stratégie commerciale sur les capacités de leurs employés. Le plus souvent, le travail est organisé pour que les employés soient peu sollicités intellectuellement.

RECONNAISSANCE SOCIALE

Les emplois dans le commerce de détail sont peu qualifiés et ne bénéficient que de peu de reconnaissance sociale. Ils sont modestes et généralement peu valorisants.

CRÉATIVITÉ

Elle est peu importante dans ces types d'emploi.

DEGRÉ DE POUVOIR

Le degré de pouvoir est faible dans ces emplois situés au bas de l'échelle. Les travailleurs du domaine doivent se conformer à des manières de faire précises, et ils ont peu de pouvoir par rapport à leur employeur.

INDICE BUREAUCRATIE

On peut le qualifier de moyen dans ce secteur.

MOBILITÉ ET AVANCEMENT

La mobilité professionnelle est très facile dans le domaine. Dès que l'on possède un peu d'expérience, on peut aisément changer d'emploi.

L'ascension professionnelle est plus difficile. Il y a deux voies à privilégier. La première est de devenir propriétaire de son commerce. Ceux qui parviennent à acquérir une franchise ou à ouvrir leur propre établissement améliorent significativement leur situation. Sur ce plan, les possibilités sont plus nombreuses qu'on pourrait le croire. Au Québec, trop peu de personnes osent prendre ce risque. Pourtant, dans certains secteurs, les taux de réussite sont très élevés. Notons qu'il semble y avoir un écart entre les programmes de formation scolaire dans le domaine et les habiletés réelles qu'il faut posséder pour se lancer en affaires.

L'autre mode d'ascension professionnelle passe par les études. Je recommande fortement à ceux qui souhaitent faire carrière dans le commerce d'obtenir un baccalauréat en administration en plus d'acquérir de l'expérience pratique dans des emplois de commis et de vendeur. Toutes les chaînes de magasins ont un siège social et embauchent beaucoup de travailleurs. C'est là que les carrières du commerce de détail deviennent vraiment intéressantes. Ceux qui ont commencé au bas de l'échelle et qui ont en plus acquis une solide formation universitaire dans un domaine pertinent comme la comptabilité, les ressources humaines, le marketing ou même le design sont les mieux placés pour accéder à ces emplois. On peut démarrer sa carrière comme vendeur de chaussures dans une boutique et, 10 ans plus tard, les acheter pour le compte d'une grande chaîne auprès de fabricants, des producteurs italiens, par exemple.

Les études universitaires de premier cycle offrent aussi une excellente préparation à l'acquisition d'un commerce.

NIVEAU DE STRESS

Parfois, en période de pointe, on peut être débordé. Des magasins ont aussi pour politique de maintenir le nombre d'employés le plus bas possible, ce qui ajoute à la pression.

Malgré tout, en général, le stress et les charges de travail sont supportables. Le niveau de responsabilité est généralement bas, parce que la plupart des tâches sont assez simples.

Les superviseurs et les directeurs de succursale subissent plus de pression, toutefois, leur travail est minutieusement encadré par les grandes entreprises qui les embauchent. La pression exercée est calculée.

La station debout et la répétition fréquente des mêmes gestes entraînent de nombreux maux de dos et des problèmes aux articulations.

Depuis une trentaine d'années, le mot d'ordre dans le domaine commercial est que le client est roi. Les employés des commerces sont fortement encouragés à adopter des attitudes obséquieuses et soumises envers la clientèle. Ces comportements sont dommageables pour le moral et l'équilibre mental. Dans un livre sur la commercialisation des sentiments humains, la sociologue américaine Arlie Hochschild-Russell[5] explique en détail les dangers qu'il y a à gommer sa personnalité au profit d'impératifs commerciaux.

Dans les périodes moins achalandées, le travail peut aussi s'avérer ennuyant et routinier.

Évaluation globale

Le secteur du commerce de détail offre généralement des emplois de mauvaise qualité, même pour les superviseurs et les directeurs. Si on compare leurs conditions de travail à celles de travailleurs d'autres secteurs, on se rend compte que les avantages qu'ils retirent de leur situation sont plutôt minces pour les efforts consentis.

Pour ce qui est des emplois de vendeur, de commis et de caissière, ils méritent globalement le titre de « jobines ». Il s'agit d'emplois subalternes, mal payés et, la plupart du temps, peu intéressants. De plus, beaucoup d'employeurs sont de très grandes entreprises dont les méthodes de gestion sont strictement centrées sur les marges de profit, souvent au détriment de la qualité de vie des employés.

Les professions du secteur du commerce de détail, auxquelles je ne peux accorder plus de deux étoiles, ne passent pas la rampe. Ce sont surtout des emplois de transition, c'est-à-dire soit des emplois étudiants, soit des emplois qu'on occupe en attendant de trouver mieux. ■

---

5. Voir Arlie Hochschild-Russell, *The Managed Heart : Commercialisation of Human Feeling*, 1983.

Chef cuisinier / Pâtissier / Boulanger / Boucher

Bienvenue au royaume de l'alimentation. J'ai réuni dans une même catégorie les grandes professions du secteur alimentaire, même si elles présentent entre elles des différences considérables. Les chefs et les cuisiniers travaillent surtout dans les cuisines des restaurants, mais aussi dans des cafétérias, à préparer des plats plus ou moins sophistiqués. Les pâtissiers travaillent dans des restaurants ou des boutiques d'alimentation et préparent surtout des desserts. Les boulangers font du pain et des viennoiseries, et ils travaillent principalement dans des commerces spécialisés. Enfin, les bouchers découpent la viande et préparent du prêt-à-manger. Ils travaillent, pour la plupart, dans des usines ou des grandes surfaces. Une minorité d'entre eux travaillent dans de petits établissements.

Coup d'œil

PROFESSION		PROFESSIONNELS / FINISSANTS	RATIO	SALAIRE ANNUEL MOYEN
Chef cuisinier, secteur industriel	★ ★ ★ ★ ★	61 000 / 1 000	1 / 61	24 000 $
Chef cuisinier, secteur artisanal	★ ★ ★ ★ ★			
Boulanger, pâtissier, secteur industriel	★ ★ ★ ★ ★	9 000 / 360	1 / 25	25 000 $
Boulanger, pâtissier, secteur artisanal	★ ★ ★ ★ ★			
Boucher, usine ou grande surface	★ ★ ★ ★ ★	13 000 / 200	1 / 65	30 000 $
Boucher, boutique artisanale	★ ★ ★ ★ ★			

Au secondaire, les programmes de formation qui préparent aux métiers de l'alimentation sont des diplômes d'études professionnelles (DEP) et des attestations de spécialité professionnelle (ASP). Toutefois, pour les chefs cuisiniers et pâtissiers, la formation sur le tas, auprès de grands chefs établis, prolonge la formation scolaire. Les meilleurs mettent environ une décennie à apprendre et à perfectionner leur métier.

DEGRÉ D'HOMOGÉNÉITÉ

Les emplois dans ce secteur sont assez homogènes.

Analyse du marché de l'emploi

HOMMES-FEMMES

Les chefs, les boulangers et les bouchers sont des hommes à 80 %. Chez les cuisiniers et les pâtissiers, les proportions d'hommes et de femmes sont à peu près égales.

TAUX DE CHÔMAGE

Le domaine affiche une pénurie continuelle de main-d'œuvre compétente.

GÉOGRAPHIE

Ces métiers sont très bien répartis sur le territoire, malgré une certaine concentration dans les zones urbaines et touristiques.

EMPLOYEURS

Les employeurs se comptent par milliers et vont de la grande usine agroalimentaire à la petite boutique de quartier.

SYNDICALISATION

La plupart des emplois du secteur sont dans de petites entreprises et ne sont pas syndiqués.

QUALITÉ DES EMPLOIS

Le travail dans le secteur peut certainement être intéressant. Toutefois, la qualité des emplois est généralement mauvaise, voire très mauvaise. Pour chaque emploi de qualité, on en compte de 5 à 10 mauvais. Les avantages sociaux sont inexistants, le statut, précaire, les horaires très difficiles et la rémunération modeste. À peine 2 % des travailleurs de ce secteur gagnent plus de 50 000 $ par année. Les meilleurs emplois, sur le plan des salaires et des avantages sociaux, se trouvent évidemment dans les grands établissements et les rares milieux syndiqués.

Il n'y a pas beaucoup de sécurité d'emploi dans ce domaine, mais les travailleurs qualifiés ne manquent jamais de travail.

Ceux qui veulent vraiment faire carrière doivent compter environ 10 ans pour se tailler une place enviable dans le domaine. Autrement, on est confiné à des emplois mal payés et inintéressants.

Avenir de la profession

Une partie des emplois de ce secteur pourrait faire l'objet de compressions dues à la technologie ou être transférée à l'étranger. Le marché de l'alimentation est de plus en plus mondialisé, et une part grandissante de produits usinés importés de l'étranger est proposée aux consommateurs. Les pièces de viande offertes sur les étals des supermarchés proviennent souvent de l'autre bout du monde. Dans les restaurants, on utilise de plus en plus de produits préparés qu'il suffit d'assembler au moment du service.

On assiste en fait à une polarisation du marché alimentaire. D'un côté, les produits sont de plus en plus standardisés et industrialisés, et les emplois correspondants, de moins en moins bonne qualité. De l'autre, on constate l'émergence d'un mouvement vers l'authenticité et la production de qualité. C'est dans ce dernier secteur que les emplois ont le plus d'intérêt, sauf pour les salaires, qui demeurent assez bas.

Il ne manque certainement pas de travail dans le domaine de l'alimentation. Par contre, les emplois de qualité sont rares. Parmi les quelque 83 000 personnes qui ont adopté ces métiers, il y en a tout au plus 10 000 qui ont des emplois de qualité et un travail intéressant. Pour les autres, l'alimentation est un métier de transition que l'on occupe avant de trouver mieux. Les femmes et les immigrants sont presque systématiquement confinés aux pires emplois.

Les perspectives d'avenir dans ce domaine sont passables.

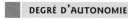
DEGRÉ D'AUTONOMIE

C'est un domaine où la hiérarchie est importante. Les plus qualifiés sont autonomes dans leur travail. Les autres doivent suivre les ordres.

HORAIRES

Les horaires dans les professions de l'alimentation sont généralement difficiles. On travaille presque toujours quand les autres sont en congé ou se reposent. Les artisans boulangers, en particulier, doivent commencer leur journée très tôt : ils voient le soleil se lever même en été. Une grande proportion des cuisiniers travaillent à temps partiel.

INDICE FAMILLE

Les métiers de l'alimentation sont certainement parmi les pires pour la vie familiale. Il est très difficile de concilier les maigres revenus, la précarité et les horaires atypiques avec les obligations familiales.

DURÉE DES CARRIÈRES

À moins d'être propriétaire, très qualifié ou d'avoir un poste syndiqué, on aspire rarement à faire une longue carrière dans ces métiers. En fait, la plupart des travailleurs de ce secteur finissent par faire autre chose.

DÉPLACEMENTS

Mis à part les chefs qui se déplacent pour effectuer des stages de perfectionnement, les autres travailleurs du domaine ont des milieux de travail fixes.

SENTIMENT D'UTILITÉ

Nourrir les gens procure un sentiment d'utilité, surtout dans les établissements de qualité. Ceux qui travaillent comme artisans se sentent utiles, ce qui n'est pas le cas de ceux qui occupent un emploi dans l'industrie. En fait, le boucher qui prépare de la viande hachée dans un grand établissement industriel finit souvent par éprouver une impression de routine et un sentiment d'écœurement.

DEGRÉ D'HUMANISME

Ce sont des métiers où on est peu en contact avec les gens. Ici encore, ceux qui occupent des emplois dans le domaine artisanal développent des contacts étroits avec une clientèle d'habitués.

PLAISIR INTRINSÈQUE

Ceux qui occupent des emplois dans les milieux industriels ou commerciaux accomplissent des tâches peu plaisantes. Par contre, dans les établissements de qualité ou artisanaux, on peut se passionner pour un travail qui offre des possibilités infinies. Il existe au Québec une élite professionnelle dans les métiers de l'alimentation qui adore son travail, même s'il est très exigeant. Ajoutons que le côté sensuel du travail de boulanger est particulièrement plaisant.

STIMULATION INTELLECTUELLE

C'est un domaine où l'on peut apprendre toute sa vie. Les métiers de l'alimentation offrent un espace d'apprentissage immense à ceux que cela intéresse. Évidemment, seule une minorité des travailleurs du domaine peuvent être qualifiés d'« allumés ». Dans les grandes chaînes, le travail tend nettement plus vers la routine que vers la stimulation.

CRÉATIVITÉ

Malheureusement, la vaste majorité des travailleurs du secteur alimentaire exécute des tâches qui ne sollicitent aucune créativité. Dans les créneaux de spécialité et dans les établissements haut de gamme, le travail en cuisine se rapproche de l'art et les meilleurs sont des artistes à part entière.

INDICE BUREAUCRATIE

Il est peu important dans les métiers de l'alimentation. Ceux qui sont propriétaires doivent par contre composer avec des tâches administratives. De plus, ils doivent se conformer à des normes ministérielles appliquées par des fonctionnaires tatillons et, parfois même, bornés. En réalité, les règles sont établies en fonction des grandes entreprises industrielles et leur application dans les milieux artisanaux tourne dans certains cas au cauchemar ou à l'absurde.

SOLITAIRE / EN ÉQUIPE

Le travail se fait presque toujours en équipe et une atmosphère de camaraderie règne dans la plupart des établissements.

TRAVAILLER À SON COMPTE

La meilleure façon de bien gagner sa vie dans les professions de l'alimentation est probablement de démarrer son propre commerce ou de travailler dans un établissement de style artisanal.

RÉUSSITE OU ÉCHEC

On peut toujours brûler une fournée de petits pains... Plus sérieusement, c'est un domaine où on vit plutôt dans la réussite, même s'il y a des jours plus difficiles. La viabilité économique est très souvent un enjeu quotidien.

RECONNAISSANCE SOCIALE

Ce sont des professions peu reconnues et trop peu valorisées.

DEGRÉ DE POUVOIR

Il est modeste dans le domaine.

Les boulangers et les bouchers ont peu de mobilité profession-nelle, alors que c'est le contraire pour les cuisiniers et les chefs. Ce sont des professions où les emplois durent rarement plus de quelques années. La situation des pâtissiers est plus partagée.

En ce qui a trait à l'avance-ment, il faut répéter que le domaine est très polarisé. D'un côté, 90 % de la main-d'œuvre est peu qualifiée et bénéficie de très peu de possibilités de pro-motion. De l'autre, une minorité de travailleurs peuvent aspirer à des postes plus prestigieux ou à lancer leur entreprise.

NIVEAU DE STRESS

Les boulangers, les bouchers et les pâtissiers subissent moins de stress. Les cuisiniers et les chefs, quant à eux, travaillent dans des contextes où la pression est parfois énorme. Certains composent difficilement avec cette pression, alors que d'autres y trouvent une source de stimulation.

DANGER ET POLLUTION

Les personnes qui travaillent dans ce domaine se coupent souvent des bouts de doigt ou se brûlent. Il s'agit de blessures mineures. Les maux de dos sont assez fréquents, mais le stress et le surmenage sont les pires ennemis.

EN VRAC

Il s'agit de métiers pour lesquels on peut vraiment se passionner. Ceux qui ont le goût des choses bien faites, qui veulent insuffler une nouvelle culture de l'alimentation et qui souhaitent revaloriser les produits authenti-ques trouveront, dans les métiers de l'alimentation, non seulement une carrière passionnante, mais également un style de vie en adéquation avec leurs valeurs personnelles.

Professions semblables

Fromager, glacier, chocolatier, poissonnier, torréfacteur, commerçant alimentaire spécialisé, traiteur, etc.
Les métiers de l'alimentation sont en plein essor au Québec. La demande de produits de qualité est en croissance.

On compte également 62 000 autres travailleurs dans la restauration qui occupent des postes subalternes : commis au comptoir, aides-cuisiniers, plongeurs, etc. Ces emplois sont concentrés dans la restauration rapide et correspondent parfaite-ment à ce qu'on entend habituel-lement par « McJob ». Ce sont des emplois encore plus pénibles que celui de cuisinier, et ils sont encore moins payés, la moyenne salariale de ces emplois à plein temps étant de 20 000 $. Inutile de préciser qu'il ne s'agit pas exactement de l'élite des professions.

Il y a également 21 000 travailleurs regroupés sous l'appellation de « directeurs des services alimentaires et de restauration », qui sont le plus souvent des gérants de franchises de chaînes de restaurants. Le salaire annuel moyen dans ces emplois est de 30 000 $, ce qui est très peu pour le nombre d'heures que ces personnes passent au travail.

Évaluation globale

Les personnes qui travaillent dans l'alimentation à l'échelle industrielle exécutent un travail pénible dans de mauvaises conditions et pour une rémunération nettement en dessous de la moyenne. En considérant les mauvais salaires, la précarité des emplois, l'absence d'avantages sociaux, le côté répétitif et aliénant du travail et le peu de reconnaissance, je ne peux pas accorder la note de passage à ces métiers du secteur industriel que j'évalue à une étoile et demie.

Dans le secteur artisanal, lequel ne représente qu'une toute petite minorité, une élite vaillante, passionnée et dégourdie constitue l'avant-garde de la profession et ne changerait pas de métier pour tout l'or au monde. Malgré des conditions de travail éprouvantes, ceux-là sont très satisfaits de leur sort. Ils sont un peu idéalistes et un peu artistes, et c'est la passion qui les mobilise. Leur travail est toujours très exigeant. Comme les salaires sont bas et qu'il n'y a pas de bonnes conditions de travail, j'évalue ce type d'emplois à trois étoiles. ∎

Serveur / Barman

Les serveurs et les barmen servent nourriture et boissons aux clients dans les bars et les restaurants. Leur travail implique de satisfaire les clients et, quelquefois, de leur apporter un peu de bonheur.

Coup d'œil

PROFESSION		PROFESSIONNELS / FINISSANTS RATIO	SALAIRE ANNUEL MOYEN
Serveur, barman	★ ★ ★ ★ ★	54 000, 10 000 / 450 1 / 175	20 000 $

On compte au Québec 54 000 serveurs et 10 000 barmen. On forme environ 450 personnes par année dans ce secteur, soit environ un diplômé pour 175 travailleurs. Bon nombre de travailleurs dans le domaine n'ont donc pas de diplôme. L'apparence physique est un critère de sélection plus important que la formation dans beaucoup d'établissements.

Le salaire officiel est de 20 000 $ par année. Il faut spécifier que les serveurs et les barmen ne sont tenus de déclarer qu'environ la moitié de leurs pourboires. En réalité, leur salaire moyen est sans doute de quelques milliers de dollars de plus par année.

La norme est de payer les travailleurs au salaire minimum et de les laisser améliorer leur sort avec leurs pourboires. Il existe même des établissements, bien qu'ils soient rares, qui ne versent aucun salaire à leurs employés, ces derniers ne doivent compter que sur leurs pourboires. Cette pratique est illégale.

FORMATION

Il existe des programmes de formation au secondaire et au collégial dans ce domaine. Quelques instituts privés proposent également, à prix d'or, une formation qui n'est pas meilleure que celle offerte dans les établissements publics. Une grande proportion des travailleurs du domaine acquièrent leur formation sur le tas. La maîtrise de l'anglais est indispensable pour avoir accès à des postes de qualité. Vive les séjours d'immersion dans l'Ouest !

DEGRÉ D'HOMOGÉNÉITÉ

Les emplois sont assez homogènes.

HOMMES-FEMMES

Les professions de serveur et de barman comptent respectivement 80 % et 75 % de femmes. Toutefois, ces dernières occupent presque la totalité des moins bons emplois dans le secteur.

TAUX DE CHÔMAGE

Le taux de chômage est moyen.

GÉOGRAPHIE

Les emplois de la restauration sont très bien répartis sur le territoire. Ils sont plus nombreux dans les zones touristiques.

EMPLOYEURS

La plupart des employeurs sont des petites entreprises indépendantes ou des succursales de chaînes de restauration, qui se caractérisent par le niveau de qualité des prestations offertes et le profil socio-économique de la clientèle qu'elles accueillent. L'éventail s'étend donc des restaurants très modestes offrant des repas simples et à bas prix aux établissements de haute gastronomie s'adressant à une clientèle fortunée. Les femmes sont le plus souvent confinées aux établissements de bas et de milieu de gamme, alors que les restaurants plus prestigieux tendent à embaucher du personnel majoritairement masculin.

SYNDICALISATION

Une vaste majorité des emplois ne sont pas syndiqués et les avantages sociaux sont pratiquement inexistants.

QUALITÉ DES EMPLOIS

Les emplois dans le secteur de la restauration sont généralement de mauvaise qualité, précaires et atypiques. Une proportion importante des emplois sont saisonniers ou à durée déterminée. De plus, 45 % des emplois de barman et 49 % des emplois de serveur sont à temps partiel.

INSERTION PROFESSIONNELLE

Il faut parfois quelques années avant de se tailler une bonne place dans ce domaine. Très souvent, on débute dans des emplois subalternes de débarrasseur de table, d'aide-serveur (*bus boy*) ou d'hôtesse.

PÉRENNITÉ

Les possibilités de compression due à la technologie et de transfert à l'étranger sont nulles. Les emplois de serveur et de barman ont toujours existé et existeront toujours. Avec la croissance du tourisme et l'amélioration, lente mais certaine, des conditions économiques de la population, on peut supposer que le secteur de la restauration continuera à se développer.

PERSPECTIVES D'EMPLOI

Bien qu'il existe des emplois de qualité dans ces professions, la plupart sont médiocres. On peut gagner de très bons salaires et bénéficier de conditions de travail intéressantes si on travaille dans les meilleurs établissements. Malheureusement, pour un grand nombre, le travail dans le domaine signifie encore des salaires insuffisants gagnés dans des conditions inintéressantes.

Les perspectives d'avenir sont mauvaises.

Influence sur le bonheur, la santé et la vie quotidienne

DEGRÉ D'AUTONOMIE

Le degré d'autonomie est assez limité. Plus l'établissement est important et particulièrement s'il fait partie d'une chaîne, plus le travail est structuré et encadré.

HORAIRES

Les horaires dans la restauration sont difficiles. On peut travailler les soirs et les fins de semaine, mais aussi les jours fériés. Les barmen terminent leur journée après la fermeture des bars, soit vers 2 h ou 3 h.

Il n'est pas rare que des journées de travail s'étirent sur une période de 12 heures ou plus. On peut aussi travailler selon des horaires brisés, les périodes de travail étant interrompues par des plages d'inactivité non rémunérées ou, pire, occupées à des tâches ingrates (laver les toilettes, épousseter les meubles, etc.).

Une autre pratique pénible pour les serveurs et barmen est la « mise en disponibilité », qui veut que l'employé reste disponible, au cas où l'achalandage serait important. Les travailleurs ne sont pas compensés financièrement pour cette période de disponibilité, qui les empêche de disposer de leur temps libre à leur guise. Même si elle ne respecte pas vraiment l'esprit de la loi sur les normes de travail, cette pratique n'est pas illégale.

INDICE FAMILLE

Bien sûr, les horaires dans les restaurants et les bars sont peu compatibles avec ceux de la vie familiale. Si l'on souhaite participer à l'éducation de ses enfants, ce ne sont pas des emplois à rechercher.

DURÉE DES CARRIÈRES

Le domaine peut offrir des carrières correctes dans moins de 20 % des cas. Cependant, ces emplois sont généralement considérés comme des étapes de transition, en attendant de meilleures situations.

J'ai vu des gens qui gagnaient très bien leur vie dans le domaine chercher activement un autre type d'emploi simplement parce qu'ils ne croyaient pas pouvoir maintenir ce style de vie très longtemps ou pour d'autres raisons (voir le critère 19). Pourtant, certaines de ces personnes avaient manifestement plus de plaisir dans leur emploi qu'elles en auraient eu dans une profession considérée comme plus sérieuse.

SENTIMENT D'UTILITÉ

Le sentiment d'utilité est proportionnel à la qualité des établissements. Le travail est moyennement valorisant. Bien des personnes quittent le domaine, souvent parce qu'elles ont l'impression que leur travail n'est pas très utile. Cette perception est influencée par la culture. En France, notamment, le travail de serveur ou de barman est plus perçu comme une carrière durable et importante. Ici, les travailleurs considèrent qu'il s'agit d'un travail de seconde zone.

DEGRÉ D'HUMANISME

Les serveurs et les barmen travaillent directement avec le public, ce qui a des bons et des mauvais côtés. Dans les moins bons cas, les gens peuvent faire preuve d'impolitesse et exprimer des exigences irréalistes. Dans tous les bars et restos où l'on sert de l'alcool, le personnel doit, à un moment ou à un autre, composer avec des clients qui dépassent la dose... Dans les meilleurs cas, on peut nouer de très belles relations avec les clients qui sont des habitués et avoir l'impression justifiée de contribuer à leur bonheur. On dit que les barmen jouent un rôle de psychologue, car souvent les clients se confient à eux et il y a certainement là une part de vérité.

PLAISIR INTRINSÈQUE

Quand on va au restaurant ou dans un bar, c'est pour avoir du plaisir. Le travail de serveur et de barman doit contribuer à ce plaisir et se dérouler avec efficacité, mais dans une atmosphère détendue et festive. Faire plaisir fait plaisir.

STIMULATION INTELLECTUELLE

Le travail est de complexité moyenne et nécessite relativement peu de qualifications. Au bout de quelques années, on maîtrise généralement l'essentiel de ce qu'il faut savoir pour accomplir son travail. Les possibilités d'apprentissage sont limitées.

CRÉATIVITÉ

La partie divertissement du travail permet d'exprimer une certaine créativité.

INDICE BUREAUCRATIE

Il est faible dans ces métiers.

SOLITAIRE / EN ÉQUIPE

C'est un travail très social. D'une part, il y a les clients, et d'autre part, il y a l'équipe de travail. Pour ceux qui aiment les gens, c'est parfait. Pour ceux qui ont besoin d'un peu de calme, c'est moins drôle.

RÉUSSITE OU ÉCHEC

Pour une foule de raisons, il arrive que des clients soient mal servis ou qu'ils expriment, à tort ou à raison, de l'insatisfaction. Il faut accepter que tout n'aille pas toujours bien pour rester serein. Les réussites sont plus fréquentes que les échecs. Souvent, on mesure le succès de la journée aux pourboires accumulés. De ce côté, le bon travail est immédiatement récompensé.

RECONNAISSANCE SOCIALE

La reconnaissance est assez faible. Les meilleurs emplois de barman ou de serveur bénéficient d'un certain prestige. Par contre, dans les établissements plus ordinaires, il est fréquent que des clients se permettent de manquer de respect envers le personnel.

DEGRÉ DE POUVOIR

Le degré de pouvoir est peu important.

MOBILITÉ ET AVANCEMENT

La mobilité est très facile, y compris à l'échelle internationale. Ceux qui souhaitent travailler à l'étranger peuvent le faire facilement.

Les possibilités d'ascension professionnelle sont assez réduites. Les deux manières de gravir les échelons sont de se diriger vers des établissements plus prestigieux ou d'accéder à des postes de supervision.

NIVEAU DE STRESS

Les emplois de serveur et de barman comportent une part de

stress. On doit gérer des sommes d'argent assez importantes, dont on est tenu responsable. Il arrive aussi qu'en période de pointe la charge de travail soit trop grande. Le service dépend du travail en cuisine et on doit parfois composer avec des clients insatisfaits alors qu'on n'est pas responsable du problème.

DANGER ET POLLUTION

Travailler debout pendant de longues heures peut être dur pour les jambes, la circulation et le dos.

Un écueil fréquent dans ces professions est l'omniprésence de l'alcool : il est facile de développer des habitudes d'abus. Ceux qui se savent vulnérables devraient réfléchir avant d'aller vers ces professions.

Professions semblables

Maître d'hôtel
Ce poste de gestion, qui existe dans les meilleurs restaurants, est assez payant et agréable.

Sommelier
Le sommelier s'occupe du service des vins et alcools fins. Il est également chargé de la gestion de la cave et des achats. Son travail nécessite une connaissance approfondie du vin et l'oblige donc à en goûter beaucoup.

C'est un métier qui gagne en popularité. Certaines écoles secondaires offrent des programmes de formation (ASP) ainsi que certains collèges. Toutefois, il faut aussi faire des stages en Europe et travailler auprès de spécialistes établis pour vraiment développer ses connaissances.

Réceptionniste et gestionnaire d'hôtel
Le domaine de l'hôtellerie offre de nombreux emplois. Comme dans le commerce de détail, on peut y démarrer sa carrière alors qu'on est étudiant et, après de solides études, accéder à des postes de gestion très intéressants. Les emplois de réception sont peu qualifiés et moins intéressants, mais ils constituent de bonnes portes d'entrée.

Concierge
Cette profession est encore méconnue et peu répandue. Dans les meilleurs hôtels et les immeubles d'habitation de prestige, les concierges ont pour travail de répondre aux diverses demandes de clients fortunés comme trouver des billets de spectacle ou réserver une table dans un grand restaurant. Le poste de concierge dans un hôtel est prestigieux et très payant.

Évaluation globale

En règle générale, le travail de serveur ou de barman est moins pénible et un peu plus payant que celui de chef ou de cuisinier. De plus, le contact avec les clients peut être agréable, même si c'est parfois le contraire. On peut certainement éprouver du plaisir dans ces professions, et ceux qui sont intéressés par le domaine peuvent espérer y faire une carrière satisfaisante. Toutefois, il faut admettre qu'en général ces emplois ne sont pas de très bonne qualité, ni toujours très plaisants. Faire le service dans une chaîne de restauration-minute à gros volume n'a rien d'une sinécure. De plus, les horaires de travail sont contraignants. Pour toutes ces raisons, je n'accorde à la profession qu'une note de deux étoiles. ■

Femme de chambre / Femme de ménage / Concierge d'immeuble

Le travail des femmes de ménage et des femmes de chambre consiste, on s'en doute, à faire le ménage. Les principaux secteurs d'emploi sont les hôtels, les bureaux, les commerces et les entreprises de services à domicile.

Le travail des concierges d'immeuble est légèrement différent parce qu'il implique également différentes tâches d'entretien et de bricolage.

Coup d'œil

PROFESSION	PROFESSIONNELS / FINISSANTS	RATIO	SALAIRE ANNUEL MOYEN
Femme de chambre, femme de ménage ★★★★★	63 000 / s.o.	s.o.	25 000 $
Concierge d'immeuble ★★★★★	40 000 / 240	1 / 160	31 000 $

Environ 100 000 personnes ont pour métier de faire du ménage, soit 63 000 femmes de chambre et de ménage et 40 000 concierges d'immeuble. On peut penser que les femmes de ménage sont plus nombreuses que ce que les données officielles indiquent parce qu'une partie d'entre elles travaillent au noir.

FORMATION

Il n'y a pas de formation pour devenir femme de ménage ou femme de chambre. Par contre, il existe un diplôme d'études professionnelles (DEP) en entretien général des immeubles pour les futurs concierges.

DEGRÉ D'HOMOGÉNÉITÉ

Ces professions sont très homogènes.

HOMMES-FEMMES

Tous les emplois de femme de ménage et de femme de chambre sont occupés par des femmes et presque tous les emplois de concierge d'immeuble par des hommes. Je classe ces trois professions dans les métiers féminins parce que les deux premières sont plus répandues. En fait, ces professions ont beaucoup en commun et leurs différences s'expliquent en grande partie par le sexisme.

TAUX DE CHÔMAGE

Il y a un peu de chômage chez les concierges. Du côté des femmes de ménage et de chambre, le travail ne manque jamais.

GÉOGRAPHIE

On peut exercer ces métiers partout dans la province.

EMPLOYEURS

Pour les femmes de ménage, les employeurs sont le plus souvent des particuliers ou des établissements publics comme des centres d'hébergement et de soins de longue durée (CHSLD) ou des cégeps. Les employeurs sont très nombreux. Les femmes de chambre travaillent dans les hôtels.

Les employeurs des concierges sont aussi des établissements comme des hôpitaux, des écoles ou des usines ou encore des entreprises ayant des immeubles de bureaux. Une partie des emplois vient également de sociétés immobilières propriétaires d'immeubles d'habitation.

SYNDICALISATION

Une petite partie des travailleurs de ce secteur sont syndiqués. C'est le cas, par exemple, de ceux qui sont embauchés par des hôpitaux ou des commissions scolaires. Les employeurs ont consacré beaucoup d'efforts, au cours des dernières décennies, à externaliser le travail d'entretien afin de ne plus avoir à payer des employés pour ces tâches. Ils sont de plus en plus nombreux à sous-traiter ce travail à des entreprises spécialisées où les travailleurs ne sont pas syndiqués.

QUALITÉ DES EMPLOIS

Les meilleurs emplois dans ce domaine sont dans les grands établissements et entreprises, et ils sont syndiqués. Moins du quart des emplois de femme de ménage et moins de la moitié de ceux de concierge d'immeuble sont de bonne qualité.

C'est un domaine où il est très facile de se placer. On peut se trouver un emploi en 15 minutes. La demande dépasse l'offre.

Avenir de la profession

PÉRENNITÉ

Doit-on se réjouir de savoir qu'il est impossible de transférer les emplois de femme de ménage à l'étranger ou de les remplacer par la technologie ? À l'inverse, c'est un secteur d'emploi où l'on trouve une surreprésentation des immigrants. Ces emplois au bas de l'échelle figurent parmi les rares qui leur sont facilement accessibles.

L'évolution des styles de vie et le vieillissement de la population entraîneront sans doute une augmentation de la demande dans ce secteur. Malheureusement, il n'y a pas de raison d'espérer une amélioration notable des conditions de travail.

PERSPECTIVES D'EMPLOI

Il existe de bons emplois dans ce secteur, mais ils sont rares. Les emplois de mauvaise qualité, par contre, abondent et sont certainement plus faciles à décrocher.

Les perspectives d'avenir sont passables.

Influence sur le bonheur, la santé et la vie quotidienne

DEGRÉ D'AUTONOMIE

Les concierges sont assez autonomes dans leur travail, les femmes de ménage et les femmes de chambre le sont moins. Pour ces dernières, les normes de contrôle du travail sont très strictes. Elles ont des quotas et des normes de qualité à respecter. La plupart de celles qui travaillent chez des particuliers doivent également se plier aux exigences élevées de leurs employeurs.

HORAIRES

L'entretien ménager dans les entreprises et les magasins se fait le soir ou la nuit. Dans les autres secteurs, on travaille plutôt le jour.

INDICE FAMILLE

Généralement, il s'agit d'emplois qu'il est assez facile de concilier avec la vie de famille. C'est bien sûr plus difficile pour celles qui travaillent le soir ou la nuit.

DURÉE DES CARRIÈRES

Les femmes de ménage et les femmes de chambre visent rarement à faire une longue carrière. Les concierges d'immeuble sont plus susceptibles d'être satisfaits de leur sort et de rester longtemps dans le même emploi.

DÉPLACEMENTS

Les femmes de ménage qui travaillent pour des particuliers doivent se déplacer d'un lieu de travail à l'autre. Plusieurs d'entre elles doivent donc posséder une voiture.

SENTIMENT D'UTILITÉ

Bien sûr, ce travail est indispensable. Par contre, il demeure assez ingrat. C'est le genre de travail qu'on ne remarque que lorsqu'il n'est pas fait ou mal fait.

DEGRÉ D'HUMANISME

La dimension humaine du travail est rarement importante. Toutefois, les femmes de ménage et les concierges d'immeuble peuvent devenir des personnes très significatives dans la vie de ceux à qui ils offrent leurs services, en particulier les personnes isolées et les aînés.

PLAISIR INTRINSÈQUE

Les concierges peuvent avoir du plaisir à bricoler. Les femmes de ménage et les femmes de chambre prennent du plaisir à savoir qu'elles contribuent au mieux-être des personnes qui bénéficient de leur travail. Toutefois, il faut admettre que leur travail est physiquement éprouvant et peu plaisant.

STIMULATION INTELLECTUELLE

Le travail est simple, peu qualifié et n'offre pas de grandes possibilités d'apprendre.

CRÉATIVITÉ

Elle est presque nulle dans ces métiers. Les concierges ont un peu plus souvent la chance d'exprimer leur créativité dans la résolution de problèmes.

SOLITAIRE / EN ÉQUIPE

Il s'agit d'un travail très solitaire. Certains services d'entretien comptent des équipes de travail, mais les interactions entre les travailleurs sont limitées.

TRAVAILLER À SON COMPTE

Plus de la moitié des femmes de ménage sont travailleuses autonomes.

Le ménage, c'est toujours à recommencer. On peut bien faire son travail et s'en trouver satisfait, mais l'impression de refaire continuellement les mêmes tâches est tenace.

RECONNAISSANCE SOCIALE

Ces métiers sont malheureusement ingrats et peu reconnus. Les femmes de ménage et les femmes de chambre sont trop souvent presque invisibles.

DEGRÉ DE POUVOIR

Il est proche de zéro.

MOBILITÉ ET AVANCEMENT

La seule possibilité de mobilité professionnelle est de migrer de ces emplois informels vers des emplois en grande entreprise plus encadrés et mieux rémunérés. Les possibilités d'ascension professionnelle sont très limitées.

NIVEAU DE STRESS

Le stress est très raisonnable mais, dans le milieu hôtelier, il peut arriver que la charge de travail soit trop lourde.

DANGER ET POLLUTION

Beaucoup de gens se questionnent sur les dangers liés aux produits de nettoyage. Par ailleurs, ces emplois sont propices aux blessures de fatigue telles que tendinite et mal de dos.

Professions semblables

Nettoyeur spécialisé

Ils sont 7 000 au Québec et gagnent un salaire annuel moyen de 31 000 $. Les nettoyeurs spécialisés travaillent dans des domaines variés. Certains sont spécialisés dans le lavage de vitres des immeubles en hauteur, d'autres dans le nettoyage après sinistre, dans le lavage de tapis, etc. Plus le travail est spécialisé et nécessite d'équipement, meilleures sont les conditions de travail.

Nettoyeur, blanchisseur et repasseur

Ils sont 7 000 au Québec et touchent un salaire annuel moyen de 25 000 $. Ils sont à l'emploi de différents services tels que les entreprises de nettoyage à sec, ainsi que les services de buanderie des hôtels, des hôpitaux et d'autres établissements. Leur travail se compare à celui des femmes de ménage et des femmes de chambre.

Je fais une évaluation finale distincte pour les concierges d'immeuble et pour les femmes de chambre et de ménage parce que la situation des premiers est meilleure.

Le métier de concierge d'immeuble n'est pas mal du tout. Si on réussit à décrocher un bon emploi permanent, on a la responsabilité de l'entretien général d'un grand immeuble. Parfois, on peut faire partie d'une équipe d'entretien, ce qui rend le travail encore plus agréable. Sans être vraiment bon, le salaire peut être raisonnable, peut-être même plus dans les endroits syndiqués comme les municipalités, les hôpitaux ou les écoles. Il peut aussi y avoir une certaine variété dans les tâches, ce qui changera de la routine du nettoyage. L'évaluation finale pour la profession de concierge est donc de deux étoiles et demie.

Du côté des femmes de chambre et des femmes de ménage, la situation est plus pénible. On ne trouve pratiquement pas de bons emplois, le taux de syndicalisation est très faible, et les salaires oscillent entre mauvais et médiocres. En outre, le travail est plutôt ingrat et très routinier. Contrairement aux concierges, les femmes de chambre et de ménage sont confinées aux tâches ménagères. De plus, elles travaillent systématiquement dans des lieux vides, comme si leur travail devait être caché. Leurs contacts sociaux sont réduits au minimum. Ce travail ne mérite qu'une seule étoile. ∎

Coiffeuse / Esthéticienne / Massothérapeute

Coiffeuse, esthéticienne et massothérapeute, ces trois professions consistent à accueillir des clients dans un salon aménagé chez soi ou dans un commerce pour offrir des services personnels : coiffure, soins esthétiques ou massage thérapeutique.

Coup d'œil

PROFESSION		PROFESSIONNELS / FINISSANTS	RATIO	SALAIRE ANNUEL MOYEN[6]
Esthéticienne	★ ★ ★ ★ ★	11 000 / 900	1 / 12	19 000 $
Coiffeuse / barbier	★ ★ ★ ★ ★	24 000 / 1 100	1 / 22	17 000 $
Massothérapeute	★ ★ ★ ★ ★	6 000 / s.o.	s.o.	24 000 $

FORMATION

Au secondaire, on forme environ 1 100 coiffeuses et 900 esthéticiennes par année. De nombreux instituts privés offrent également des programmes de formation dans ces domaines mais, dans la plupart des cas, ils sont trop coûteux pour ce qu'ils valent. La qualité de la formation est généralement meilleure dans les écoles publiques.

En massothérapie, une foule d'écoles spécialisées proposent aussi des programmes de formation où la qualité est plutôt l'exception que la règle. L'Université du Québec à Trois-Rivières (UQTR) offre une spécialisation en massothérapie dans le cadre du baccalauréat en kinésithérapie. Il n'existe par contre pas de formation spécialisée dans le domaine au secondaire ou au collégial.

DEGRÉ D'HOMOGÉNÉITÉ

Ce sont des professions très homogènes.

---

6. Comme, dans ce domaine, une partie importante de l'argent circule au noir, les salaires sont sans doute sous-estimés.

HOMMES-FEMMES

La proportion des femmes est de 90 % dans ces professions. Les hommes étaient plus présents dans le domaine de la coiffure par le passé, mais ils y sont de moins en moins nombreux.

TAUX DE CHÔMAGE

Le taux de chômage est assez élevé.

GÉOGRAPHIE

L'emploi est réparti dans l'ensemble des régions du Québec.

EMPLOYEURS

Les entreprises dans ce domaine sont de très petite taille. Il s'agit de travailleurs autonomes ou de petites entités commerciales réunissant quelques travailleurs.

SYNDICALISATION

La syndicalisation est inexistante dans ce domaine, où il n'y a pas non plus d'organisations significatives qui permettraient aux travailleurs de s'organiser et d'améliorer leurs conditions de travail comme on en trouve en agriculture ou dans la construction, par exemple.

QUALITÉ DES EMPLOIS

La qualité de ces emplois va de moyenne à médiocre. Les heures de travail sont longues pour une paie qui n'est pas toujours convenable. Les avantages sociaux sont inexistants. On peut estimer qu'environ le tiers des travailleuses dans ce secteur profite d'une situation satisfaisante et de bons revenus. Les autres tirent plus ou moins le diable par la queue.

INSERTION PROFESSIONNELLE

On peut trouver du travail assez vite. Par contre, il peut être long de constituer une clientèle satisfaisante et qui corresponde à ses aspirations. Certaines n'y arrivent jamais.

Avenir de la profession

PÉRENNITÉ

Évidemment, une compression des emplois due aux facteurs technologiques ou le transfert de ces emplois à l'étranger sont improbables.

Pour l'avenir, on peut espérer que les pénuries de main-d'œuvre dans les autres secteurs de l'économie en découragent quelques-unes de choisir cette profession par défaut. Autrement, le marché devrait être assez stable.

PERSPECTIVES D'EMPLOI

Le roulement dans ces professions est très élevé. Celles qui débutent n'ont pas de difficulté à se trouver du travail, mais elles en ont à se maintenir en emploi. Ce domaine se situe nettement en dessous de la moyenne pour ce qui est des conditions de travail.

Les perspectives d'avenir sont mauvaises.

Influence sur le bonheur, la santé et la vie quotidienne

DEGRÉ D'AUTONOMIE

Les travailleuses de ce domaine, même celles qui sont à leur compte, ont une autonomie professionnelle relative. Elles sont au service de leurs clients. Ce sont eux qui déterminent le travail qui doit être fait.

HORAIRES

Les horaires sont stables, mais comme on travaille le samedi, généralement, on a congé le lundi. Il n'est pas inhabituel de travailler 12 heures les jeudis et vendredis.

Les massothérapeutes ont souvent un horaire réduit parce qu'il leur est difficile de traiter plus de quatre ou cinq personnes par jour.

INDICE FAMILLE

Les horaires se concilient assez facilement avec la vie de famille, moyennant quelques adaptations. Le problème vient surtout des revenus, qui sont souvent trop maigres pour soutenir confortablement une famille.

DURÉE DES CARRIÈRES

Curieusement, la majorité des travailleuses dans ce domaine restent toujours jeunes... Le phénomène est attribuable soit au miracle des soins esthétiques, soit au fait qu'on ne persiste pas longtemps dans la profession. Je penche pour la seconde hypothèse.

DÉPLACEMENTS

Il est rare que l'on ait à se déplacer dans ce type d'emploi. Certaines professionnelles se spécialisent dans les services offerts à domicile ou au bureau et doivent se déplacer.

SENTIMENT D'UTILITÉ

Les travailleuses de ce domaine jouent souvent un rôle de confidente auprès de leur clientèle, et il est vrai que bien des femmes affirment se sentir bien quand elles sont satisfaites de leurs mèches ou de leur coupe de cheveux. Le travail est concret et visible, ce qui peut aussi être valorisant. En contrepartie, lorsque la clientèle n'est pas au rendez-vous, on se sent inutile.

Les massothérapeutes aident leurs clients à se détendre et à se sentir mieux physiquement, ce qui est très valorisant.

DEGRÉ D'HUMANISME

Ce sont des emplois où on est très près des gens, et où on a parfois droit à des confidences intimes.

PLAISIR INTRINSÈQUE

Les emplois dans ce secteur peuvent être très agréables, et on peut même se passionner pour ce que l'on fait. Le travail peut aussi être ingrat ou routinier.

STIMULATION INTELLECTUELLE

En coiffure, en esthétique et en massothérapie, il y a de nombreuses possibilités d'apprentissage. Bon nombre des femmes qui occupent ces emplois possèdent des connaissances solides et font preuve d'aptitudes remarquables. Par contre, la norme est assez peu élevée dans ces professions. Il n'est pas rare qu'on s'y dirige justement parce qu'elles sont faciles d'accès.

CRÉATIVITÉ

Les emplois dans ce domaine laissent place à une certaine créativité, même si, le plus souvent, on doit faire preuve de conformisme plutôt que d'originalité pour plaire à la clientèle.

INDICE BUREAUCRATIE

Il est presque nul dans ces professions. Celles qui travaillent à leur compte doivent faire des factures et s'occuper d'un peu de comptabilité.

SOLITAIRE / EN ÉQUIPE

Il n'y a pas de travail en équipe dans ces emplois et celles qui pratiquent à la maison ou dans de petits établissements peuvent se sentir isolées.

TRAVAILLER À SON COMPTE

Plus de la moitié des travailleuses dans ce secteur travaillent à leur compte.

RÉUSSITE OU ÉCHEC

Ces métiers connaissent le plus souvent la réussite.

RECONNAISSANCE SOCIALE

Ces professions ne jouissent pas d'une très grande reconnaissance sociale.

DEGRÉ DE POUVOIR

Le degré de pouvoir est fort mince.

MOBILITÉ ET AVANCEMENT

La mobilité dans la profession est limitée. On peut changer assez facilement d'emploi, mais tous les emplois sont presque identiques, ce qui fait que les possibilités de changement réel sont faibles.

Les possibilités d'avancement sont également restreintes. Il existe deux façons d'améliorer son sort : ouvrir un commerce et embaucher d'autres personnes qui contribueront à accroître son revenu ou augmenter ses tarifs en travaillant auprès d'une clientèle plus fortunée.

NIVEAU DE STRESS

Le stress provient de l'incertitude quant à la quantité de travail. Celles qui manquent de clients ressentent de l'inquiétude. Le travail en lui-même n'est pas très stressant.

DANGER ET POLLUTION

Le travail en coiffure est dur physiquement. Les tendinites, les bursites et les maux de dos sont fréquents. Beaucoup de travailleuses quittent la profession en raison de problèmes physiques. De plus, les produits utilisés en coiffure ne sont pas toujours bénins et peuvent entraîner des problèmes de santé importants.

EN VRAC

Beaucoup de celles qui choisissent de se tourner vers ces professions n'ont pas les qualités requises pour y connaître le succès. Il est facile d'accéder à ces métiers, mais difficile de s'y maintenir et d'y faire une carrière fructueuse.

Dans les trois professions, l'extrême proximité avec les clients peut entraîner des situations désagréables et difficiles à gérer. En massothérapie, les malaises sont fréquents et les travailleuses possèdent rarement les compétences pour dénouer les situations correctement.

Pour ce qui est des qualités, les clients font appel aux travailleuses de ce domaine pour « se faire du bien », ce qui rend parfois leur travail très valorisant. Il est aussi possible de développer des relations enrichissantes avec des clients qu'on voit fréquemment.

Les plus talentueuses peuvent se créer un créneau particulier auprès d'une clientèle agréable, mener une carrière vraiment intéressante et toucher des revenus importants.

Évaluation globale

Ce sont des domaines où il y a beaucoup d'appelées et peu d'élues. Les professions de soins personnels attirent beaucoup de jeunes femmes qui idéalisent cette voie de carrière. Malheureusement, le fantasme correspond rarement à la réalité. Pour réussir dans ces professions, il faut posséder un minimum d'aptitudes manuelles et sociales, et être prête à travailler sérieusement. Les plus douées réussissent très bien, mais les autres connaissent beaucoup de difficultés. Choisir ces professions parce qu'elles semblent agréables et faciles est une erreur, puisqu'elles sont, au contraire, difficiles.

Bon nombre de celles qui choisissent ces carrières auraient avantage à se diriger dans des emplois plus conventionnels où elles seraient mieux encadrées. Il est beaucoup plus facile d'occuper un emploi qui permet de toucher un salaire que de devoir gagner sa vie en attirant toujours un grand nombre de clients.

Même s'il est possible de bien gagner sa vie dans ces domaines, les taux de roulement et les salaires excessivement faibles me poussent à leur accorder la note très faible d'une étoile et demie. ∎

Infirmière auxiliaire / Préposée aux bénéficiaires / Aide de maintien à domicile

Les infirmières auxiliaires, préposées aux bénéficiaires et aides de maintien à domicile offrent des services et des soins à une clientèle malade ou âgée. Elles travaillent surtout dans les hôpitaux, les centres d'hébergement et de soins de longue durée (CHSLD), les centres locaux de services communautaires (CLSC) et les résidences pour personnes âgées. Elles offrent des services généralement simples, mais de première nécessité. Elles ont la charge de répondre aux besoins primaires des personnes qui sont malades ou qui ne sont plus autonomes.

Coup d'œil

PROFESSION	PROFESSIONNELS / FINISSANTS	RATIO	SALAIRE ANNUEL MOYEN
Infirmière auxiliaire, préposée aux bénéficiaires ★ ★ ★ ★	52 000 / 3800	1 / 15	28 000 $
Aide au maintien à domicile ★ ★ ★ ★ ★	15 000 / 525	1 / 30	23 000 $

On compte environ une diplômée pour une quinzaine d'emplois dans ce secteur, ce qui semble assez élevé. Pourtant, les données montrent qu'il est relativement facile de trouver du travail. Cela s'explique par la proportion inhabituelle de diplômées qui ne restent pas dans la profession. En fait, les diplômées de ce secteur estiment, non sans raison, que le travail est beaucoup trop difficile pour ce qu'il rapporte. La conséquence est qu'il faut former beaucoup de gens pour obtenir un bassin de main-d'œuvre adéquat. Malgré tout, les employeurs doivent recourir à des personnes qui n'ont pas de formation afin de pourvoir une bonne partie des postes à combler. Il faut faire preuve d'une générosité authentique pour travailler dans ce domaine.

FORMATION

Il existe trois programmes de formation de niveau professionnel secondaire en lien avec ces professions : Santé, assistance et soins infirmiers ; Assistance à la personne en établissement de santé et Assistance à la personne à domicile.

■ **DEGRÉ D'HOMOGÉNÉITÉ**

Les emplois sont homogènes dans ce secteur.

Analyse du marché de l'emploi

■ **HOMMES-FEMMES**

On compte neuf femmes pour un homme dans ces métiers.

■ **TAUX DE CHÔMAGE**

Le taux de chômage est faible.

■ **GÉOGRAPHIE**

On peut pratiquer ces métiers partout au Québec.

■ **EMPLOYEURS**

Les employeurs, assez nombreux, vont de la petite maison de retraite au grand CHSLD. Ils appartiennent donc aux secteurs public et privé. Les conditions de travail sont nettement meilleures dans le secteur public. Dans le privé, on peut trouver de bons emplois, mais certains sont atroces.

■ **SYNDICALISATION**

Dans le secteur public, la plupart de ces emplois sont syndiqués, alors que dans le secteur privé, la majorité ne le sont pas.

■ **QUALITÉ DES EMPLOIS**

Une proportion étonnante des employés de ce secteur, soit entre 40 et 50 %, travaillent à temps partiel. J'y vois un indice clair de la mauvaise qualité des emplois et du peu de considération dont font preuve les employeurs. J'oserais ajouter que, trop souvent, les décideurs dans ces domaines sont des technocrates qui méconnaissent l'importance de ce travail.

■ **INSERTION PROFESSIONNELLE**

On peut, sans formation ni expérience, être embauchée comme préposée dans des résidences pour personnes âgées. Les hôpitaux et les CLSC sont plus sélectifs et exigent des diplômes d'études secondaires spécialisés. Par contre, il faut certainement faire preuve d'une patience d'ange pour avoir accès à des postes permanents. On peut occuper un emploi à statut précaire pendant des années avant d'obtenir un poste stable. La situation est particulièrement frustrante pour les infirmières auxiliaires. Elles ont souvent de la difficulté à trouver du travail même si les besoins sont criants.

Avenir de la profession

PÉRENNITÉ

Les facteurs de compression dus à la technologie et la possibilité de transférer des emplois à l'étranger sont nuls. À l'inverse, comme c'est toujours le cas dans les secteurs les moins attrayants, beaucoup de nouveaux arrivants occupent ces emplois. Avec le vieillissement de la population, le nombre de ces emplois augmentera à moyen et à long terme.

PERSPECTIVES D'EMPLOI

La bonne nouvelle, c'est que le travail abonde dans ce domaine. La mauvaise, c'est que les bons emplois y sont rares. Les travailleuses sont traitées comme une main-d'œuvre de seconde zone. On se contente d'offrir des emplois de mauvaise qualité à des salaires dérisoires tout en sachant qu'il y aura toujours des gens assez dans le besoin pour accepter de travailler dans ces conditions. Heureusement qu'il y a l'immigration. Le taux de roulement dans la profession est anormalement élevé et constitue une preuve flagrante des mauvaises conditions de travail qui règnent dans le domaine. Dans un contexte où les gouvernements cherchent à offrir les services au coût le moins élevé possible, les travailleurs possédant le moins de qualifications sont toujours les premiers à écoper, ainsi que les bénéficiaires.

Les perspectives d'avenir sont bonnes.

Influence sur le bonheur, la santé et la vie quotidienne

DEGRÉ D'AUTONOMIE

Il est faible, car le travail est assez structuré et hiérarchisé.

HORAIRES

Les patients ont des besoins 24 heures sur 24, sept jours sur sept et 365 jours par année. On travaille un peu plus le jour, mais il reste que beaucoup de travail doit être effectué en dehors des horaires normaux. Il faut accepter de travailler des années durant le soir et la nuit avant d'accéder à un poste de jour.

Les horaires et l'instabilité des emplois dans ce domaine ne facilitent certainement pas la vie de famille. Seules celles qui occupent des postes permanents à horaire typique peuvent espérer une conciliation raisonnable.

Comme nous l'avons vu, les carrières dans ce domaine sont beaucoup plus courtes que la moyenne. Parmi toutes les professions, ces trois font partie de celles où il est le plus rare qu'une personne fasse toute sa carrière.

Les aides de maintien à domicile se déplacent. Pour les autres, le travail est sédentaire.

Même si les tâches sont modestes, elles sont essentielles. Les personnes qui offrent des soins aux handicapés ou aux personnes âgées ne peuvent pas douter de l'utilité de leur travail, ce qui est un des aspects les plus positifs de leur métier. Par contre, le manque de moyens et de ressources peut donner l'impression d'un combat perdu d'avance. Les travailleuses de ce secteur ont souvent le sentiment de manquer de temps et de matériel pour faire du bon travail.

Évidemment, le travail est très près des gens, c'est le moins qu'on puisse dire. On peut également découvrir des aspects étonnants de la condition humaine. « La vieillesse est un naufrage », disait Jean-Paul Sartre...

Toutefois, si les professions de soins élémentaires ont de l'intérêt, c'est justement parce qu'il s'agit de travailler intimement avec les gens. L'aspect humain du travail est très présent et peut s'avérer enrichissant. Pour cette raison, il y a moyen de s'épanouir dans ces professions, même si elles sont difficiles.

Le travail s'effectue dans des contextes difficiles où la maladie est très présente. Plusieurs tâches sont ingrates. Paradoxalement, un plaisir authentique peut émerger de ce contexte.

Le travail est relativement simple. Les infirmières auxiliaires ont plus de possibilités d'apprentissage.

CRÉATIVITÉ

Elle est a priori peu importante, mais, en réalité, composer chaque jour avec des patients atteints de démence ou de la maladie d'Alzheimer exige une bonne dose de créativité... Les personnes qui travaillent dans le réseau de la santé et des services sociaux déploient des trésors d'invention pour adoucir la condition des bénéficiaires.

INDICE BUREAUCRATIE

Il est faible dans ces métiers.

SOLITAIRE / EN ÉQUIPE

Une bonne partie du travail s'effectue seul. Dans les petits établissements et durant les quarts de soir et de nuit, on peut ressentir la solitude. On travaille davantage en équipe dans les plus grands établissements. En somme, ce sont des emplois où il existe un certain équilibre entre le travail individuel et le travail en équipe. L'atmosphère de travail est très différente selon les endroits. Certains milieux sont conviviaux, alors que dans d'autres, le climat est plutôt lourd. Ce facteur peut avoir une influence importante sur la qualité de vie au travail.

TRAVAILLER À SON COMPTE

Démarrer une résidence à son compte ? Un nouveau modèle de résidence de petite taille émerge en ce moment en Europe et on peut espérer que le mouvement s'installe au Québec. Toutefois, dans le contexte social, économique et politique actuel, c'est peu probable. Présentement, ce sont plutôt des gens d'affaires intéressés d'abord par le profit qui se lancent dans le domaine. Les personnes qui auraient les intérêts et les qualités pour offrir des services plus humains prennent rarement le risque d'ouvrir leur propre établissement.

RÉUSSITE OU ÉCHEC

Le travail n'est jamais vraiment terminé. Tout ce qui a été fait aujourd'hui sera à refaire demain et cela peut sembler décourageant. Il faut apprendre à composer avec cela. Dans certaines résidences et tous les CHSLD, il faut aussi composer avec la mort des patients, auxquels, souvent, on s'est attachés, ce qui est très dur.

RECONNAISSANCE SOCIALE

Les travailleurs du domaine des soins élémentaires ont toute mon admiration. Malheureusement, la reconnaissance dont ils jouissent n'est pas à la hauteur des difficultés qu'ils éprouvent, ni de la noblesse de leur travail, qui n'est pas reconnu à sa juste valeur.

DEGRÉ DE POUVOIR

Il est pratiquement nul.

MOBILITÉ ET AVANCEMENT

La mobilité dans le secteur est restreinte. On peut assez facilement changer d'emploi dans les petits établissements privés qui offrent les moins bonnes conditions de travail. Dans le secteur public, c'est beaucoup plus compliqué. Les possibilités d'ascension professionnelle sont très limitées. Il faut améliorer ses qualifications pour espérer accéder à des emplois plus intéressants.

NIVEAU DE STRESS

Le stress, les responsabilités et les charges de travail peuvent être très importants dans ces emplois. Il n'est pas rare qu'on doive composer avec des problèmes insolubles ou par rapport auxquels on se sent dépassé. À cause du sous-financement des institutions, il est fréquemment impossible d'accomplir correctement tout le travail à faire. On doit parfois négliger certaines tâches, pourtant essentielles, pour en effectuer d'autres. À la longue, cela devient particulièrement épuisant.

De plus, le rapport très intime avec les bénéficiaires peut être difficile à supporter à long terme. On est soumis à toutes

sortes d'émotions intenses qu'on peut avoir de la difficulté à gérer.

DANGER ET POLLUTION

Les risques de blessures sont assez nombreux dans ces emplois parce qu'on déplace les patients. De plus, il peut arriver qu'on soit agressé physiquement par des personnes qui n'ont plus toute leur tête. Enfin, étant donné les exigences et la nature du travail, la prévalence des troubles psychologiques associés au travail comme l'épuisement professionnel est élevée.

Professions semblables

Brancardier

Les brancardiers sont des employés peu qualifiés qui ont pour tâche principale de déplacer les patients d'un service à l'autre des hôpitaux. Bien que leur travail ne requière pas de formation particulière, ils jouissent de bonnes conditions d'emploi.

Évaluation globale

Il y a beaucoup de diplômées dans ce domaine, mais on y trouve facilement du travail, ce qui indique un taux de roulement très élevé. Ces travailleuses ont un rôle très important, mais elles ont de mauvaises conditions de travail et obtiennent peu de reconnaissance. Les salaires ne reflètent ni l'importance, ni les difficultés du travail. De plus, beaucoup d'emplois sont précaires et à temps partiel.

Même si les emplois de soins élémentaires remplissent des fonctions fondamentales et suscitent une certaine admiration, la médiocrité des conditions m'oblige à leur attribuer une note globale faible. Les inconvénients liés à ces emplois l'emportent sur les avantages. Les professions d'infirmière auxiliaire et de préposée aux bénéficiaires obtiennent donc une note globale de deux étoiles, et celle d'aide de maintien à domicile une étoile et demie. ■

Secrétaire / Employée de bureau / Commis comptable

Une chaise, un bureau, un ordinateur, un photocopieur, quelques classeurs et un téléphone. Voilà l'essentiel de l'univers des employées de bureau. Le travail consiste en une foule de tâches simples et moins simples qui assurent le bon fonctionnement de toutes les organisations. Classer, répondre, exécuter, collaborer, assurer le suivi, rédiger et tenir à jour sont des maîtres mots pour définir le travail des secrétaires et autres employées de bureau. Leur travail les amène également à organiser, gérer et contrôler. Elles doivent donc, étant donné leur position subordonnée, souvent faire preuve de patience et de diplomatie. Les titres professionnels dans ce domaine sont nombreux. J'inclus ici tous ceux qui concernent le travail de bureau.

Coup d'œil

PROFESSION	PROFESSIONNELS	SALAIRE ANNUEL MOYEN
Commis à la tenue de livres ★ ★ ★ ★ ★	13 000	33 000 $
Secrétaire-réceptionniste ★ ★ ★ ★ ★	132 000	30 000 $
Commis générale ★ ★ ★ ★ ★	94 000	37 000 $
Commis comptabilité et finance ★ ★ ★ ★ ★	69 000	38 000 $
Commis aux services ★ ★ ★ ★ ★	38 000	36 000 $
Commis aux expéditions ★ ★ ★ ★ ★	31 000	32 000 $

Plus de 350 000 personnes au total occupent un emploi de bureau au Québec, ce qui en fait un des domaines professionnels les plus importants, regroupant presque 10 % de la main-d'œuvre.

On compte 3 000 diplômées par année au secondaire et moins de 400 au collégial dans les programmes de formation qui conduisent à ces emplois. Le ratio entre les diplômées et les professionnelles est à peine de 1 pour 1 000. La formation dans les domaines du secrétariat et de la bureautique ne répond donc qu'à une toute petite partie des besoins de ce secteur d'emploi. En conséquence, les employeurs doivent recruter des candidates issues d'autres horizons professionnels.

On compte même parmi les employées de bureau une certaine proportion de diplômées de l'université qui se sont tournées vers ce domaine par goût ou, souvent, faute d'avoir trouvé du travail dans leur champ de formation. Les employeurs sont ravis d'avoir à leur disposition des candidates de niveau universitaire intéressées par des emplois de bureau.

FORMATION

Les deux voies de formation principales sont les diplômes d'études secondaires en secrétariat et en comptabilité, et les programmes de formation en bureautique offerts au collégial.

DEGRÉ D'HOMOGÉNÉITÉ

Les emplois de bureau vont du plus simple au plus compliqué, du plus routinier au plus complexe. La réalité de ces emplois varie beaucoup d'un endroit à l'autre. Plus l'employeur est important, plus les tâches sont précises et compartimentées. Plus il est petit, plus on a la possibilité d'accomplir des tâches diversifiées. On trouve des emplois de secrétaire et de commis de bureau dans absolument tous les secteurs d'activité.

Analyse du marché de l'emploi

HOMMES-FEMMES

Les secrétaires sont des femmes à 98 %. Dans les autres secteurs du domaine, comme en comptabilité ou à l'expédition, les femmes dominent largement aussi, même si la proportion est parfois un peu moins élevée.

TAUX DE CHÔMAGE

Le chômage dans les professions de bureau est assez faible, et il diminue de manière prononcée à mesure que les qualifications augmentent. Les candidates qui possèdent une bonne formation et, surtout, qui sont bilingues n'ont aucun mal à trouver du travail. L'entregent, les habiletés sociales et la maîtrise du français écrit et oral sont aussi importants.

GÉOGRAPHIE

Le travail de bureau est d'abord urbain. C'est donc à Montréal et dans les autres villes que ce genre d'emplois est concentré. Il est quand même assez bien réparti dans l'ensemble de la province.

EMPLOYEURS

Il existe un nombre presque infini d'employeurs, autant dans le privé que dans le public. Toutes les organisations, toutes les entreprises, même la plus petite, comptent au moins un employé de bureau, mais la plupart des emplois sont offerts par de grandes entreprises.

SYNDICALISATION

Le taux de syndicalisation augmente avec la taille des entreprises. Dans les grandes entreprises et le secteur public, presque toutes les employées de bureau sont syndiquées. La qualité des conventions collectives est proportionnelle à la taille des entreprises. Toutefois, même les plus petits employeurs doivent offrir de bonnes conditions pour maintenir en poste leur personnel de qualité.

QUALITÉ DES EMPLOIS

Les emplois de ce secteur sont d'une qualité étonnante.

En fait, parmi tous les domaines auxquels on a accès avec un diplôme du niveau secondaire, c'est celui qui offre les meilleures conditions de travail aux femmes. Celles qui ont les meilleurs emplois ont toutefois très souvent l'équivalent d'une formation collégiale.

Une personne sur quatre travaille à temps partiel dans le secteur. L'accès aux meilleurs emplois, concentrés dans les organismes gouvernementaux et les très grandes entreprises, peut être assez long. On peut passer quelques années à travailler à contrat et sur appel. De plus, certains employeurs font régulièrement appel à des agences de placement, où l'emploi est instable.

INSERTION PROFESSIONNELLE

Certains employeurs sont réticents à embaucher des candidates trop jeunes, souvent avec raison. Il faut un certain nombre d'années pour acquérir les qualifications et la maturité nécessaires pour devenir une candidate de choix. Il faut prendre le temps de bien se former, et c'est souvent après quelques années sur le marché du travail qu'on accède aux meilleurs emplois.

PÉRENNITÉ

Malgré beaucoup d'efforts déployés en ce sens, les employeurs trouvent difficile de comprimer le travail de bureau. Les employées doivent tout de même faire face à des mouvements de compression et de réorganisation, qui restent cependant limités.

Les tentatives d'externalisation par le recours aux agences de placement s'avèrent aussi très limitées. Cette approche demeurera toujours relativement marginale.

Il s'agit d'un secteur où l'emploi va continuer d'augmenter. Sans intervention particulière, les bureaucraties ont tendance à se développer toutes seules. Avec la complexification des systèmes de travail, l'apport des employées de bureau est de plus en plus nécessaire.

PERSPECTIVES D'EMPLOI

Le marché des emplois de bureau est vigoureux. Avec un certain seuil de qualification, on est sûre de trouver du travail. Le nombre d'emplois disponibles et l'envergure du secteur font que les possibilités de carrière sont très nombreuses.

Les perspectives sont excellentes.

DEGRÉ D'AUTONOMIE

Il va de moyen à faible : il s'agit d'emplois subalternes, on n'accorde donc pas une grande autonomie aux employées. Toutefois, la plupart des petites et certaines grandes entreprises ont adopté des modes de gestion qui laissent de la latitude au personnel.

HORAIRES

L'immense majorité du travail se fait le jour, du lundi au vendredi.

INDICE FAMILLE

Comme les horaires sont stables et diurnes, la conciliation travail-famille est plus facile que dans beaucoup d'autres emplois.

DURÉE DES CARRIÈRES

On peut faire une longue carrière satisfaisante dans les emplois de bureau. Plus on acquiert de l'expérience, plus on a accès à des emplois intéressants et plus le travail est agréable.

DÉPLACEMENTS

Ce type de travail est presque exclusivement sédentaire.

SENTIMENT D'UTILITÉ

Il est très variable d'un emploi à l'autre. Certains sont valorisants parce que leur utilité est claire, démontrée et reconnue. À l'inverse, les fonctions attribuées à certains postes sont mal définies et les efforts déployés ne sont pas reconnus. Malheureusement, il est facile pour les employeurs de sous-estimer le travail du personnel de bureau. Ce ne sont pas quelques roses distribuées lors de la Journée de la secrétaire qui vont y changer quelque chose.

DEGRÉ D'HUMANISME

Le travail de bureau est très social, mais les relations avec les clients ou les autres employés y sont relativement superficielles et avant tout fonctionnelles.

PLAISIR INTRINSÈQUE

Bien des tâches du travail de bureau ne présentent aucun intérêt particulier. Par contre, une employée peut trouver son compte si elle sait bien s'organiser et qu'elle maîtrise la situation. De plus, l'informatique offre un univers qui est très stimulant pour certaines personnes. La dimension très sociale du travail contribue à le rendre plaisant.

STIMULATION INTELLECTUELLE

Le travail de bureau est relativement simple et moyennement qualifié. Les femmes qui ont beaucoup de potentiel peuvent s'y épanouir, mais plus difficilement que dans d'autres professions. Si on est vraiment douée pour ce type de travail, on a avantage à lorgner vers des domaines où les possibilités d'apprentissage et de perfectionnement sont plus grandes, par exemple l'informatique.

CRÉATIVITÉ

Ce type de travail n'est pas spécialement créatif.

INDICE BUREAUCRATIE

Par sa nature même, le travail de bureau, c'est précisément de patauger dans les procédures et la paperasse. Une partie importante du travail consiste à suivre des procédures de nature bureaucratique.

SOLITAIRE / EN ÉQUIPE

L'employée de bureau est un animal social. Qui dit bureau, dit organisation, employées, travail en équipe et relations sociales. Les employées de bureau sont presque toujours entourées de personnes durant leur travail, elles s'y sentent rarement seules.

L'intensité des rapports sociaux peut s'avérer un inconvénient. Dans certains milieux, l'atmosphère est viciée ou tendue, et les employées de bureau en sont les premières victimes.

TRAVAILLER À SON COMPTE

Il est impossible de travailler à son compte dans ce domaine.

RÉUSSITE OU ÉCHEC

On travaille plus dans la réussite que dans l'échec, mais certaines organisations dysfonctionnelles peuvent donner l'impression de tourner en rond.

RECONNAISSANCE SOCIALE

Ce sont des professions peu qualifiées et majoritairement féminines, alors pour ce qui est de la reconnaissance sociale... Malheureusement, le travail de bureau est sous-valorisé.

DEGRÉ DE POUVOIR

Officiellement, les employées de bureau ont peu de pouvoir.

Officieusement, certaines d'entre elles, les secrétaires de direction, notamment, finissent par devenir des rouages essentiels de leur organisation et détiennent pas mal de pouvoir.

MOBILITÉ ET AVANCEMENT

Étant donné l'immense bassin d'emplois et la grande variété des postes dans le domaine, les possibilités de mobilité professionnelle sont remarquables. Il est facile de changer d'emploi et de choisir un secteur d'activité dans lequel on a envie d'évoluer.

Les possibilités d'avancement sont bonnes également. Les bureaucraties sont hiérarchisées, et il est possible d'évoluer vers des postes où les responsabilités sont plus importantes. À partir d'un certain niveau, il devient toutefois nécessaire d'acquérir une formation supplémentaire pour continuer à progresser.

Très souvent, la grande difficulté pour les employées de bureau est de franchir le mur psychologique qui les tient à l'écart des emplois de professionnel ou même de cadre. Les organisations leur permettent d'évoluer facilement jusqu'aux plus hautes fonctions à l'intérieur des emplois de bureau, mais ne reconnaissent pas leurs qualifications quand il s'agit de pourvoir des postes dans d'autres catégories professionnelles. Cette situation est particulièrement frustrante pour les employées qui possèdent des diplômes collégiaux ou universitaires, mais qui ne réussissent jamais à quitter la filière des emplois de bureau dans leur organisation.

Depuis une vingtaine d'années, les gestionnaires ont la manie des réorganisations et des coupures de postes. Cela crée parfois des situations de travail intenables.

L'intensité des relations sociales, la position d'infériorité hiérarchique, de même que le sexisme ambiant contribuent aussi au stress des employées de bureau. Elles sont nombreuses à connaître l'épuisement professionnel.

Les blessures au dos et les troubles psychologiques sont les problèmes les plus fréquents dans ces professions.

Évaluation globale

Le travail de bureau est rarement excitant, mais il est correctement rémunéré et il est abondant. On n'y exprime que rarement son ambition ou ses talents particuliers, mais on peut y faire une longue et fructueuse carrière.

Le domaine constitue somme toute un choix paradoxal. Celles qui ont vraiment les aptitudes informatiques et linguistiques pour y réussir pourraient sans doute opter pour une carrière plus prometteuse et celles qui la choisissent parce qu'elles veulent écourter leurs études faute d'aptitudes ou d'ambition risquent d'échouer dans leur projet.

Malgré tout, le travail de bureau peut constituer un bon choix qui, sans être éclatant, offre les avantages de la sécurité et de la stabilité. Pour les femmes, il s'agit très souvent de la meilleure option pour ce qui est des programmes de formation de niveau secondaire dans les secteurs traditionnellement féminins. Je lui accorde trois étoiles. ■

Podium secondaire
Les trois professions les plus avantageuses

1 ÉLECTRICIEN

Les entrepreneurs en construction pourraient occuper la première marche de ce podium. Si je leur préfère les électriciens, c'est parce que ces derniers reflètent mieux la réalité des métiers du secondaire. Il faut plusieurs années avant de devenir entrepreneur, alors que la profession d'électricien est accessible dès l'obtention du diplôme d'études professionnelles (DEP). Les autres métiers de la construction auraient pu être des choix justifiables pour ce podium. J'opte pour les électriciens parce qu'ils touchent un salaire moyen supérieur. Les qualités du métier d'électricien sont nombreuses : facilité d'accès, possibilité de travailler à son compte et travail intéressant.

2 MÉCANICIEN DE CHANTIER, INDUSTRIEL ET DE MACHINE FIXE

La deuxième place va à ces mécaniciens, tout d'abord parce qu'ils sont nombreux. Ces trois professions comptent 25 000 membres. Ensuite, parce que le salaire moyen est de 54 000 $ par année, ce qui se compare avantageusement à bien des professions des niveaux collégial et universitaire. Enfin, parce qu'il s'agit de professions où l'emploi est abondant. Mais le plus important, c'est que ces professions sont franchement intéressantes au quotidien ! Elles sont stimulantes, les défis sont nombreux et les journées se déroulent le plus souvent dans une atmosphère agréable. Bref, des options très attrayantes pour tous ceux qui aiment la mécanique.

3 MACHINISTE ET OPÉRATEURS DE MACHINE DE PÂTES ET PAPIERS

On compte 7 000 de ces machinistes et opérateurs, ce qui est quand même considérable. Ils gagnent un salaire annuel moyen de près de 60 000 $, soit plus que la plupart des diplômés universitaires. Ils jouissent de bonnes conditions de travail et de conventions collectives avantageuses. La crise dans le secteur des pâtes et papiers est, pour l'essentiel, passée : les perspectives d'avenir devraient donc s'améliorer. Ce n'est pas un secteur qui croîtra, mais il continuera à offrir des emplois d'excellente qualité.

Les 13 meilleures professions ★★★★★
du marché du travail québécois

Voici les 13 professions qui obtiennent quatre étoiles et plus.

1 Médecin de famille et médecin spécialiste ★★★★★

2 Avocat ★★★★★

3 Comptable agréé ★★★★★

4 Dentiste ★★★★★

5 Pilote d'avion, d'hélicoptère ou de bateau et chauffeur de train ★★★★★

6 Comptable général agréé (CGA) et comptable en management agréé (CMA) ★★★★★

7 Gestionnaire et ingénieur en informatique ★★★★★

8 Ingénieur ★★★★★

9 Journaliste ★★★★★

10 Mécanicien ★★★★★

11 Métiers de la construction ★★★★★

12 Pharmacien ★★★★★

13 Policier ★★★★★

Parmi ces 13 professions, seulement quatre ne nécessitent pas de diplôme universitaire : pilote, mécanicien, métiers de la construction et policier. Toutes les autres exigent une formation universitaire dans un programme contingenté et difficile à réussir. Il existe donc une correspondance étroite entre la qualité d'une profession et les compétences qu'il faut posséder et développer pour y accéder. Ce sont les plus doués et les plus travailleurs qui ont accès aux meilleures situations, ce qui est rassurant, car cela signifie que les efforts consentis pendant la formation sont récompensés.

Cette liste montre aussi que les hommes bénéficient encore d'une position avantageuse sur le marché du travail. Parmi ces 13 professions, six sont à forte majorité masculine, mais aucune n'est traditionnellement féminine.

Les 10 programmes
de formation coup de cœur

Voici les 10 programmes de formation qui se démarquent dans l'offre des établissements d'enseignement québécois.

1 Doctorat en médecine

Non seulement la profession médicale trône-t-elle au sommet de la hiérarchie, mais la formation qui permet d'y accéder est à l'avant-garde des méthodes d'enseignement. Basée sur la résolution de problèmes, cette formation est concrète et ne comporte pas de cours théoriques. À ce jour, il semble que le programme offert par l'Université de Sherbrooke se distingue par sa qualité.

2 Diplômes de deuxième cycle en comptabilité et en droit

Une année ou deux de formation qui propulse le salaire dans la stratosphère !

3 Baccalauréat en administration des affaires avec spécialisation en immobilier

Ce programme, offert à l'Université du Québec à Montréal (UQAM) et à l'Université Laval, conduit vers une profession bien définie qui affiche une pénurie de main-d'œuvre.

4 Technique de génie mécanique de marine

La moyenne d'âge des mécaniciens de bateau est très élevée, ce qui fait que les nouveaux arrivants trouveront facilement d'excellents emplois. De plus, le travail en mécanique marine est stimulant et valorisant. Il vaut donc la peine d'aller suivre le programme de l'Institut maritime de Rimouski. Les programmes de navigation et de plongée professionnelle offerts par le même institut sont aussi très attrayants.

5 Diplômes d'études professionnelles (DEP) en conduite de grue et en forage dynamitage

Ces deux programmes durent à peine huit mois et permettent de toucher un salaire de 60 000 $ dès les premières années. Qui dit mieux ? En prime, on joue avec une grosse grue ou de la dynamite, de quoi s'amuser.

6   Baccalauréat en tourisme de plein air

Ce programme est offert par l'Université du Québec à Chicoutimi. C'est un domaine où il n'y a pas beaucoup d'emplois, mais la formation donne la possibilité de faire du traîneau à chiens et du camping sauvage. Wow!

7   Technique en gestion hôtelière

Ce programme de très grande qualité, offert par l'Institut de tourisme et d'hôtellerie du Québec (ITHQ), a souvent été imité, mais jamais égalé. Il donne accès à de bonnes possibilités de carrière.

8   Diplôme des grandes écoles de théâtre

Les programmes de l'École nationale de théâtre, à Montréal, et du Conservatoire d'art dramatique, à Montréal et à Québec, sont remarquablement bien conçus et constituent des expériences de vie marquantes. Il est difficile de trouver du travail ensuite, mais si on veut devenir comédien, c'est là qu'on pourra apprendre avec les meilleurs professeurs.

9   Attestation d'études collégiales (AEC)

Ces programmes, qui durent environ un an, s'adressent à ceux qui sont déjà titulaires d'un diplôme d'études collégiales (DEC). Ils permettent d'acquérir une formation professionnelle terminale rapidement et d'améliorer significativement son sort.

10   Maîtrise en orientation

Cette formation est relativement peu contingentée et elle conduit à une profession mal connue, mais qui peut être très intéressante. Alors que l'accès aux autres professions de relation d'aide devient de plus en plus difficile, la maîtrise en orientation représentera une option possible pour de plus en plus de candidats.

NIVEAU
collégial

Le niveau collégial est celui qui

forme le moins de travailleurs, une situation qui a quelque chose d'insensé. Les techniques, des programmes de formation intermédiaires, devraient fournir un contingent de main-d'œuvre important, car elles correspondent à la qualification réelle de beaucoup d'emplois. Pourtant, les employeurs s'entêtent à concentrer leur embauche aux niveaux secondaire et universitaire. Au Québec, toute la place est occupée par les professionnels universitaires et par les exécutants du niveau secondaire.

On comprend donc que les jeunes boudent un peu les techniques. D'une part, le salaire moyen est à peine plus élevé que celui des professions du secondaire et, dans certains domaines, les écarts salariaux avec les professions de niveau universitaire justifient de poursuivre les études. Dans d'autres domaines, toutefois, les techniques offrent un très bon rapport « qualité prix ».

Toutes les techniques du domaine de la santé sont des professions à majorité féminine écrasante. Curieusement, on n'a jamais vu de campagne pour encourager les hommes à les adopter. Elles sont pourtant intéressantes et gagneraient à compter plus d'hommes. Messieurs, prenez le temps d'analyser ces professions, qui possèdent de belles qualités.

Technicien en administration

Les techniciens en administration occupent des emplois de qualification intermédiaire dans les organisations. Leurs tâches se concentrent autour de la gestion et de l'administration à court terme. Ils assurent le fonctionnement quotidien des organisations et assistent les professionnels dans leurs tâches.

Coup d'œil

PROFESSION	PROFESSIONNELS / FINISSANTS RATIO	SALAIRE ANNUEL MOYEN
Agent d'administration ★ ★ ★ ★ ★	28 000 / s.o.	49 000 $
Adjoint de direction ★ ★ ★ ★ ★	11 000 / s.o.	43 000 $
Agent de gestion immobilière ★ ★ ★ ★ ★	7 000 / s.o.	47 000 $
Agent aux achats ★ ★ ★ ★ ★	13 000 / s.o.	48 000 $

Chaque année, 1 200 personnes terminent une technique en administration, alors que le secteur compte quelque 60 000 travailleurs. Toutefois, seulement la moitié de ces diplômés se destinent à l'emploi. Ainsi, ce sont 600 nouveaux diplômés qui s'insèrent dans le marché, pour un ratio de 1 finissant pour 1 000 professionnels. Les employeurs doivent donc puiser dans d'autres domaines pour combler leurs besoins de main-d'œuvre.

FORMATION

La formation la plus directement liée aux emplois de technicien en administration est la technique en comptabilité et en gestion, qui dure trois ans. Toutefois, étant donné le nombre infime de diplômés dans le secteur par rapport aux besoins de main-d'œuvre, on constate qu'une majorité des travailleurs du domaine sont issus d'autres formations, ils ont par exemple des diplômes généraux du collégial ou de secteurs où le placement est plus difficile.

Le tiers des travailleurs
dans ce domaine possède
un baccalauréat.

DEGRÉ D'HOMOGÉNÉITÉ

Les emplois sont plutôt
homogènes dans ce secteur.

Analyse du marché de l'emploi

HOMMES-FEMMES

Le secteur compte 70 % de
femmes et 30 % d'hommes.

TAUX DE CHÔMAGE

Le taux de chômage est
très bas.

GÉOGRAPHIE

Les emplois sont disséminés
dans toutes les régions du
Québec, mais avec une certaine
concentration dans les zones
urbaines.

EMPLOYEURS

Les employeurs sont nombreux
dans le secteur public et privé.
Les gouvernements provincial et
fédéral, de même que les
municipalités sont de très gros
employeurs dans ce domaine. On
trouve beaucoup de techniciens
en administration dans les régies
régionales de la santé et les
commissions scolaires, ainsi que
dans différents organismes
gouvernementaux comme les
centres locaux d'emploi ou les
centres de traitement fiscaux.

Toutes les entreprises privées
de moyenne et de grande taille
emploient des techniciens en
administration, que ce soit dans
les secteurs des banques ou des
assurances, ou encore dans le
commerce ou la production
industrielle.

SYNDICALISATION

Les taux de syndicalisation
sont élevés dans ce secteur
d'emploi.

QUALITÉ DES EMPLOIS

Ces emplois, qui se situent
exactement dans la moyenne, sont
de bonne qualité, surtout dans
les plus grandes organisations.

INSERTION PROFESSIONNELLE

Il faut accumuler de l'expérience et des connaissances
variées pour accéder aux bons
emplois dans le domaine des
techniques administratives. Bien
s'établir dans la profession
demande donc quelques années.

PÉRENNITÉ

On a beaucoup entendu parler de *outsourcing* dans les dernières années, c'est-à-dire d'externalisation ou d'impartition, des méthodes qui consistent à confier des tâches administratives auparavant réalisées à l'interne à des prestataires de services qui sont à l'extérieur de l'entreprise, parfois même à l'étranger. De plus, les gestionnaires croyaient que l'informatique, maintenant très répandue en milieu de travail, permettrait de réduire considérablement le nombre de personnes dans les organisations.

On a effectivement assisté à d'importants déplacements de main-d'œuvre. Le secteur bancaire, en particulier, a procédé à plusieurs expériences extrêmes de réingénierie. Au bout du compte, toutefois, on constate que le nombre d'emplois dans ce secteur tend malgré tout à augmenter plutôt qu'à diminuer. Les expériences de compression par la technologie et d'externalisation n'ont jamais donné les résultats escomptés. On peut donc penser que la profession a encore un bel avenir devant elle.

PERSPECTIVES D'EMPLOI

Les barrières à l'insertion peuvent être difficiles à franchir. Le bilinguisme et la maîtrise de l'informatique sont les clés d'accès aux meilleurs emplois. En contrepartie, le travail est abondant. Ceux qui acquièrent les qualifications recherchées sont assurés d'obtenir du travail, même si les bons emplois en région peuvent être rares.

Les perspectives d'avenir sont excellentes.

DEGRÉ D'AUTONOMIE

Le degré d'autonomie est moyen dans ces professions, puisque les règlements et les procédures sont au cœur du travail en administration. Malgré tout, au quotidien, il y a toujours place pour l'initiative et l'autonomie des employés.

HORAIRES

Les horaires sont stables et diurnes.

INDICE FAMILLE

Étant donné les horaires de travail, ce sont des emplois où la conciliation travail-famille est assez facile.

DURÉE DES CARRIÈRES

En général, quand on réussit à obtenir une situation correcte, on reste longtemps dans ces professions.

DÉPLACEMENTS

Les déplacements sont peu importants. Les techniciens en administration assurent la stabilité et la continuité dans les organisations. Leur présence régulière au même endroit est nécessaire. Parfois, le télétravail est possible, ce qui permet à certains employés de travailler une partie du temps à la maison.

SENTIMENT D'UTILITÉ

Il est variable. On peut se sentir très utile dans un milieu où les tâches sont bien définies et reconnues, comme on peut se sentir parfaitement inutile dans certains postes laissés à la dérive.

DEGRÉ D'HUMANISME

Les travailleurs de ce secteur ont plutôt affaire à des collègues qu'à des clients de l'extérieur.

Leur travail peut faciliter la vie des autres.

PLAISIR INTRINSÈQUE

Les tâches sont rarement palpitantes, parfois un peu ennuyeuses, mais des enjeux et des objectifs finissent toujours par émerger pour pimenter un travail qui, vu de l'extérieur, n'a pas l'air vraiment excitant.

STIMULATION INTELLECTUELLE

Malgré la simplicité des tâches, les défis et les possibilités d'apprentissage ne manquent pas.

CRÉATIVITÉ

Ces tâches font peu appel à la créativité.

INDICE BUREAUCRATIE

Très élevé : on est au cœur de l'appareil bureaucratique ! Les techniciens en administration passent une grande partie de leur journée à s'acquitter d'obligations relatives à la procédure, à remplir de la paperasse et à gérer différents dossiers.

SOLITAIRE / EN ÉQUIPE

Certains emplois sont solitaires, mais on travaille assez souvent en équipe et les interactions ne manquent pas. De plus, un climat de camaraderie s'établit toujours dans les milieux de travail où la vie de bureau s'épanouit.

La possibilité de travailler à son compte est négligeable dans ce domaine où presque tous les travailleurs sont salariés.

RÉUSSITE OU ÉCHEC

Des frustrations peuvent surgir des lourdeurs bureaucratiques, mais on travaille plus dans la réussite que dans l'échec.

RECONNAISSANCE SOCIALE

Ce n'est pas la gloire, c'est certain, mais ce n'est tout de même pas mal. Ce sont des emplois qui ne jouissent pas de beaucoup de prestige, mais qui sont respectables. Il est parfois difficile de comprendre exactement ce que font les personnes dans ce domaine, et c'est ce qui fait que leur travail est peu reconnu.

DEGRÉ DE POUVOIR

Le degré de pouvoir est limité dans ces professions. Ceux qui recherchent le pouvoir ont avantage à se diriger vers des études universitaires pour accéder à des postes plus importants.

MOBILITÉ ET AVANCEMENT

La mobilité est importante et aisée dans le domaine. Un cheminement de carrière typique consiste à débuter dans un emploi de moins bonne qualité, où les conditions salariales sont moins avantageuses. Avec l'expérience, on accède aux emplois de meilleure qualité, pour les gouvernements ou les très grandes entreprises.

Les possibilités d'avancement sont assez limitées. Pour accéder à des postes plus importants, il est nécessaire de passer par une formation universitaire. La plupart des employeurs encouragent leurs salariés à suivre des programmes de formation continue. Cela permet à certains travailleurs d'acquérir les qualifications nécessaires pour changer de statut d'emploi. Les trajectoires ascendantes sont plus rares que les trajectoires stables.

NIVEAU DE STRESS

Le niveau de stress varie selon les organisations. En principe, les responsabilités et les charges de travail devraient être raisonnables mais, en pratique, pour une foule de raisons, elles sont souvent trop importantes. Dans bien des cas, les employés du secteur de l'administration sont les premiers touchés par les programmes de rationalisation et de réingénierie.

DANGER ET POLLUTION

Ce ne sont pas des emplois que l'on pourrait décrire comme dangereux, pourtant, il n'est pas simple de demeurer en santé quand on les occupe. La sédentarité, le stress, les problèmes ergonomiques et les problèmes dus aux mauvais systèmes d'aération constituent autant de défis au bien-être.

EN VRAC

L'époque étant ce qu'elle est, un nombre important de personnes sont dans des situations intenables. Dans le secteur privé, les réorganisations et la course aux profits provoquent une tension perpétuelle. La situation est pire dans le secteur public, où le manque de ressources, les compressions de personnel et la lourdeur administrative engendrent beaucoup de pression et créent des situations absurdes. La culture d'entreprise diffère énormément d'un employeur à l'autre, et il est important de prendre le temps de bien cibler ceux qui ont adopté les meilleures pratiques.

Le domaine a aussi ses qualités : le bassin d'emplois étant très vaste, chacun a la possibilité de trouver un travail qui lui convient vraiment. Comme les taux de syndicalisation sont élevés, beaucoup d'emplois offrent des conditions qui permettent de s'épanouir et de poursuivre ses apprentissages. Ceux qui ont de l'ambition peuvent gravir les échelons.

Évaluation globale

Le technicien en administration représente en quelque sorte l'archétype de l'employé moyen. Cette profession est un peu caméléon : elle prend la couleur de celui qui l'occupe ou celle du milieu ambiant. Dans le meilleur des cas, les emplois sont de très bonne qualité et intéressants et, dans le pire, ils s'avèrent décevants et routiniers, et ils manquent sérieusement de défis.

Les techniques en administration sont un peu la Toyota Corolla des carrières : elles sont fiables, durables, abordables et un peu anonymes. Considérant tout cela, je leur accorde une note globale moyenne de trois étoiles. ▪

Agent et courtier d'assurance / Agent immobilier / Représentant[1]

Les agents d'assurance vendent de l'assurance de personnes (assurance vie, assurance invalidité, etc.) ou de l'assurance de dommages (incendie, accident, vol, etc.). Ils sont salariés ou payés à la commission. Le travail des salariés se rapproche de celui des techniciens en administration : beaucoup de travail de bureau. Celui des agents rémunérés à la commission et des courtiers est différent parce que leur objectif est d'élargir continuellement leur clientèle. Ils doivent faire beaucoup de promotion et de marketing pour y parvenir.

Les agents immobiliers (appelés couramment «agents d'immeuble») ont pour fonction d'aider leurs clients à vendre et à acheter des biens immobiliers en échange de commissions calculées sur la valeur de la transaction. Ils doivent, eux aussi, faire beaucoup de marketing et de représentation.

Les représentants assurent le lien entre l'entreprise qui les emploie et ses clients. Dans certains cas, leur rôle consiste surtout à faciliter les transactions et à répondre aux besoins des clients, alors que dans d'autres, ils doivent augmenter les parts de marché de l'entreprise, ce qui implique un important travail de vente et de promotion.

Coup d'œil

PROFESSION	NOMBRE DE PROFESSIONNELS	SALAIRE ANNUEL MOYEN
Agent et courtier d'assurance de dommages salarié ★ ★ ★ ★ ★ Agent et courtier d'assurance de personnes et d'assurance de dommages à la commission ★ ★ ★ ★ ★	16 000	46 000 $
Agent immobilier ★ ★ ★ ★ ★	15 000	50 000 $
Représentant ★ ★ ★ ★ ★	70 000	50 000 $

---

1. Les représentants sont issus de divers types de formation. Je ne tiens compte ici que de ceux qui ont une formation secondaire ou collégiale. Voir aussi la section portant sur les professions universitaires.

FORMATION

Les programmes de formation permettent d'obtenir un permis d'agent immobilier ou d'agent d'assurance sont courts et accessibles. Ils sont offerts dans les cégeps, mais il suffit généralement de suivre quelques cours pour réussir l'examen d'admission à la profession.

Une vaste majorité de ces travailleurs possèdent une formation de niveau collégial ou universitaire. Bien que les professions d'agent immobilier et d'agent d'assurance appartiennent au domaine de l'administration, beaucoup de ceux qui les occupent sont issus d'autres domaines.

Les représentants ont des diplômes spécialisés en vente, en administration ou dans un autre domaine. Un diplômé en agriculture, par exemple, peut devenir représentant de produits agricoles.

DEGRÉ D'HOMOGÉNÉITÉ

Les professions d'agent immobilier et d'agent d'assurance sont homogènes, alors que celle de représentant est plutôt hétérogène. Ces derniers évoluent dans des secteurs très divers, et la nature de leur travail varie en conséquence. Vendre de la moulée pour les animaux de ferme n'a pas grand-chose à voir avec la vente de fournitures de bureau ou de matériel électronique.

Analyse du marché de l'emploi

HOMMES-FEMMES

On compte 70 % d'hommes chez les agents d'assurance et les représentants, et pratiquement le même nombre d'hommes et de femmes chez les agents immobiliers.

TAUX DE CHÔMAGE

Le taux de chômage est très faible dans ces professions.

GÉOGRAPHIE

Partout où il y a des gens, des immeubles et du commerce...

EMPLOYEURS

Les employeurs sont nombreux, principalement dans le secteur privé. Il s'agit généralement de moyennes ou de grandes entreprises.

SYNDICALISATION

Mis à part certains agents d'assurance de dommages, la presque totalité de ces travailleurs n'est pas syndiquée.

Être payé à la commission a ses avantages et ses inconvénients. Ceux qui réussissent bien peuvent gagner des salaires dans les six chiffres ! Ils consacrent par contre beaucoup de temps et d'énergie à leur travail. La barrière d'insertion est difficile ou pénible à franchir, car on ne gagne vraiment pas beaucoup d'argent au départ. Toutefois, si on a de la persévérance et qu'on continue de travailler fort, on bénéficie ensuite d'une situation avantageuse. Il faut compter environ cinq ans avant pour se tailler une place enviable.

En assurance de dommages, le marché est bon. Ceux qui ont une formation spécialisée dans le domaine trouvent facilement du travail.

En assurance de personnes, le marché est polarisé. Certaines compagnies offrent de bons emplois. Il faut posséder au moins un DEC ou un baccalauréat pour que sa candidature soit retenue. D'autres compagnies misent plutôt sur le nombre et sur la « sélection naturelle ». Elles embauchent massivement en sachant que moins du quart des nouveaux candidats continueront dans le domaine.

Dans l'immobilier, le marché n'est pas mauvais, mais le succès est difficile à atteindre. Démarrer dans cette profession comporte des risques. Certains réussissent bien et font augmenter la moyenne des salaires, alors qu'environ 20 % des agents tirent le diable par la queue.

Il y a toujours du travail en représentation... surtout dans les moins bons emplois.

INSERTION PROFESSIONNELLE

En assurance de dommages, il est assez facile de démarrer une carrière, surtout si on est salarié, ce qui est le cas d'un nombre croissant de femmes.

En assurance de personnes et dans l'immobilier, la situation est très différente. Il faut investir beaucoup de temps et d'argent avant de toucher les résultats de son travail. Un grand nombre de personnes se découragent et abandonnent.

Le domaine immobilier représente souvent une deuxième carrière et les candidats sont plus âgés. Il est beaucoup plus difficile de percer dans ce domaine quand on est jeune et en début de carrière.

Du côté des représentants, la période d'insertion est assez longue. Il faut acquérir de l'expérience avant d'accéder aux meilleurs emplois.

Avenir de la profession

PÉRENNITÉ

Voilà encore des emplois où les facteurs de compression due à la technologie et les possibilités de transfert à l'étranger sont pratiquement nuls. Les employeurs pourraient tenter de faire quelques gains de productivité en assurance de dommages, mais c'est tout. Par exemple, certaines compagnies ont développé des sites Internet où les clients peuvent remplir eux-mêmes les formulaires nécessaires. Ces plateformes permettront sans doute de couper quelques postes. Malgré cela, il y a lieu de croire que le nombre total d'emplois ne diminuera pas dans un avenir rapproché.

Le cas des agents immobiliers est différent. Le gouvernement du Québec a récemment révisé la loi qui régit les activités dans ce secteur. Or, l'ancien cadre législatif jouait en faveur des agents et laissait peu de place à la négociation de leurs tarifs. La nouvelle loi tente de mieux équilibrer les choses, ce qui pourrait entraîner une baisse de leurs revenus et même réduire leur nombre.

PERSPECTIVES D'EMPLOI

Les agents immobiliers doivent être prudents en raison des changements dans la loi.

Les perspectives d'avenir sont excellentes pour les représentants, bonnes pour les agents et courtiers d'assurance, passables pour les agents immobiliers.

 Influence sur le bonheur, la santé et la vie quotidienne

DEGRÉ D'AUTONOMIE

Les salariés ont un peu moins d'autonomie que les travailleurs payés à la commission. On peut toutefois se demander si les normes rigides et les nombreuses contraintes qui existent dans ces professions laissent réellement beaucoup de latitude.

Même s'ils sont travailleurs autonomes et à la commission et donc, en principe, très indépendants, les agents d'assurance, les représentants et les agents immobiliers font partie d'associations très structurées qui organisent le travail de manière très méticuleuse. L'autonomie est plus apparente que réelle.

HORAIRES

Les agents d'assurance de dommages salariés ont généralement des horaires de travail typiques.

Les représentants, les agents d'assurance de personnes et les agents immobiliers doivent offrir une grande disponibilité à leurs clients. Ils travaillent souvent le soir et le week-end et doivent être toujours accessibles. Plusieurs sont scotchés à leur cellulaire ou à leur BlackBerry. On se doute donc qu'il ne manque pas de *workaholics* dans ces professions.

INDICE FAMILLE

Les salariés ont des horaires plus typiques et peuvent concilier leur vie familiale et leur vie professionnelle plus facilement. Ceux qui travaillent à la commission ont avantage à partager leur vie avec un conjoint patient et compréhensif, ou à ne pas avoir d'enfants en bas âge.

DURÉE DES CARRIÈRES

Chaque année, entre 15 et 20 % des agents immobiliers quittent leur profession, ce qui est énorme. La proportion est probablement semblable pour les agents d'assurance de personnes payés à la commission et les représentants, mais les données disponibles ne sont pas suffisamment précises pour le confirmer. La plupart de ces abandons se produisent en début de carrière. Ces taux de roulement correspondent en fait à peu près au nombre de personnes qui échouent à démarrer dans ces carrières. Autrement dit, pour certains, ce sont des carrières très courtes, alors que pour ceux qui survivent aux cinq premières années, ce sont des carrières longues et stables.

DÉPLACEMENTS

Disons qu'il vaut mieux avoir une voiture confortable : ce sont des professions où l'on se déplace énormément. Les « voitures fournies » sont les bienvenues !

SENTIMENT D'UTILITÉ

La plupart des emplois de représentant, d'agent d'assurance de dommages et d'agent immobilier répondent à un besoin social évident.

Le domaine de l'assurance de personnes est plus embrouillé et varie fortement d'une compagnie à l'autre. Dans certains cas, on vend des assurances qui comblent des besoins réels. Dans d'autres, les stratégies de vente et les régimes proposés ont des visées plus vastes et les conditions ne sont pas toujours claires. On entre alors dans un univers où les ventes et les profits priment et où le travail n'a d'autre sens que l'argent qu'il rapporte. Dans de tels cas, le sentiment d'utilité est remplacé par l'envie du profit.

Certains emplois de représentant ressemblent à celui d'agent d'assurance de personnes. Le profit et l'augmentation des parts de marché l'emportent sur tout le reste, et le sentiment d'utilité demeure faible.

DEGRÉ D'HUMANISME

Les agents immobiliers peuvent nouer des relations étroites avec leurs clients. En assurance, on travaille aussi directement avec les gens, mais sans grande intimité. Les conditions de la transaction et la vente elle-même occupent tout le terrain. En représentation, on évolue souvent dans la camaraderie, rarement dans l'intimité.

PLAISIR INTRINSÈQUE

Bien des agents immobiliers ont une vraie passion pour l'achat et la vente de maisons et d'immeubles. Les passionnés d'assurance

sont plus rares, mais ils existent. Le plaisir réside dans le travail bien fait, dans la satisfaction de la clientèle ou encore, pour certains, dans le raffinement des techniques de vente. Ce dernier plaisir, par contre, est presque toujours coupable.

Pour les représentants, le plaisir varie selon les secteurs. Dans certains domaines, comme les vêtements, les meubles ou les produits alimentaires, on trouve des passionnés. Dans d'autres domaines, le plaisir est peu présent. En général, plus le produit à vendre est spécialisé et mobilise des connaissances, plus le travail est intéressant.

STIMULATION INTELLECTUELLE

Ce sont des métiers relativement simples, ce qui explique que les programmes de formation qui permettent d'y accéder sont si courts. Par contre, il existe de nombreuses possibilités de s'améliorer et de raffiner son travail. C'est surtout au chapitre des habiletés sociales et relationnelles qu'on peut faire le plus de gains, de même que dans l'élargissement de ses réseaux.

CRÉATIVITÉ

Elle est moyenne dans ces domaines, où il est important de se démarquer. Ceux qui réussissent à faire preuve d'originalité et qui découvrent des façons de faire nouvelles et efficaces sont avantagés. Avoir du « flair » est un atout.

Il est plus important dans le secteur des assurances de dommages et moyennement élevé pour les travailleurs rémunérés à la commission. Il est assez élevé pour les représentants.

Une transaction, c'est toujours un contrat, donc des traces écrites. Dans le domaine de la représentation, les transactions peuvent être très complexes et concerner des dizaines de milliers de produits. Il est nécessaire d'accomplir un bon travail de logistique afin que tout se déroule bien, c'est-à-dire que les factures soient payées à temps et que tous les produits soient livrés au bon moment et au bon endroit. Cela nécessite souvent un sérieux suivi bureaucratique. Les représentants sont responsables du traitement des commandes et des livraisons. Par exemple, une usine de fabrication de plancher qui ne reçoit pas sa livraison de bois à temps peut perdre rapidement des sommes considérables. C'est la même chose pour le détaillant qui doit vendre les planchers.

SOLITAIRE / EN ÉQUIPE

Les salariés ont un travail convivial, qui s'effectue plutôt en équipe. Les travailleurs payés à la commission évoluent dans un monde où règnent l'individualisme et la compétition. Toutefois, ils ne manquent certainement pas de relations sociales.

Le travail des représentants peut être très social, mais aussi très solitaire, selon les emplois et les produits à vendre. On peut souffrir du sentiment de solitude.

TRAVAILLER À SON COMPTE

Ceux qui sont payés à la commission travaillent plus ou moins à leur compte.

RÉUSSITE OU ÉCHEC

Les salariés de ce groupe accomplissent un travail où on échoue peu. Les travailleurs rémunérés à la commission et les représentants, quant à eux, vivent à la frontière de la réussite et de l'échec. Quand les ventes sont bonnes, ils connaissent le succès, mais quand elles sont mauvaises, ils doivent affronter un sentiment d'échec. C'est sans doute à cause de cette dimension difficile à tolérer que tant de personnes ne parviennent pas à s'établir dans ces professions. L'ego peut alors être très sévèrement écorché.

RECONNAISSANCE SOCIALE

Les salariés ont un statut social ordinaire. Les agents immobiliers jouissent d'un peu plus de prestige, à condition de bien réussir. Ceux qui n'obtiennent pas de succès se sentent un peu misérables. Le cas des agents d'assurance de personnes est très particulier. Leur travail peut les amener à trop solliciter leur entourage, ce qui leur vaut parfois une très mauvaise réputation. La reconnaissance des représentants est très variable. Dans les bons emplois, elle est bonne, mais dans les emplois de mauvaise qualité, ils peuvent avoir à supporter le mépris.

DEGRÉ DE POUVOIR

Les salariés possèdent un pouvoir moyen, celui de bien faire les choses. Les travailleurs payés à la commission en ont plus, à la fois sur leurs conditions de travail ou sur l'effet que leur travail exerce sur leurs clients ainsi que sur la prospérité de l'entreprise qui les emploie. Pour eux, la réussite est liée aux efforts et aux capacités individuelles.

MOBILITÉ ET AVANCEMENT

La mobilité professionnelle est facile et fréquente dans les domaines de la vente, qui fonctionne au mérite individuel. On change souvent d'emploi pour tenter d'améliorer son sort. Les bons vendeurs ont accès aux meilleurs emplois et touchent des commissions très importantes. Dans le domaine de l'immobilier, ceux qui réussissent le mieux

travaillent dans les secteurs les plus prestigieux. C'est le prix des immeubles vendus qui établit leur statut.

NIVEAU DE STRESS

Tous ceux qui travaillent dans le domaine de la vente sont continuellement incités à en faire plus. Les entreprises mettent en place des systèmes de stimulation excessivement sophistiqués afin de maintenir le personnel dans un état de fébrilité. Après quelques années, une certaine fatigue peut s'installer et on peut finir par être désabusé.

EN VRAC

La difficulté à démarrer dans ces professions est l'un des principaux problèmes. La vacuité et la déprime liées au fait de devoir toujours convaincre, ouvrir des portes et vendre en sont d'autres.

Dans ces emplois, le sentiment d'accomplissement est à la mesure des difficultés éprouvées. Certaines entreprises proposent des programmes de récompenses et de primes aux meilleurs vendeurs qui peuvent être alléchants. Beaucoup de représentants bénéficient d'une voiture fournie, ce qui ajoute à la rémunération.

Évaluation globale

Comme le travail des agents d'assurance de dommages salariés ressemble beaucoup à celui des autres techniciens en administration, j'attribue à ces emplois la même cote, soit trois étoiles.

Les agents d'assurance de personnes et d'assurance de dommages payés à la commission sont dans une situation différente. Leur emploi est potentiellement plus rémunérateur, mais il est aussi plus difficile, plus risqué et plus ingrat. Le domaine des assurances est très particulier. L'argent y coule à flot et on tente constamment d'attirer de nouveaux candidats. Le domaine reste toutefois peu attirant parce que la sollicitation et la recherche continuelle de profits sont lourdes à porter. Les travailleurs de ce domaine ont des sentiments partagés par rapport à leur travail, qui est rarement un premier choix. J'accorde donc à ces professions une note globale de deux étoiles et demie.

La profession d'agent immobilier peut s'avérer cruelle pour ceux qui tentent leur chance et qui échouent. Il ne faut pas sous-estimer l'importance de posséder les qualités nécessaires pour y réussir, dont une bonne expérience de travail en général. Par contre, pour ceux qui ont les qualités requises et qui s'insèrent dans le marché au moment opportun, il peut s'agir de carrières satisfaisantes et stimulantes. J'accorde à cette profession une note globale de trois étoiles et demie.

Les moins bons emplois de représentants ne valent même pas une étoile, alors que les plus avantageux pourraient en obtenir plus de trois et demie. J'en conclus que les emplois de représentant qui ne nécessitent pas de formation universitaire méritent une note globale de deux étoiles et demie. Une personne peut faire une belle carrière de représentant dans un domaine d'activité qui lui plaît et qui l'intéresse. ∎

Infirmière

Le métier d'infirmière est vaste et complexe, alors résumons. Les infirmières veillent sur la santé des patients qui leur sont confiés en vérifiant périodiquement leur état et elles leur prodiguent les soins nécessaires de leur propre initiative ou à la suite de directives des médecins. Le travail est qualifié, concret et surtout directement en relation avec les patients.

Il existe différentes spécialités en sciences infirmières. Parmi les plus importantes, il y a les soins à domicile, la pédiatrie, la chirurgie, la psychiatrie, les urgences, l'oncologie et les soins palliatifs. Un peu moins de 10 % des infirmières occupent des fonctions de gestion et de supervision. À peu près le même pourcentage se consacre à l'enseignement.

Coup d'œil

PROFESSION		PROFESSIONNELS / FINISSANTS	RATIO	SALAIRE ANNUEL MOYEN
Infirmière	★ ★ ★ ★ ★	70 000 / 2 600[2]	1 / 30	51 000 $
Infirmière en chef et superviseure[3]	★ ★ ★ ★ ★	5 000		61 000 $

FORMATION

Pour devenir infirmière, il faut être diplômée d'un programme technique du collégial ou obtenir un baccalauréat. Les deux types de formation durent trois ans. Chaque année, on diplôme environ 2 200 infirmières au collégial et 800 à l'université. Présentement, 30 % des infirmières en exercice possèdent un baccalauréat, et cette tendance est à la hausse. Précisons toutefois que moins de 10 % des emplois dans la

---

2. Je n'ai considéré que la moitié des diplômées universitaires pour donner le total annuel des nouvelles infirmières parce que l'autre moitié est déjà dans la profession. J'ai inclus les infirmières en chef et les superviseures dans le calcul du ratio.

3. Les infirmières en chef et les superviseures sont des infirmières promues à des postes de supervision.

profession nécessitent réellement un baccalauréat. Il est possible que cette proportion augmente un jour, mais pas à court terme.

La moitié de celles qui obtiennent le baccalauréat sont déjà infirmières. L'écart de salaire entre les diplômées du cégep et celles de l'université ne s'explique pas par la formation, mais par le fait que les deuxièmes, qui sont déjà en emploi, se situent plus haut dans les échelles salariales.

Je place le métier d'infirmière dans la section du collégial parce que, malgré le pourcentage de diplômées universitaires, la pratique infirmière ne requiert généralement qu'un diplôme de niveau technique. Le nombre de diplômées du collégial qui choisissent d'aller à l'université est sans doute un peu trop élevé par rapport aux besoins du marché. Certaines d'entre elles risquent de ne pas trouver un travail qui mette réellement en valeur leurs longues études.

DEGRÉ D'HOMOGÉNÉITÉ

La profession est plutôt homogène : 90 % des infirmières travaillent dans un hôpital, un centre local de services communautaires (CLSC) ou dans un centre d'hébergement et de soins de longue durée (CHSLD).

Toutefois, la proportion d'infirmières embauchées par des agences privées sous-traitant avec le réseau public accuse une hausse marquée depuis une décennie.

Analyse du marché de l'emploi

HOMMES-FEMMES

On compte 90 % de femmes dans la profession d'infirmière.

TAUX DE CHÔMAGE

Il est presque nul.

GÉOGRAPHIE

Les hôpitaux sont situés dans les villes, partout au Québec.

EMPLOYEURS

Il en existe quelques centaines, principalement dans le domaine public. Ce sont généralement de grands établissements.

SYNDICALISATION

Presque toutes les infirmières sont syndiquées et bénéficient de bonnes conventions collectives.

QUALITÉ DES EMPLOIS

On évalue à 30 % le nombre des emplois à temps partiel, ce qui est quand même élevé pour une profession qui affiche une pénurie de main-d'œuvre.

Il est rare de manquer de travail pour une infirmière. Par contre, les postes permanents sont difficiles à obtenir. Il y a beaucoup de contractants et beaucoup de sous-traitants (agences de placement) dans ce domaine.

Sur le plan des salaires et des avantages sociaux, les emplois sont de très bonne qualité. En revanche, au chapitre des horaires et des conditions de travail, c'est la catastrophe.

INSERTION PROFESSIONNELLE

Comme je l'ai mentionné plus haut, obtenir un poste permanent peut demander pas mal de temps et il faut compter encore plus de temps avant de pouvoir travailler à plein temps le jour. Les plus chanceuses y parviennent en cinq ans, alors que d'autres doivent attendre plus de 10 ans. Il faut parfois choisir entre un poste convoité ou un meilleur horaire. Pendant les premières années de la carrière, on peut être appelée à travailler dans plusieurs départements et en fonction d'horaires fragmentés comprenant des quarts de soir et de nuit.

Avenir de la profession

PÉRENNITÉ

Évidemment, dans le domaine de la santé, on ne peut pas comprimer des emplois par le recours à la technologie ou externaliser les services. L'avenir est plutôt à l'augmentation des effectifs à cause du vieillissement de la population. Étant donné le nombre annuel de diplômées dans le domaine, le marché demeurera vigoureux pendant plusieurs années. On ne forme pas assez d'infirmières pour combler les besoins, et les effectifs n'augmentent pas.

PERSPECTIVES D'EMPLOI

C'est le grand paradoxe. D'une part, le Québec accuse une pénurie chronique d'infirmières mais, d'autre part, on ne crée pas vraiment de postes. Les stratégies de ressources humaines cherchent à maintenir le plus grand nombre possible d'emplois à statut précaire afin de contenir les coûts de main-d'œuvre. Il en résulte beaucoup de frustration chez les infirmières et un climat qui frôle le chaos. La situation est d'autant plus paradoxale que les hôpitaux ont de plus en plus recours à des agences privées pour combler leurs besoins de main-d'œuvre, même si cela s'avère plus coûteux que d'embaucher du personnel.

Les perspectives d'avenir sont excellentes.

Influence sur le bonheur, la santé et la vie quotidienne

DEGRÉ D'AUTONOMIE

Les systèmes de travail sont assez précis, mais les infirmières ont tout de même de l'autonomie.

HORAIRES

Les horaires de travail sont souvent atypiques. Les deux problèmes les plus fréquents sont l'irrégularité des horaires, surtout si on n'a pas de poste permanent, et l'obligation de faire du temps supplémentaire. En raison de la désorganisation du système, il est fréquent que les infirmières aient à faire deux quarts de travail consécutifs, ce qui affecte leur santé et leur moral.

INDICE FAMILLE

La conciliation travail-famille est très difficile pour les infirmières. De plus en plus, celles qui ont des enfants choisissent de s'inscrire à des agences de placement pour bénéficier d'un horaire plus typique. Celles qui travaillent dans les hôpitaux doivent faire des prouesses et, surtout, compter sur un bon réseau d'aide pour réussir.

Comme l'attribution des vacances est aussi liée à l'ancienneté, il peut arriver à une infirmière que ses enfants aient atteint l'âge d'entrer à l'université avant qu'elle obtienne ses vacances en même temps qu'eux l'été, durant les Fêtes ou pendant la semaine de relâche.

DURÉE DES CARRIÈRES

Beaucoup d'infirmières sont insatisfaites et quittent la profession à cause des conditions de travail détestables. D'autres croulent sous la pression et les charges de travail. Il est rare que les infirmières abandonnent le métier parce qu'elles n'aiment pas ce qu'elles font. C'est un autre paradoxe : les infirmières adorent leur travail, mais elles sont nombreuses à le quitter parce qu'il est impraticable.

SENTIMENT D'UTILITÉ

Il est immense chez les infirmières. C'est un des attraits majeurs de la profession : on ne peut entretenir le moindre doute quant à l'importance de ce qu'on fait.

DEGRÉ D'HUMANISME

Évidemment, on est très près des gens et le travail est profondément humain. C'est le cœur de la profession et sa plus grande qualité. On a l'occasion d'avoir un véritable impact sur la vie des gens, de vraiment compter pour eux. Le travail est très valorisant sur ce plan.

PLAISIR INTRINSÈQUE

Bien sûr, le travail n'est pas toujours jojo. On est en contact avec la misère et la maladie. Malgré tout, il peut être étonnamment plaisant, stimulant et chargé d'émotions.

STIMULATION INTELLECTUELLE

Une autre qualité de la profession est qu'elle permet d'acquérir des compétences très spécialisées dans de très nombreux domaines. Dans certains champs de pratique, le travail est si qualifié qu'il faut parfois jusqu'à une dizaine d'années d'expérience avant d'y être pleinement fonctionnelle.

CRÉATIVITÉ

Le degré de créativité est moyen. Comme le travail porte sur des personnes, les problèmes qui surgissent sont infiniment variés, et il faut faire preuve de souplesse et d'imagination pour trouver des solutions. On travaille autant avec les émotions et les peurs des patients qu'avec leur corps. Chaque personne est différente et il faut savoir s'ajuster aux besoins de chacun.

INDICE BUREAUCRATIE

Il est trop élevé. Au cours des dernières années, les infirmières ont vu se multiplier les exigences bureaucratiques. La portion de leur journée de travail occupée à remplir de la paperasse est de plus en plus importante. Cette situation est extrêmement frustrante pour les infirmières parce qu'elle réduit le temps qu'elles peuvent consacrer aux patients.

SOLITAIRE / EN ÉQUIPE

La profession d'infirmière est certainement l'une des moins solitaires. On est entourée d'une immense équipe de travail et on est continuellement en contact avec les patients.

TRAVAILLER À SON COMPTE

Il est possible de travailler à son compte, mais très peu d'infirmières le font.

RÉUSSITE OU ÉCHEC

Il y a certainement des réussites dans le travail infirmier, qui nécessite tout de même une bonne tolérance à l'échec. Souvent, l'état des patients s'améliore, mais il peut aussi se détériorer. De plus, on côtoie régulièrement la mort, ce qui demande une adaptation.

RECONNAISSANCE SOCIALE

Le métier d'infirmière est très bien perçu, et il éveille de bons sentiments dans la population. C'est un statut dont on a raison d'être fière.

DEGRÉ DE POUVOIR

Dans un sens, les infirmières ont beaucoup de pouvoir dans le travail. Toutefois, elles se sentent souvent impuissantes par rapport à des enjeux sur lesquels elles n'ont aucun pouvoir.

MOBILITÉ ET AVANCEMENT

C'est sur ce point que la profession d'infirmière se distingue des autres métiers de la santé au niveau collégial et même de certaines professions du niveau universitaire. Les possibilités sont importantes, en ce qui concerne tant la mobilité que l'avancement. Comme les infirmières sont très nombreuses et qu'elles occupent une grande variété de postes, il est facile de changer d'emploi.

On peut en explorer plusieurs avant de déterminer à quel domaine on consacrera sa carrière. Chacune est ainsi en mesure de trouver un emploi qui correspond à ses goûts personnels.

Pour ce qui est de l'avancement, environ 10 % des infirmières occupent des postes de gestion et plusieurs d'entre elles accèdent à des emplois en enseignement ou en recherche. Celles qui ont du talent et de l'ambition peuvent trouver des défis à relever.

NIVEAU DE STRESS

Il varie entre élevé et intolérable. Normalement, les responsabilités et les charges de travail sont lourdes. Dans le contexte actuel, elles sont souvent démesurées.

DANGER ET POLLUTION

Les infirmières sont exposées à diverses infections. Elles peuvent aussi se blesser physiquement et psychologiquement en raison de l'intensité et des mauvaises conditions de leur travail. Une proportion impressionnante d'infirmières ont recours aux congés de maladie prolongés au cours de leur carrière.

EN VRAC

La liste des problèmes du système de santé est trop longue pour qu'on s'y attaque ici. En ce moment, ce sont les horaires et les surcharges de travail qui sont les pires pour les infirmières. Le stress et les heures supplémentaires représentent aussi des problèmes importants.

Évaluation globale

La profession d'infirmière présente plusieurs inconvénients majeurs liés à la conjoncture. Malgré tout, je pense que les qualités de la profession l'emportent largement sur les défauts. Parmi les grandes qualités :

- Le nombre important de membres de la profession
- Le salaire et les avantages sociaux
- Les possibilités de spécialisation et d'avancement
- L'importance des dimensions humaines et l'utilité manifeste du travail
- La reconnaissance et la valorisation
- Le travail d'équipe

J'accorde donc trois étoiles et demie à la profession, une évaluation que je serais heureux de hausser à quatre étoiles si la situation du système de santé pouvait s'améliorer un tant soit peu. ■

Hygiéniste dentaire

Les hygiénistes dentaires procèdent aux examens antérieurs à celui du dentiste et elles s'occupent de l'entretien de base des dents et de la bouche. Elles ont plusieurs autres fonctions, notamment l'assistance aux dentistes durant les interventions et la sensibilisation de la population à la santé buccale.

Coup d'œil

PROFESSION		PROFESSIONNELS / FINISSANTS	RATIO	SALAIRE ANNUEL MOYEN
Hygiéniste dentaire	★ ★ ★ ★ ★	4 500 / 250	1 / 20	36 000 $

Le ratio de 1 diplômée pour 20 professionnelles devrait normalement assurer un équilibre sur le marché et même un surplus de main-d'œuvre. Toutefois, pour une foule de raisons, entre autres un roulement de personnel élevé, le marché favorise plutôt les demandeuses d'emploi depuis quelques années, ce qui leur permet de négocier de bons salaires et de meilleures conditions de travail.

FORMATION

Une formation technique de trois ans permet d'accéder à cette profession.

DEGRÉ D'HOMOGÉNÉITÉ

La profession est très homogène.

Analyse du marché de l'emploi

HOMMES-FEMMES

C'est l'une des professions les plus féminines au Québec.

TAUX DE CHÔMAGE

Le taux de chômage est presque inexistant.

GÉOGRAPHIE

Les emplois d'hygiéniste sont bien répartis dans la province.

EMPLOYEURS

Surtout les cabinets de dentiste, où 90 % des emplois

d'hygiéniste sont concentrés. Contrairement aux autres professions médicales, les hygiénistes dentaires sont donc employées dans le secteur privé, ce qui fait que la proportion d'emplois syndiqués est peu élevée et que l'on observe d'importants écarts dans les salaires et les conditions de travail. Les meilleures et les plus expérimentées peuvent tout de même obtenir de très bons salaires. Comme la plupart des hygiénistes travaillent pour de petits employeurs, elles ont généralement de moins bons avantages sociaux que les autres techniciens de la santé.

SYNDICALISATION

L'absence de syndicat est un point faible de la profession. En plus d'entraîner les salaires et les conditions de travail à la baisse, cela place les hygiénistes dans un rapport de force défavorable vis-à-vis de leur employeur. Comme elles ne peuvent recourir à la médiation des syndicats, les hygiénistes doivent s'adapter aux exigences de leurs patrons dentistes.

QUALITÉ DES EMPLOIS

Il y a beaucoup d'emplois de qualité, à durée indéterminée. Celles qui travaillent à temps partiel le font généralement par choix.

INSERTION PROFESSIONNELLE

On trouve du travail rapidement après les études. Par contre, quelques années peuvent s'écouler avant qu'on ait accès à des tâches plus intéressantes comme l'assistance au dentiste durant les interventions.

Avenir de la profession

PÉRENNITÉ

C'est un autre domaine où les possibilités d'externalisation ou de compression par la technologie sont nulles. On a donc l'assurance de pouvoir faire une carrière aussi longue qu'on le désire.

PERSPECTIVES D'EMPLOI

Il s'agit d'un domaine de plein emploi où les salaires sont raisonnables.

Les perspectives d'avenir sont excellentes.

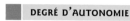
DEGRÉ D'AUTONOMIE

L'hygiéniste est au bas de l'échelle des professionnels dans le cabinet du dentiste. Elle doit respecter des normes et des systèmes de travail précis pour assurer la qualité des soins et voir un nombre déterminé de patients chaque jour afin de ne pas nuire à la rentabilité du cabinet. À l'intérieur de ces contraintes, toutefois, elle bénéficie d'une sphère d'autonomie raisonnable pour accomplir ses tâches.

Le travail de l'hygiéniste est étroitement lié à celui du dentiste qui l'emploie. Son degré d'autonomie et plusieurs autres éléments de son travail dépendent donc en grande partie de la personnalité du patron. Certains sont plus contrôlants, alors que d'autres font confiance à leurs employés et leur laissent plus de latitude.

HORAIRES

On travaille surtout de jour et en semaine, parfois quelques soirs et le week-end. On peut avoir à répondre à des urgences.

INDICE FAMILLE

Avec des horaires normaux, une insertion professionnelle facile et rapide, et des salaires raisonnables, la profession offre de bonnes conditions pour la conciliation travail-famille.

DURÉE DES CARRIÈRES

Malgré un bon marché de l'emploi et des conditions relativement avantageuses, le taux de roulement dans la profession est beaucoup plus élevé que dans les autres domaines de la santé. Plusieurs facteurs peuvent expliquer ce phénomène, notamment le peu de possibilités d'avancement, les salaires moins élevés que dans les autres professions de la santé et le fait que ce travail est dur physiquement.

À ces facteurs objectifs s'ajoutent deux raisons plus arbitraires, mais qui ont peut-être plus de poids. D'abord, le travail d'hygiéniste dentaire est routinier et peut devenir lassant. Ensuite, certaines hygiénistes ont choisi ce travail parce qu'il est sûr, et non parce qu'elles sont passionnées par la santé buccale.

SENTIMENT D'UTILITÉ

Objectivement, le travail de l'hygiéniste est important. Cependant, comme les résultats sont rarement spectaculaires, il est un peu ingrat. La plupart des gens sont plus satisfaits de sortir de chez le coiffeur que de chez le dentiste. De façon générale, le nettoyage est une activité qui ne dédommage pas de la peine qu'on s'est donnée.

Si près, si loin... Les hygiénistes sont très près des gens et la chaleur humaine est indispensable à leur travail. Toutefois, leurs patients ont la bouche grande ouverte, ce qui limite pas mal la conversation.

Notons que les hygiénistes jouent un rôle important pour rassurer enfants et adultes par rapport aux interventions du dentiste.

Le travail d'hygiéniste dentaire permet certainement de ressentir de la satisfaction. Les contacts avec le public et la sensibilisation à la santé buccale sont valorisants. Toutefois, le passage chez le dentiste est rarement un plaisir, et il semble que la passion pour le détartrage soit assez peu répandue.

La plupart du temps, le travail est relativement simple. Toutefois, il y a beaucoup de possibilités de raffiner ses méthodes et de développer ses connaissances. Celles qui assistent le dentiste font beaucoup plus appel à leurs qualifications. Alors que le nettoyage est plutôt routinier, les activités d'assistance sont plus stimulantes.

Elle est très limitée dans cette profession.

Une grande partie du travail est solitaire. On est en présence d'un patient, mais les interactions sont limitées. On travaille parfois en équipe de deux ou trois personnes lors des interventions. Par contre, les nettoyages se déroulent seules avec le client.

Les hygiénistes dentaires font présentement des démarches auprès du gouvernement et de l'Office des professions du Québec pour s'affranchir de la tutelle obligatoire des dentistes. Si elles obtiennent gain de cause, ce qui semble probable, elles pourront désormais travailler à leur compte. De ce changement dans le statut de la profession pourraient découler de nombreux avantages tant sur la rémunération que sur les possibilités de varier les tâches. Les hygiénistes pourraient ainsi faire des visites à domicile ou dans les centres de santé. De plus, le fait d'être à leur compte améliorerait leur autonomie et leur permettrait aussi de s'adonner à des tâches administratives. Bref, ce changement pourrait avoir un impact positif majeur sur la profession. À surveiller.

RÉUSSITE OU ÉCHEC

Ce métier se déroule dans la réussite, même si on peut ressentir l'échec par rapport à certains objectifs de gestion fixés par l'employeur. De rares accidents peuvent se produire. On peut rater une procédure ou involontairement susciter de la douleur chez le patient.

RECONNAISSANCE SOCIALE

C'est un métier qui a un bon statut, mais qui est peu prestigieux. La reconnaissance sociale est sans doute en deçà de ce qu'elle pourrait être.

DEGRÉ DE POUVOIR

Il s'agit d'un métier où le pouvoir est mince. On remporte des combats contre la carie!

MOBILITÉ ET AVANCEMENT

Les possibilités de mobilité et d'avancement sont très minces. On peut changer d'emploi, si on est insatisfaite, mais on risque fort de se retrouver à accomplir des tâches très semblables chez le nouvel employeur. L'une des rares possibilités de changement est de se spécialiser dans l'assistance au dentiste ou de trouver du travail de représentation. Pour la vaste majorité des travailleuses, l'évolution dans la carrière est

limitée, ce qui entraîne une partie d'entre elles vers d'autres professions.

NIVEAU DE STRESS

Mis à part un rythme à tenir qui est généralement raisonnable, le travail n'est pas très stressant et les responsabilités ne sont pas très grandes. L'absence de stimulation est une menace plus sérieuse que la surstimulation.

Parmi toutes les professions médicales, il s'agit probablement de la moins stressante. C'est sans aucun doute dû au fait que les hygiénistes ne font pas partie du réseau de la santé et ne sont donc pas exposées au climat délétère qui y règne.

DANGER ET POLLUTION

Mine de rien, le travail d'hygiéniste dentaire est dur physiquement. On doit travailler de longues heures dans des positions inconfortables, et il n'est pas rare qu'une partie ou une autre du corps en subisse les effets. Les blessures sont fréquentes.

EN VRAC

La plupart des problèmes ont été évoqués plus haut: taux de roulement élevé, salaires moins bons que dans les domaines comparables, manque d'intérêt, etc.

Il faut ajouter les enjeux liés aux impératifs commerciaux

présents dans le monde de la santé buccale. La concurrence est très vive dans ce domaine, et l'atmosphère de travail dans les cabinets peut s'en ressentir.

Par ailleurs, des problèmes peuvent aussi se poser dans les relations avec les dentistes employeurs. Il peut y avoir incompatibilité de caractère. Certains dentistes ont peu d'habiletés à créer une atmosphère de travail saine.

Professions semblables

Denturologiste
Les denturologistes fabriquent des prothèses dentaires comme des partiels ou des dentiers.

Technicien dentaire et auxiliaire de laboratoire
Les techniciens dentaires fabriquent toutes sortes de prothèses et d'appareils dentaires, comme des plaquettes et des couronnes.

Évaluation globale

D'un côté, la profession d'hygiéniste dentaire recèle des qualités indéniables. On y rend d'importants services à la population. L'emploi est abondant et de bonne qualité. Les horaires sont typiques et on travaille généralement dans de bonnes conditions.

Par contre, les défauts de la profession sont assez importants et font qu'il vaut mieux réfléchir sérieusement avant de la choisir. Le taux de roulement est particulièrement troublant, les possibilités de mobilité et d'avancement sont très limitées et, comme le travail est assez routinier, on peut se sentir démotivée au bout de quelques années.

Somme toute, la profession peut représenter un bon choix pour celles qui ont un intérêt véritable pour ce domaine et qui se sentent capables de composer avec ses moins bons aspects. Mon évaluation finale est donc de deux étoiles et demie. ∎

Les professions techniques de la santé

Les techniques médicales se divisent en quatre groupes principaux. Les techniciennes de laboratoire médical procèdent aux innombrables analyses nécessaires dans le contexte hospitalier, et elles en transmettent les résultats aux médecins.

Les inhalothérapeutes et les perfusionnistes travaillent auprès des patients qui ont des problèmes respiratoires et cardiaques, et elles jouent un rôle de soutien dans les salles d'opération. Elles utilisent différents instruments qui assurent la circulation de l'oxygène et du sang. Elles sont souvent au cœur de l'action aux urgences ou dans les salles d'opération.

Les techniciennes en radiologie ont plusieurs spécialités liées à la prise d'images médicales ou à l'emploi d'appareils radiologiques. Les principaux domaines de travail sont le secteur radiologique, où on fait les radiographies, les examens de tomodensitométrie et les IRM ; la radio-oncologie, pour les traitements radiologiques du cancer ; la médecine nucléaire, pour les examens réalisés à l'aide de produits radioactifs et enfin, l'électrophysiologie, pour certains tests neurologiques. Chacune de ces spécialités a des caractéristiques qui méritent d'être explorées avant de faire un choix.

Les deux dernières spécialités techniques en santé sont la physiothérapie et la nutrition. Les techniciennes en réadaptation s'occupent d'appliquer les programmes de réadaptation prescrits par les médecins et les physiothérapeutes, alors que les techniciennes en nutrition sont employées dans les services alimentaires pour la planification et la préparation des diètes des patients.

Coup d'œil

PROFESSION	PROFESSIONNELS / FINISSANTS	RATIO	SALAIRE ANNUEL MOYEN
Technicienne de laboratoire médical ★ ★ ★ ★ ★	6 000 / 230	1 / 26	41 000 $
Inhalothérapeute, perfusionniste ★ ★ ★ ★ ★	3 000 / 196	1 / 30	47 000 $

Technicienne en radiologie ★ ★ ★ ★ ★	5 100 / 325	1 / 15	49 000 $
Technicienne en réadaptation, technicienne en nutrition ★ ★ ★ ★ ★	2 000 / 350	1 / 6	39 000 $

FORMATION

La formation technique collégiale de trois ans permet d'accéder à ces professions. La formation de perfusionniste est un peu plus longue. Après avoir suivi la formation technique en inhalothérapie, il faut ajouter l'équivalent d'un an d'études universitaires. Il est important de savoir que, malgré leur formation, les bacheliers en biologie médicale n'ont pas accès aux emplois de techniciens de laboratoire médical. Ces emplois sont strictement réservés aux membres de l'ordre professionnel des techniciens, qui doivent avoir suivi la formation technique du collégial.

DEGRÉ D'HOMOGÉNÉITÉ

Ces professions sont homogènes.

Analyse du marché de l'emploi

HOMMES-FEMMES

Entre 80 et 90 % des techniciens en santé sont des femmes. (C'est d'ailleurs ce qui explique l'utilisation du féminin dans le présent chapitre.)

TAUX DE CHÔMAGE

Le taux de chômage est à peu près nul pour les techniciennes du domaine de la santé, à l'exception des techniciennes en réadaptation physique et en nutrition, pour qui le travail est moins abondant.

GÉOGRAPHIE

Les emplois sont concentrés là où il y a des hôpitaux.

EMPLOYEURS

Il n'y a pratiquement qu'un seul employeur, le réseau de la santé et des services sociaux, c'est-à-dire les hôpitaux, CLSC et autres établissements de soins.

Le secteur privé fait une incursion dans le domaine de la santé, et les cliniques de radiologie indépendantes sont de plus en plus nombreuses, ce qui diversifie légèrement la demande.

Pratiquement tous les emplois du secteur sont syndiqués.

QUALITÉ DES EMPLOIS

Il y a très peu d'emplois précaires dans ces domaines. Entre 20 et 25 % de ces professionnels travaillent à temps partiel. Les emplois atypiques sont rares et la folie des agences de placement n'a pas encore atteint ce secteur.

INSERTION PROFESSIONNELLE

L'insertion professionnelle est rapide pour les inhalothérapeutes, les perfusionnistes et les techniciennes en laboratoire. Les carrières commencent vite et bien. De plus, on accède assez tôt – dès le début de la carrière dans certaines régions – à des postes permanents.

Les ratios diplômés-professionnels sont inquiétants en radiologie, en réadaptation physique et en nutrition. On peut supposer que l'insertion professionnelle va se compliquer bientôt pour les diplômées de ces domaines. Les diplômées en réadaptation physique et en nutrition ont déjà de la difficulté à trouver du travail à plein temps dans leur domaine.

Avenir de la profession

PÉRENNITÉ

Ces professionnels ne sont menacés ni par l'externalisation, ni par les compressions dues à la technologie. Au contraire, les progrès de la science font croître la demande de techniciennes en santé.

L'inhalothérapie et la radiologie évoluent rapidement. Il est peu probable que la demande de main-d'œuvre diminue dans ces secteurs. Elle est plutôt susceptible d'augmenter dans les prochaines décennies et, selon toute vraisemblance, les tâches exigeront plus de spécialisation. Ce sont des secteurs où l'apparition continuelle de nouvelles technologies influe sur le travail. La production de nouveaux appareils pourrait créer des emplois dont nous ne soupçonnons pas encore l'existence.

PERSPECTIVES D'EMPLOI

Pour les techniciennes de laboratoire, les inhalothérapeutes et les perfusionnistes, le travail est abondant, les salaires sont raisonnables et les conditions de travail sont généralement avantageuses. On s'insère rapidement dans la profession et presque tous les emplois sont syndiqués et bien protégés.

Du côté des techniciennes en radiologie, en réadaptation et en nutrition, l'avenir est moins radieux. En radiologie, le travail commence à manquer et dans les deux autres professions, l'offre dépasse largement la demande.

Les quelques brèches ouvertes par le privé n'ont pas encore eu d'incidence sur le portrait d'ensemble de ces professions, mais cela pourrait se produire un jour.

Les perspectives d'avenir sont excellentes pour les techniciennes de laboratoire, les inhalothérapeutes et les perfusionnistes. Elles sont passables pour les techniciennes en radiologie, en réadaptation et en nutrition.

Influence sur le bonheur, la santé et la vie quotidienne

DEGRÉ D'AUTONOMIE

Le travail s'effectue dans des établissements de grande taille et dans un environnement très structuré. Il faut se conformer aux systèmes en vigueur. Toutefois, on bénéficie d'une bonne marge de manœuvre dans l'exécution de ses tâches.

La variété des situations et la complexité du contexte hospitalier rendent la rationalisation du travail difficile pour les gestionnaires. On a assisté à quelques tentatives dans les dernières années, mais le phénomène demeure marginal.

Les techniques de laboratoire offrent les possibilités de standardisation du travail les plus importantes. À une certaine époque, les gestionnaires ont caressé l'idée de créer des centres industriels d'analyse biologique, ce qui aurait rendu caduc le travail des techniciennes de laboratoire. Ces tentatives ont échoué. La rigidité des structures de tels centres s'est révélée incompatible avec la complexité du système hospitalier.

HORAIRES

C'est peut-être un des grands atouts de ces professions par rapport à celle d'infirmière, bien qu'il y ait des services à assurer la nuit ou le week-end, la majeure partie du travail se fait le jour.

INDICE FAMILLE

La conciliation travail-famille est sans doute plus facile pour les techniciennes que pour les infirmières en raison des horaires de travail fixes et des dispositions des conventions collectives. Enfin, l'insertion rapide dans la profession offre la possibilité de fonder une famille relativement tôt par rapport aux normes actuelles.

DURÉE DES CARRIÈRES

Ces professions sont stables, beaucoup de techniciennes de la santé font une longue carrière.

SENTIMENT D'UTILITÉ

Les tâches sont claires et précises, et leur utilité évidente. Elles sont directement liées au mieux-être des patients.

DEGRÉ D'HUMANISME

L'équilibre entre un emploi à caractère technique et un travail où les relations humaines sont centrales est intéressant dans les professions de technique médicale. On est directement en relation avec les patients, mais les interactions avec eux sont filtrées par la dimension technique du travail qui préserve la distance, ce qui constitue un facteur de protection. Le risque d'être blessé psychologiquement est donc moins grand. Néanmoins, on travaille assez près des gens pour avoir la chance de leur apporter de la chaleur et du réconfort, et avoir le sentiment d'améliorer réellement leur expérience des soins de santé.

PLAISIR INTRINSÈQUE

La bonne nouvelle, c'est qu'on ne voit pas le temps passer. La mauvaise, c'est qu'on évolue dans un domaine où règne la maladie, ce qui n'est pas toujours gai. À l'instar des infirmières, on peut connaître une joie profonde à aider les gens.

Les techniciennes médicales, comme les infirmières, se plaignent du contexte dans lequel elles travaillent, jamais de leur travail comme tel.

STIMULATION INTELLECTUELLE

Dans ce domaine, les inhalothérapeutes et les perfusionnistes ont sans doute les emplois les plus complexes, ceux qui comportent le plus de défis.

Dans les autres professions, les possibilités d'apprendre sont plus limitées. Certains emplois peuvent même être un peu routiniers et manquer de défis, en particulier en nutrition et en réadaptation.

CRÉATIVITÉ

Le niveau de créativité va de faible à moyen. Les techniciennes en radiologie sont sans doute celles qui doivent être les plus imaginatives. Elles doivent trouver des solutions pour obtenir les images dont elles ont besoin avec des patients qui sont parfois fort mal en point.

INDICE BUREAUCRATIE

La bureaucratie est généralement peu envahissante. Les techniciennes en radiologie ont un peu plus de paperasse à remplir.

SOLITAIRE / EN ÉQUIPE

Les emplois dans ce secteur sont un peu plus solitaires que les emplois d'infirmière. Certains emplois en réadaptation physique peuvent être très solitaires. Par contre, les inhalothérapeutes et les perfusionnistes travaillent beaucoup en équipe.

TRAVAILLER À SON COMPTE

Il est impossible de travailler à son compte dans ces professions.

RÉUSSITE OU ÉCHEC

Toutes les professionnelles de ce secteur travaillent dans la réussite, sauf peut-être les techniciennes en réadaptation. Ces dernières connaissent les montagnes russes : parfois, les progrès sont très satisfaisants, parfois ils ne le sont pas du tout.

RECONNAISSANCE SOCIALE

Toutes ces professions sont très bien vues, particulièrement celles d'inhalothérapeute, de technicien en radiologie spécialisé et de perfusionniste dont le travail a souvent un côté plus spectaculaire. Le récit d'un cas vécu aux urgences ou d'une opération à cœur ouvert est toujours impres-

sionnant. Les hauts faits d'armes sont plus rares en nutrition.

DEGRÉ DE POUVOIR

Le travail se déroule dans de grands établissements, ce qui peut donner l'impression de ne pas vraiment compter. Malgré tout, dans le cadre quotidien du travail, on a sa part de pouvoir.

MOBILITÉ ET AVANCEMENT

Voilà peut-être le défaut principal des techniques médicales par rapport à la profession d'infirmière. Alors que cette dernière offre de nombreuses possibilités en ce qui a trait à la mobilité et à l'avancement, les techniques médicales sont beaucoup plus limitées. Le nombre de postes différents disponibles dans chaque spécialité est restreint, ce qui fait que, si on a envie de changement, c'est beaucoup plus difficile.

Ces professions n'offrent pas autant de postes de supervision que celle d'infirmière, ce qui limite les occasions d'avancement. Sauf exception, la possibilité de suivre une formation universitaire est aussi moins grande. Toutefois, en enseignement, les ouvertures sont équivalentes.

NIVEAU DE STRESS

Les charges de travail sont rarement disproportionnées, mais elles sont importantes. Tout le monde sait que le système de santé est surchargé. Cela fait en sorte que les techniciennes médicales sont sollicitées de toute part pour accorder la priorité à certains cas plutôt qu'à d'autres.

Puisqu'on est dans le domaine de la santé, on doit bien entendu exécuter son travail avec rigueur. Cela peut être difficile dans un contexte où il y a toujours plus de demandes qu'il est possible d'en traiter. Il faut prendre son temps même si tout presse. C'est un domaine où il est absolument impossible de bâcler le travail.

Les inhalothérapeutes et les perfusionnistes, qui ont plus de responsabilités, subissent un niveau de stress plus élevé que les autres techniciennes en santé, particulièrement aux urgences et en salle d'opération, où la rapidité d'action est déterminante. Pour ces métiers, la tolérance à la pression est indispensable.

DANGER ET POLLUTION

Radiation, contamination, coupures, piqûres, agressions, blessures : les sources de danger sont nombreuses dans un hôpital. Toutefois, contrairement aux métiers de la construction où les hommes multiplient les imprudences, le climat de travail est beaucoup plus à la prudence et à la sécurité chez les travailleuses de la santé. On respecte généralement bien les protocoles de travail qui assurent la sécurité des professionnelles. Malgré tout, des accidents se produisent.

EN VRAC

Est-il utile de répéter que notre système de santé est en crise, que la population est vieillissante et que cela entraîne une foule de problèmes plus ou moins visibles dans le travail de milliers de professionnels du secteur ? Tout comme les infirmières, les techniciennes en santé sont exposées au surmenage.

Du côté des qualités, si on s'intéresse aux sciences et à la santé, il y en a pour tous les goûts dans les techniques médicales. Certains emplois sont plus exigeants et plus stimulants, alors que d'autres sont plus calmes et plus routiniers. Dans tous les cas, les conditions de travail sont bonnes et on a la certitude de faire œuvre utile.

Professions semblables

Technicien en santé animale

Beaucoup de jeunes se dirigent vers ce domaine naïvement et en étant mal informés. La profession n'est pas à la hauteur de ce à quoi on est en droit de s'attendre après des études collégiales. Le salaire moyen, par exemple, se compare plutôt à celui des travailleurs non qualifiés qu'à celui des autres techniciens. Je ne mentionne cette profession que pour pouvoir préciser que je ne la recommande pas.

Technicien en archives médicales
C'est une carrière très attrayante pour ceux qui aiment à la fois le travail de bureau et la santé.

Évaluation globale

Aux professions de technicienne en radiologie, technicienne de laboratoire, inhalothérapeute et perfusionniste, j'accorde la note globale de trois étoiles et demie. C'est une évaluation équivalente à celle des infirmières, mais pas exactement pour les mêmes raisons. Les carrières sont plus stables et l'accès aux postes est un peu plus facile. Par contre, les possibilités de mobilité professionnelle et d'avancement ainsi que le degré d'humanisme sont moins importants.

Les professions de technicienne en réadaptation et en nutrition méritent deux étoiles et demie parce qu'il est plus difficile de trouver du travail dans ces deux domaines, et que les emplois sont parfois décevants à cause du manque de défis ou du côté routinier des tâches. On peut se diriger dans les autres techniques de la santé en toute sécurité, mais il faut faire preuve de prudence avant d'arrêter son choix sur ces deux professions. ■

Les uniformes Policier / Pompier / Ambulancier

Ces professions archiconnues n'ont pas vraiment besoin de présentation. Nous savons tous que les policiers veillent à la sécurité publique, que les pompiers préviennent et combattent les incendies et que les ambulanciers sont chargés du transport médical. Les trois professions jouissent d'une aura particulière, car elles permettent de côtoyer le danger et la mort. On peut y jouer les héros, on peut même y mourir en héros.

Coup d'œil

PROFESSION		PROFESSIONNELS / FINISSANTS	RATIO	SALAIRE ANNUEL MOYEN
Policier	★ ★ ★ ★ ★	16 000 / 648	25	69 000 $
Pompier	★ ★ ★ ★ ★	4 500 / s.o.		66 000 $
Ambulancier	★ ★ ★ ★ ★	4 500 / s.o.		46 000 $

Il faut souligner que la rémunération des policiers et des pompiers est absolument remarquable et exceptionnelle. Les avantages pécuniaires dont bénéficient ces travailleurs sont ahurissants. Leur salaire est supérieur de 20 000 ou 30 000 $ à celui des autres diplômés techniques et dépasse même celui de la majorité des professions universitaires. Évidemment, la gamme des avantages sociaux est aussi favorable. Mais ce n'est pas tout : non seulement ces travailleurs atteignent très rapidement le haut de leur échelle salariale, mais ils ont également la possibilité de prendre leur retraite très tôt, parfois avant l'âge de 50 ans. Ils sont d'ailleurs nombreux à faire une seconde carrière tout en encaissant leur pleine retraite ! Par ailleurs, le salaire des ambulanciers est moins bon qu'il n'y paraît, car pour arriver à cette moyenne respectable, ils travaillent environ 46 heures par semaine, soit 10 heures de plus que les policiers et les pompiers.

Pour devenir policier, il faut suivre le programme de techniques policières du cégep, qui dure trois ans, et une formation spécialisée d'un an à l'Institut national de la police de Nicolet. Le programme est contingenté.

La formation des ambulanciers et des pompiers est un peu moins bien définie. Il existe différents programmes qui mènent à l'attestation d'études collégiales et qui durent un an ou deux ans. Ces programmes sont aussi très contingentés. Si la tendance se maintient, on mettra sur pied dans les prochaines années des programmes de formation technique de trois ans, ce qui permettra d'uniformiser l'accès à ces deux professions.

Dans tous ces programmes de formation, les candidats à l'admission doivent réussir des tests physiques exigeants et se soumettre à des examens médicaux.

DEGRÉ D'HOMOGÉNÉITÉ

Ces professions sont très homogènes.

Analyse du marché de l'emploi

HOMMES-FEMMES

Chez les ambulanciers, on compte 77 % d'hommes et 23 % de femmes. Chez les pompiers, il y a 96 % hommes et seulement 4 % de femmes, car ces dernières réussissent rarement les tests physiques d'entrée dans la profession, qui sont très exigeants. Chez les policiers, on dénombre présentement 78 % d'hommes et 22 % de femmes. La proportion de femmes augmentera rapidement au cours des prochaines années parce qu'elles sont de plus en plus nombreuses à suivre la formation.

TAUX DE CHÔMAGE

Le marché du travail pour les policiers et les ambulanciers est très bon. La demande excède l'offre. Les pompiers font face à un marché plus difficile. Chaque année, de nombreux candidats ne réussissent pas à trouver un emploi.

GÉOGRAPHIE

Les emplois sont concentrés en milieu urbain, particulièrement pour les pompiers, qui ne sont employés que par des municipalités d'une certaine envergure.

Les policiers qui sont à l'emploi de la Sûreté du Québec (SQ) ou de la Gendarmerie royale du Canada (GRC) peuvent être affectés un peu partout sur le territoire.

EMPLOYEURS

Les employeurs sont peu nombreux. Ceux qui ne se placent pas auprès des services de police ou d'incendie doivent se rabattre vers d'autres types d'emploi dans le secteur privé. Pour plusieurs, les entreprises de sécurité représentent un débouché, même si ce n'est pas leur premier choix.

SYNDICALISATION

Tous les emplois dans ces trois professions sont syndiqués.

Les syndicats policiers sont particulièrement puissants.

QUALITÉ DES EMPLOIS

Les emplois sont à plein temps et à durée indéterminée. Les ambulanciers peuvent faire face à plus de précarité et doivent parfois accepter du travail à temps partiel en début de carrière.

INSERTION PROFESSIONNELLE

L'insertion professionnelle est courte dans ces professions. Les policiers et les pompiers bénéficient d'un avantage qui n'est pas banal : ils atteignent le sommet de leur échelle salariale en trois ans à cinq ans !

Avenir de la profession

PÉRENNITÉ

Ce sont tous des emplois impossibles à transférer et à comprimer. Les avancées technologiques ne pourront que rendre le travail plus efficace dans ces domaines, sans jamais mettre d'emplois en danger.

PERSPECTIVES D'EMPLOI

La situation de l'emploi est favorable, particulièrement pour les policiers. Pour les ambulanciers et les pompiers, il y a un peu d'ombre au tableau.

Les perspectives d'avenir sont excellentes pour les policiers et les ambulanciers. Elles sont bonnes pour les pompiers.

DEGRÉ D'AUTONOMIE

La nature du travail dans ces domaines fait que l'accent est plutôt mis sur le respect de la hiérarchie que sur l'autonomie. Dans l'action, toutefois, il faut faire preuve d'autonomie.

HORAIRES

Ce sont des professions où l'on travaille autant la nuit et le week-end que le jour. Les horaires sont donc difficiles et variables. Ce sont les ambulanciers qui ont les pires parce qu'ils travaillent chaque semaine en moyenne 10 heures de plus que les autres.

INDICE FAMILLE

Il varie de difficile à quasi impossible. Les défis posés aux policiers et aux pompiers sont importants, mais solubles. Par contre, la conciliation travail-famille pour les ambulanciers s'apparente à un sport extrême. Disons qu'il faut compter sur un conjoint ou un réseau de soutien compréhensif. Les policiers de la SQ ou de la GRC peuvent être mutés dans une autre ville ou une autre région, ce qui peut compliquer la vie familiale.

DURÉE DES CARRIÈRES

Les carrières dans la police et les services d'incendie sont longues et stables. En fait, elles sont moins longues que d'autres, mais parce que la retraite arrive très vite et non parce que les travailleurs se réorientent.

Le roulement chez les ambulanciers est, au contraire, très important. Ceux qui font toute leur carrière dans cette profession sont plutôt l'exception. De plus, l'absence de possibilité d'avancement oblige ceux qui ont besoin de changement à se réorienter.

DÉPLACEMENTS

Les déplacements sont rares pour les policiers et les pompiers, sauf dans le cadre de missions particulières. Pour les policiers de la SQ et de la GRC, la question des déplacements est différente. Le territoire couvert par ces organisations est immense et il arrive que les policiers soient obligés de déménager pour des raisons d'affectation. Cela peut poser des problèmes graves pour la vie familiale, particulièrement si le conjoint a aussi une carrière.

Les ambulanciers peuvent être obligés de se déplacer eux aussi. Une partie du transport médical est interurbaine.

SENTIMENT D'UTILITÉ

Les policiers et les pompiers n'ont aucun doute sur leur

importance sociale et l'utilité de leur travail. Le sentiment d'utilité des ambulanciers est beaucoup plus ambigu. D'un côté, leur rôle est crucial parce qu'ils sont appelés à répondre à des urgences, de l'autre, leurs qualifications, leurs moyens d'intervention et, surtout, le fait qu'ils n'ont pas le droit de poser certains gestes médicaux plombe sérieusement leur sentiment d'utilité.

DEGRÉ D'HUMANISME

Les relations humaines ont une place limitée dans le travail des ambulanciers. Les pompiers sont plus près des gens dans le cadre de leurs activités de prévention, mais, en règle générale, ils ont peu de contacts avec le public. Les policiers travaillent très près des gens, et on accorde de plus en plus d'importance à cette dimension de leur travail. Le policier de l'avenir devra posséder de très bonnes habiletés sociales.

PLAISIR INTRINSÈQUE

Ces trois professions renferment une dimension excitante, héroïque et romantique. Elles comportent beaucoup de plaisir. On travaille dans des contextes qui sont souvent très stimulants. On connaît des poussées d'adrénaline.

Par contre, les désagréments sont aussi nombreux. Certaines dimensions du travail des policiers sont routinières et ennuyantes,

et les exposent à la réprobation du public. D'autres interventions se déroulent dans des situations difficiles et violentes.

De leur côté, les pompiers passent beaucoup de temps confinés à leur caserne. Une grande partie de leur travail consiste à attendre et il n'est pas toujours facile de meubler correctement tout ce temps.

Les ambulanciers sont probablement ceux qui font face au plus grand nombre de difficultés qui vont de l'ennui de l'attente à la routine de certaines tâches, en passant par certaines situations très pénibles lorsqu'ils sont appelés sur les lieux d'accidents graves.

STIMULATION INTELLECTUELLE

Le travail des pompiers et des ambulanciers est relativement simple et peu qualifié, mais la formation continue et les compétences avancées prendront plus de place à l'avenir. Les policiers sont déjà à l'ère de la complexité, et ils sont de plus en plus nombreux à poursuivre des études universitaires pour parfaire leur formation. Les plus talentueux ont toutes les occasions de se perfectionner.

CRÉATIVITÉ

Il ne s'agit généralement pas de professions où la créativité est souvent sollicitée.

Les policiers sont de plus en plus envahis par la paperasse. L'implantation de systèmes informatiques est difficile dans le domaine, ce qui les oblige à travailler avec les bonnes vieilles méthodes traditionnelles. La copie carbone est encore de mise chez eux !

SOLITAIRE / EN ÉQUIPE

Les pompiers sont clairement une espèce grégaire. La vie à la caserne est fondée sur le groupe et sa cohésion est vitale en cas d'intervention. En contrepartie, il s'agit d'un milieu très réfractaire à toute forme de marginalité : les femmes, les homosexuels et les immigrants auront énormément de difficulté à se faire une place dans cette profession.

Les ambulanciers vivent en quelque sorte dans la solitude du couple, puisqu'ils doivent patienter de très longues heures avec leur coéquipier dans leur véhicule. En fait, plusieurs d'entre eux passent plus de temps avec ce collègue de travail qu'avec leur conjoint.

Le travail d'équipe n'est pas négligeable chez les policiers, même si, depuis quelques années, certains patrouillent seuls. Lors des interventions importantes, ils sont toujours au moins deux.

TRAVAILLER À SON COMPTE

Quelques policiers à la retraite se recyclent en détectives privés, mais ils sont plus nombreux au cinéma que dans la réalité.

RÉUSSITE OU ÉCHEC

Les travailleurs de ces trois métiers connaissent parfois des échecs retentissants même si, dans le cas des pompiers, c'est plus rare.

Les ambulanciers vivent quotidiennement des situations difficiles où ils se sentent impuissants, dans les cas d'accident de la route, par exemple. Leur droit d'intervention est très limité, ce qui peut leur donner l'impression d'échouer. Pour eux, le temps est souvent un élément crucial. Ils arrivent parfois trop tard, soit sur le lieu d'intervention, soit à l'hôpital.

Des trois groupes, ce sont sans doute les policiers qui doivent le plus souvent essuyer des échecs. Les circonstances de leur travail, leur fréquentation assidue de ce que la société a de moins bon à offrir et les limites nombreuses que la loi leur impose les placent continuellement dans des situations où ils se sentent impuissants. C'est un travail qui requiert beaucoup de patience et d'humilité, et une grande tolérance à l'échec.

RECONNAISSANCE SOCIALE

Les pompiers sont très bien reconnus socialement. Ils sont de doux héros des temps modernes. Pour les ambulanciers, la reconnaissance est moins grande. Leur travail est plus discret et moins valorisé.

Les policiers, quant à eux, sont à la fois admirés et détestés. Leur présence dans les médias et à la télé leur donne beaucoup de visibilité et plusieurs idéalisent leur profession. En même temps, comme ils jouent un rôle d'autorité dans la société, ils s'attirent également plus que leur part de quolibets, de critiques, voire de hargne et de mépris.

DEGRÉ DE POUVOIR

Les policiers et les pompiers ont un pouvoir très acceptable sur leur situation et dans leur travail.

Les ambulanciers ont peu de pouvoir dans leur profession. Les actes médicaux qu'ils ont le droit de poser sont peu nombreux. Ils doivent fréquemment se contenter d'assurer le transport de leur patient sans pouvoir intervenir sur le plan médical.

MOBILITÉ ET AVANCEMENT

Dans les trois professions, la mobilité professionnelle est limitée. Les employeurs sont peu nombreux et les postes, peu variés. Ce sont les policiers qui ont le plus de possibilités de mobilité.

L'avancement est pratiquement impossible pour les ambulanciers. Les pompiers, quant à eux, ont accès à des postes de cadre. Ici encore, ce sont les policiers qui disposent du plus d'options. La hiérarchie policière comporte de très nombreux échelons que les plus ambitieux tenteront de gravir un à un. Les policiers ont aussi la possibilité de devenir enquêteurs.

NIVEAU DE STRESS

La charge de travail des pompiers est faible, mais le stress qu'ils connaissent en situation d'action est énorme.

Les policiers et les ambulanciers ont beaucoup de travail, de grandes responsabilités, et leur niveau de stress est élevé. Dans ces deux professions les problèmes liés à la gestion du stress sont très fréquents : consommation d'alcool et de drogue, troubles psychologiques.

DANGER ET POLLUTION

Ces trois professions comportent leur part de danger. Toutefois, au total, le stress quotidien et les situations de travail difficiles causent probablement plus de dommages que les interventions d'urgence et les événements dramatiques. Étonnamment, les risques réels de blessure ou de mort sont plus élevés dans certains métiers manuels que dans ces trois professions. Autrement dit, il est statistiquement plus dangereux d'être pêcheur ou agriculteur que policier.

Un esprit de corps très important règne chez les pompiers et les policiers, ce qui peut être très agréable lorsque tout va bien. Cependant, il n'est pas rare que ceux qui occupent ces professions se montrent très intolérants par rapport à la différence. Celui qui a le malheur de se marginaliser peut voir son travail se transformer en cauchemar. Ce sont des milieux très conformistes.

Du côté des qualités : adrénaline ! Ces trois professions ont en commun d'offrir des sensations fortes.

Professions semblables

Militaire, gardien de prison, gardien de sécurité, garde-côte
Ces professions offrent des options intéressantes pour ceux qui rêvent de porter l'uniforme. Il faut toutefois faire une mise en garde sur la profession militaire, qui comporte des contraintes qui doivent être soigneusement évaluées avant de s'engager. C'est un choix qui peut s'avérer tragique. Une proportion non négligeable de militaires regrettent de s'être engagés parce qu'ils gardent d'importantes séquelles physiques ou psychologiques des missions qu'ils ont accomplies. De plus, la conciliation travail-famille est particulièrement pénible pour eux.

Évaluation globale

Les professions en uniforme exercent un grand pouvoir d'attraction sur les jeunes. Ce sont des métiers excitants où on a la possibilité de se transformer en héros. Toutefois, ces professions présentent aussi des inconvénients dont il faut tenir compte. Elles ne se valent pas toutes non plus. La profession d'ambulancier est la moins attrayante des trois. Les conditions de travail sont peu avantageuses, le salaire moins bon, et les tâches parfois routinières. Je lui attribue une note de deux étoiles et demie. Les pompiers ont de meilleures conditions de travail, plus de prestige et un rôle plus valorisant.

▶

En contrepartie, leur travail comporte d'immenses plages d'attente. De plus, les emplois sont très rares, ce qui me fait évaluer la profession à trois étoiles et demie. Enfin, la profession de policier est celle des trois qui offre le plus de variété et les meilleures chances de progresser, deux avantages importants. C'est pour cette raison qu'elle récolte la note la plus élevée des uniformes : quatre étoiles. ■

Éducatrice en service de garde

La majorité des éducatrices travaillent dans des garderies auprès d'enfants d'âge préscolaire. Le travail consiste à encadrer et à éduquer un groupe de six à huit enfants de la même tranche d'âge.

Coup d'œil

PROFESSION	PROFESSIONNELS/ FINISSANTS	RATIO	SALAIRE ANNUEL MOYEN
Éducatrice en service de garde, tous les milieux ★ ★ ★ ★ ★	61 000 / 850	1 / 70	23 000 $
Éducatrice en service de garde, milieu syndiqué ★ ★ ★ ★ ★			

On compte 61 000 éducatrices à la petite enfance diplômées et non diplômées au Québec. Leur salaire moyen est de 23 000 $. On diplôme 850 personnes par année dans le domaine. Environ 23 % des éducatrices travaillent à la maison de manière autonome (garderie en milieu familial) et 14 % ont des emplois en milieu scolaire.

travailleuses sont issues de programmes d'études connexes. Environ le quart des travailleuses n'ont qu'un diplôme d'études secondaires. Dans les garderies subventionnées, on exige de plus en plus que les candidates possèdent un diplôme approprié. Les critères d'embauche sont moins sévères en garderie privée ou en milieu familial.

■ FORMATION

Le programme de formation qui permet d'accéder aux emplois d'éducatrice est la technique d'éducation à l'enfance. Toutefois, une certaine proportion des

■ DEGRÉ D'HOMOGÉNÉITÉ

La profession est homogène même si les conditions de travail et la qualité des emplois varient en fonction de la clientèle et de l'employeur.

HOMMES-FEMMES

La profession est à plus de 95 % féminine.

TAUX DE CHÔMAGE

Le taux de chômage est assez faible, mais le sous-emploi est fréquent. Beaucoup d'éducatrices ont un emploi qui ne répond pas à leur besoin, parce qu'il est à temps partiel, intermittent ou à contrat.

GÉOGRAPHIE

La géographie de l'emploi est tributaire de la démographie. Ce sont les régions qui comptent beaucoup de jeunes familles et de nouveau-nés, en particulier les nouvelles banlieues, qui offrent le plus d'emplois d'éducatrice.

EMPLOYEURS

Il existe de nombreux employeurs, majoritairement de petites organisations. Les emplois de qualité sont surtout offerts par les centres de la petite enfance (CPE), mais la demande de travailleuses dans ces établissements est relativement faible parce que la main-d'œuvre est plutôt jeune et que les nouvelles places créées en garderie sont actuellement dévolues au secteur privé. Ce sont d'ailleurs les garderies privées et celles en milieu familial qui ont connu le plus d'expansion au cours des dernières années.

SYNDICALISATION

Dans le réseau public, les emplois sont généralement syndiqués[4] et les conditions de travail se sont grandement améliorées depuis cinq ans. Dans le secteur privé, la syndicalisation est rare.

QUALITÉ DES EMPLOIS

Environ la moitié des éducatrices travaillent à plein temps. La proportion d'emplois de qualité est sans doute moins grande. Les emplois à temps partiel ou à horaire variable et les emplois intermittents sont nombreux.

Dans les services de garde en milieu familial, les éducatrices ont un statut de travailleuses autonomes et ne bénéficient pas d'avantages sociaux.

---

4. Les garderies du réseau public qui ne sont pas syndiquées calquent leurs ententes de travail sur les conventions collectives des milieux syndiqués.

L'insertion peut s'avérer longue et difficile dans les CPE, où les emplois sont nettement de meilleure qualité. Dans les garderies privées et surtout dans celles en milieu familial, il est encore assez facile de trouver du travail à plein temps. Toutefois, il faut certainement compter sur une période d'adaptation de plus d'une année avant de vraiment bien maîtriser le métier.

Avenir de la profession

PÉRENNITÉ

Il n'y a pas de risque de compression due à la technologie, ni de transfert vers l'étranger dans ce domaine. La demande est déterminée par le taux de natalité et la participation des femmes (surtout) au marché du travail. Ces deux phénomènes sont présentement à la hausse au Québec.

PERSPECTIVES D'EMPLOI

Les données sur les salaires datent de 2005, autant dire une éternité. Depuis ce temps, les éducatrices en CPE ont obtenu de nouvelles conventions collectives assorties d'augmentations salariales importantes. Leur situation se rapproche désormais de celles des autres techniciennes en sciences sociales employées par l'État.

Malheureusement, le gouvernement a réagi en misant sur le développement des garderies privées, ce qui fait qu'une écrasante majorité des nouveaux emplois dans le domaine ne bénéficient pas des conditions de travail améliorées. Comme dans bien d'autres secteurs, on assiste donc à une segmentation du marché : d'une part, des emplois de meilleure qualité, mais difficiles d'accès et, d'autre part, des emplois moins bons, mais plus faciles à décrocher.

Mon évaluation des perspectives d'avenir n'est pas très positive parce que le marché risque d'être bientôt saturé et que les ouvertures se créent surtout du côté des emplois de moins bonne qualité.

Les perspectives d'avenir sont passables.

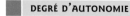
DEGRÉ D'AUTONOMIE

Dans les CPE et les garderies privées, le travail est assez encadré. Dans les milieux familiaux privés, l'autonomie est totale, ce qui comporte des avantages et des inconvénients.

HORAIRES

Le travail est presque toujours de jour et en semaine. Celles qui travaillent en milieu scolaire ont des horaires souvent fractionnés et parfois réduits, alors que celles qui exercent en milieu familial ont un horaire de travail prolongé. En effet, il n'est pas rare pour ces dernières de travailler plus de 50 heures par semaine.

INDICE FAMILLE

Il s'agit certainement d'une profession qui favorise la conciliation travail-famille. D'ailleurs, c'est pour rester à la maison avec leurs enfants que bien des mères choisissent d'ouvrir une garderie en milieu familial. Celles qui travaillent dans les CPE jouissent parfois du privilège d'obtenir une place pour leur enfant en priorité. Les horaires de travail en CPE sont assez facilement conciliables avec la vie familiale. On offre volontiers de la souplesse aux éducatrices.

DURÉE DES CARRIÈRES

Comme la majorité des emplois dans le domaine ont été créés il y a moins de 20 ans, il est difficile de se faire une bonne idée de la durée des carrières. On peut tout de même supposer que celles qui jouissent des meilleures conditions de travail feront les carrières les plus longues.

On ne dispose pas de données précises, mais on sait que l'espérance de vie des garderies en milieu familial est courte. En raison de la charge de travail élevée et de la faible rémunération, bien des femmes choisissent après quelques années de fermer leur garderie et de trouver un emploi plus traditionnel. Dans ce secteur, il y a presque autant de garderies qui ferment qu'il y en a qui ouvrent chaque année.

Une proportion importante des diplômées en éducation à la petite enfance décident de se réorienter après un certain temps. Le manque de travail, la difficulté de la tâche et les faibles salaires en découragent plus d'une.

SENTIMENT D'UTILITÉ

Paradoxalement, le travail est à la fois ingrat et très valorisant. Celles qui croient vraiment à l'importance de l'éducation de la petite enfance peuvent se sentir très utiles. Elles obtiennent la gratitude des enfants et des parents. Celles qui, pour une raison ou une autre, se contentent de « garder » les enfants se sentent moins utiles.

DEGRÉ D'HUMANISME

C'est une profession très humaine. On accompagne des enfants très jeunes et on a la chance de jouer un rôle significatif dans leur vie. C'est là que résident le cœur et l'âme de cette profession.

PLAISIR INTRINSÈQUE

Il faut évidemment aimer les enfants. Le travail est dur et exigeant, mais il peut procurer beaucoup de joie et de plaisir. Pour certaines, l'univers des tout-petits est magique, même s'il n'est pas rose tous les jours.

STIMULATION INTELLECTUELLE

Ce travail n'est simple qu'en apparence, il peut en réalité s'avérer infiniment complexe. On peut passer sa vie à apprendre et à se perfectionner dans ce domaine. Les éducatrices sont d'ailleurs tenues de faire de la formation continue.

CRÉATIVITÉ

La créativité est un facteur important dans ce travail, au même titre que le sens de l'initiative et de l'organisation.

INDICE BUREAUCRATIE

Il est peu élevé dans cette profession.

SOLITAIRE / EN ÉQUIPE

Le travail en milieu familial peut être très solitaire, ce que plusieurs finiront par ne plus tolérer. À l'opposé, le travail dans les CPE et les grandes garderies privées est beaucoup plus collectif, ce qui le rend plus facile à vivre. C'est certainement dans les garderies publiques que l'atmosphère de travail est la meilleure.

TRAVAILLER À SON COMPTE

Il est très facile de travailler à son compte dans ce domaine, mais il n'est pas certain que ce soit avantageux. Une proportion importante de celles qui se lancent à leur compte se désistent après quelques années seulement. Trop souvent, leur charge de travail fait passer leur rémunération sous le salaire minimum.

RÉUSSITE OU ÉCHEC

L'échec est plutôt rare dans ce domaine. Par contre, c'est un travail qui requiert de la patience et de la tolérance parce que les enfants ne sont pas toujours comme on voudrait qu'ils soient.

Les éducatrices doivent aussi affronter des problèmes qui peuvent être déchirants en ce qui a trait au développement des enfants ou à l'atmosphère familiale.

Dans certaines garderies en milieu défavorisé, elles jouent un rôle qui dépasse largement leurs fonctions éducatives.

RECONNAISSANCE SOCIALE

Malheureusement, la profession obtient peu de reconnaissance sociale malgré son rôle fondamental. Comme de plus en plus d'éducatrices ont une formation collégiale, on reconnaît tout de même un peu mieux l'immense valeur de leur travail.

DEGRÉ DE POUVOIR

Les éducatrices jouent un rôle déterminant dans le développement des enfants. Par contre, il n'est pas rare qu'elles se sentent impuissantes lorsqu'elles doivent affronter des situations pénibles. Devant des cas de violence, d'abus ou de négligence, leurs recours sont souvent très limités. La patience et le courage sont leurs meilleures armes.

MOBILITÉ ET AVANCEMENT

Les possibilités de mobilité sont très restreintes parce que tous les postes sont presque identiques. Les deux types de changement qu'on peut espérer sont de passer d'un groupe d'âge à un autre ou de migrer vers un emploi qui offre de meilleures conditions.

L'ascension professionnelle est aussi très limitée. Les seules possibilités sont d'ouvrir une garderie privée, d'accéder à un poste de direction dans une garderie publique ou d'obtenir un des rares postes de conseillère pédagogique.

NIVEAU DE STRESS

Les responsabilités et les charges de travail sont grandes, ce qui explique d'ailleurs que bien des finissantes dans le domaine se réorientent. C'est un travail qui demande beaucoup de patience et d'énergie. Par contre, ce n'est pas à proprement parler un travail stressant.

DANGER ET POLLUTION

En dehors du surmenage, le plus grand danger dans la profession a trait aux maux de dos. Comme on travaille avec de jeunes enfants, on doit souvent se pencher et soulever les enfants. Un entraînement spécifique pour le dos devrait être obligatoire avec la formation[5]. Par ailleurs, au cours des premières années de carrière, bien des éducatrices attrapent tous les microbes qui circulent, ce qui peut être désagréable.

---

5. Cela n'a rien de farfelu : les policiers ont des entraînements physiques et même les comédiens sont soumis à une préparation physique rigoureuse au cours de leur formation. Alors, pourquoi pas les éducatrices, à qui cela rendrait grandement service ?

Celles qui aiment vraiment les enfants peuvent avoir le sentiment de faire un des plus beaux métiers du monde. C'est un travail très valorisant. On peut améliorer la vie de ses bouts de chou.

Professions semblables

Gardienne d'enfants ou de personnes âgées, aide familiale, aide à l'enseignement

On compte au Québec 11 000 gardiennes d'enfants ou de personnes âgées à domicile. Celles qui sont à plein temps gagnent 15 000 $ par année. On compte également quelques milliers d'aides familiales et d'aides à l'enseignement dans les écoles primaires. Leurs salaires et leurs conditions de travail sont analogues à celles des gardiennes d'enfants.

Évaluation globale

Comme bien d'autres, la profession d'éducatrice recèle à la fois de très grandes qualités et de très gros défauts. Les personnes qui sont vraiment faites pour cette profession et qui réussissent à trouver un bon emploi peuvent faire une carrière très satisfaisante. Par contre, il n'est pas certain que ce soit le cas de plus de la moitié de celles qui font ce choix de carrière. C'est un métier où on travaille très fort pour n'obtenir somme toute que peu de reconnaissance et un salaire dérisoire. Par conséquent, je ne peux accorder que deux étoiles à l'ensemble de la profession. Pour ce qui est des bons emplois syndiqués, ils méritent au moins trois étoiles. ∎

Les professions techniques du domaine social

Les techniciens en éducation spécialisée (qu'on appelle aussi «éducateurs spécialisés»), en intervention en délinquance et en service social partagent à peu près les mêmes clientèles et les mêmes employeurs. Ils travaillent surtout auprès de jeunes en difficulté sur le plan social ou psychologique ou souffrant de handicaps physiques ou mentaux qu'ils encadrent, aident à se développer et à s'insérer dans la société. Avec le vieillissement de la population et la prolifération des maladies dégénératives comme l'alzheimer, on peut supposer que les besoins augmenteront auprès des clientèles plus âgées.

Coup d'œil

PROFESSION	PROFESSIONNELS / FINISSANTS	RATIO	SALAIRE ANNUEL MOYEN[6]
Technicien en éducation spécialisée ★ ★ ★ ★ ★	12 000 / 1 100	1 / 11	41 000 $
Technicien en intervention en délinquance[7] ★ ★ ★ ★ ★	n.d. / 200		40 000 $
Technicien en service social ★ ★ ★ ★ ★	n.d. / 480		35 000 $

FORMATION

Les programmes de formation de niveau collégial dans ces domaines durent généralement trois ans. Il faut noter qu'il existe aussi des programmes universitaires qui peuvent représenter des options intéressantes. Par exemple, on peut préférer le baccalauréat en travail social à la technique du même nom si on souhaite obtenir un emploi plus qualifié et de

---

6. Les données disponibles sur les salaires sont peu précises. Les chiffres présentés ici comportent donc une marge d'erreur assez importante.

7. Il est malheureusement impossible de savoir précisément combien on compte de techniciens en intervention en délinquance ou en service social au Québec. Les données disponibles présentent toujours ces professions réunies avec d'autres sans qu'il soit possible de les départager avec précision.

meilleures conditions de travail. Voir le chapitre sur les professionnels de la relation d'aide, p. 273.

Voir le chapitre sur les professionnels de la relation d'aide, p. 273.

 DEGRÉ D'HOMOGÉNÉITÉ

Ces professions sont assez hétérogènes. Les différences sont importantes entre les milieux de travail et, surtout, entre les clientèles. Il peut arriver qu'on ne se sente pas à l'aise avec un type de clients, mais très bien avec un autre.

Analyse du marché de l'emploi

 HOMMES-FEMMES

La proportion de femmes dans ces professions dépasse 80 %.

 TAUX DE CHÔMAGE

Les taux de chômage dans ces professions sont bas, alors que les taux de placement sont assez élevés.

 GÉOGRAPHIE

Généralement, les services sociaux sont concentrés dans les zones urbaines.

 EMPLOYEURS

Les employeurs sont assez nombreux et variés dans ce domaine. On peut les diviser en deux grandes catégories. D'un côté, les employeurs du réseau public, soit les hôpitaux, les centres locaux de services communautaires (CLSC), les commissions scolaires, les centres jeunesse et les centres de réadaptation spécialisés offrent des emplois assez bien rémunérés. De l'autre, les organismes communautaires, centres de désintoxication ou établissements parapublics comme les carrefours jeunesse-emploi offrent des emplois dont les conditions et les salaires de travail sont moins avantageux.

 SYNDICALISATION

Les employés du secteur public sont fortement syndiqués.

QUALITÉ DES EMPLOIS

Environ le quart de ces techniciens travaille à temps partiel. Par contre, les emplois intermittents et les contrats à durée déterminée sont fréquents. Au total, plus du tiers des emplois dans le domaine sont atypiques.

INSERTION PROFESSIONNELLE

Comme c'est trop souvent le cas dans les professions où l'État représente l'employeur principal, on peut se trouver en situation de sous-emploi et de précarité durant de nombreuses années avant d'avoir accès à un poste permanent à plein temps.

Avenir de la profession

PÉRENNITÉ

Il s'agit d'une profession où les compressions par la technologie et les transferts à l'étranger sont impossibles. Les politiques gouvernementales ont une incidence importante sur la demande de main-d'œuvre. Ce sont les décisions prises dans les ministères qui déterminent le nombre d'emplois disponibles, de même que leur qualité. L'implantation ou l'élimination d'un programme d'aide peut représenter des centaines d'emplois en plus ou en moins du jour au lendemain.

De plus, comme il s'agit de professions où l'on est en relation étroite avec des clientèles difficiles, les premières années de carrière peuvent s'avérer périlleuses. C'est pour ces raisons qu'une proportion importante des nouveaux venus ne parvient pas à s'insérer de manière durable.

PERSPECTIVES D'EMPLOI

Comme je l'ai dit, les données sont très imprécises sur la situation de ces professions, ce qui m'oblige à rester prudent. Toutefois, le taux de placement des diplômés et les salaires indiquent un marché assez prometteur, qui devrait croître au cours de prochaines années pour une foule de raisons, dont l'amélioration de l'accès aux services et l'augmentation des besoins des personnes âgées.

En revanche, les excellents taux de placement cachent peut-être une réalité plus sombre. La difficulté de l'insertion professionnelle pourrait s'expliquer en partie par des taux de roulement bien au-dessus de la moyenne dans ces professions.

Les perspectives d'avenir sont très bonnes.

DEGRÉ D'AUTONOMIE

Certains milieux peuvent être très structurés, alors que d'autres laisseront beaucoup de latitude aux professionnels. Étant donné le niveau de qualification, la plupart des débutants ont avantage à évoluer dans un établissement bien organisé. Ceux à qui on accorde trop d'autonomie risquent de devenir vulnérables, d'être dépassés par les problèmes et de s'épuiser.

HORAIRES

La majorité de ces techniciens travaille le jour et en semaine. Par contre, une minorité non négligeable travaille aussi le soir, la nuit et le week-end dans les milieux où les tâches d'encadrement ou de surveillance sont importantes.

INDICE FAMILLE

La précarité et les grandes exigences de certains emplois jouent en défaveur de la conciliation travail-famille. En contrepartie, la plupart des emplois rendent la conciliation assez aisée.

DURÉE DES CARRIÈRES

Il n'existe pas de statistiques précises sur le taux de départ dans ces professions. Par contre, il s'agit d'un des domaines où j'ai vu le plus de cas de réorientation au cours de ma carrière. Les emplois de niveau technique en relation d'aide sont épuisants, aussi bien sur le plan physique que psychologique. Un pourcentage important des finissants choisissent de ne pas travailler dans le domaine et plusieurs abandonnent vite la carrière.

De plus en plus de finissants décident de poursuivre leurs études après la technique dans l'espoir d'obtenir un meilleur emploi.

DÉPLACEMENTS

Les déplacements peuvent être importants pour ceux qui offrent des soins à domicile. Ceux qui occupent un emploi divisé entre plusieurs établissements doivent se déplacer souvent.

SENTIMENT D'UTILITÉ

Bien que ce type de travail soit absolument nécessaire et qu'il apporte du mieux-être à ceux qui en sont les bénéficiaires, les progrès sont parfois limités à cause des contextes de travail, ce qui peut donner l'impression de faire du sur-place. De plus, on peut souvent avoir à se battre contre les absurdités du système.

DEGRÉ D'HUMANISME

Il faut beaucoup de générosité et de don de soi pour travailler dans ce domaine. Pour ceux qui ont les qualités requises, le travail peut se révéler très enrichissant.

PLAISIR INTRINSÈQUE

Même si les situations sont sérieuses, c'est un travail qui peut être effectué avec plaisir. Cela varie selon les milieux et, surtout, en fonction des problématiques qui entrent en jeu dans le travail.

STIMULATION INTELLECTUELLE

Le travail de ces techniciens demande beaucoup de courage et de persévérance. Par contre, il est souvent assez peu complexe. Parfois, les tâches s'avèrent même répétitives, peu stimulantes intellectuellement, voire lassantes. Paradoxalement, les possibilités d'apprendre sont infinies. Il est toujours possible de développer ses connaissances pour accéder à des niveaux d'intervention plus sophistiqués.

CRÉATIVITÉ

Elle varie en fonction des clientèles et des milieux de travail.

INDICE BUREAUCRATIE

Les contraintes bureaucratiques peuvent être nombreuses et entraver sérieusement la qualité du travail.

SOLITAIRE / EN ÉQUIPE

Il s'agit d'emplois où on n'est jamais seul, ce qui peut être difficile pour certains. On travaille le plus souvent en équipe même si, dans certains milieux de travail, il est possible de se retrouver seul avec ses clients, patients ou bénéficiaires.

TRAVAILLER À SON COMPTE

Il est à peu près impossible de travailler à son compte dans ce domaine.

RÉUSSITE OU ÉCHEC

Il s'agit certainement d'une des professions où la tolérance à l'échec doit être très grande. Dans certains emplois, il faut faire preuve d'une patience d'ange pour obtenir d'infimes résultats.

RECONNAISSANCE SOCIALE

Les emplois de ce domaine ne jouissent pas de la reconnaissance qu'ils méritent. On les considère peu, même si ceux qui les pratiquent doivent s'y consacrer corps et âme. Comparativement à des emplois de qualification identique, comme ceux d'infirmière ou de policier, il est évident que les techniciens du domaine social n'obtiennent pas la même considération. On connaît mal leur travail, qui est également stigmatisé parce qu'il entre dans la sphère des activités traditionnellement féminines auxquelles on accorde toujours trop peu de valeur.

DEGRÉ DE POUVOIR

Le degré de pouvoir va de moyen à faible dans ce domaine... Ces techniciens travaillent dans des milieux où le pouvoir est entre les mains des professionnels et des gestionnaires. Les techniciens ont plutôt des rôles d'exécution et donc peu de pouvoir de décision, tant sur le plan des interventions que sur celui de l'organisation des services.

MOBILITÉ ET AVANCEMENT

Les possibilités de mobilité professionnelle ou d'avancement sont limitées. On peut changer assez facilement d'employeur, mais pour se voir confier les mêmes tâches. Pour modifier sa situation de façon significative, il faut changer de clientèle.

Les occasions d'avancement sont très restreintes. Ce sont plutôt les diplômés universitaires qui accèdent aux postes de superviseur et de cadre.

NIVEAU DE STRESS

Les emplois d'éducateur spécialisé, de technicien en intervention en délinquance et de technicien en service social peuvent être très et même trop stressants. On manque perpétuellement de moyens et de ressources, alors que les besoins des clients tendent vers l'infini. De plus, la relation de proximité très intense avec des personnes souffrantes représente une source constante de stress.

DANGER ET POLLUTION

Les dangers de la profession sont à la fois physiques et psychologiques. Du côté physique, on peut être agressé par les personnes que l'on aide. Quand on travaille auprès des clientèles aux prises avec des problèmes de santé mentale, cela arrive fréquemment. De plus, les conditions peuvent être éprouvantes pour le dos et les articulations, surtout quand on travaille auprès de jeunes enfants.

Bien que mal quantifiés, les dangers psychologiques sont plus importants. Le fait de composer en permanence avec des situations et des clientèles difficiles dans des contextes où on manque de ressources peut avoir des effets dévastateurs sur la santé mentale. La prévalence de troubles psychiques est très élevée dans ces professions. Idéalement, il faudrait que tous les travailleurs de ce secteur aient accès à du soutien psychologique et de la supervision.

EN VRAC

De façon générale, on peut dire que ceux qui choisissent ces professions sont souvent mal préparés pour affronter les immenses défis qui les attendent. Ils ont tendance à sous-estimer l'ampleur des problèmes et des difficultés à venir, ce qui provoque de nombreuses réorientations.

En revanche, il s'agit d'une profession où l'on peut avoir un impact réel dans la vie des autres. On peut rendre de grands services et se sentir très valorisé.

Évaluation globale

Ce sont des professions nobles mais dures, qui peuvent être très attirantes pour ceux qui ont la fibre sociale et l'esprit missionnaire. Elles peuvent faire vivre des expériences humaines très enrichissantes et on peut se sentir utile. En contrepartie, avant de faire un choix de carrière dans l'une de ces trois professions, on doit très sérieusement prendre en compte les conditions de travail, les difficultés et les dangers qu'elles font peser sur la santé. Malgré toutes leurs qualités, les énormes défauts de ces professions les rendent moins attrayantes que d'autres qui sont de qualification équivalente. Je leur attribue donc une note de deux étoiles et demie. ∎

Les professions techniques du génie et des sciences

Je réunis ici les principales professions auxquelles on accède par les techniques des domaines scientifiques du cégep. Elles sont désignées par des appellations différentes sur le marché du travail, mais elles sont toutes de qualification intermédiaire et dans des domaines techniques concrets. Ces professions constituent une sorte d'intermédiaire entre les métiers manuels du secondaire et la profession d'ingénieur du niveau universitaire.

Partout où du courant doit passer et où un réseau de conduction électronique ou électrique est nécessaire, on a besoin d'un technicien en génie électronique ou électrique. Les secteurs d'emploi sont variés : entreprises de services publics d'électricité, entreprises de communications, usines de fabrication de matériel électrique et électronique, sociétés de conseils techniques, gouvernements et industries telles que fabrication, traitement et transport, aviation et chemins de fer.

Le travail des techniciens en chimie consiste à effectuer toutes les opérations et les analyses chimiques nécessaires dans d'innombrables secteurs d'activité. Une multitude de processus de production – qu'il s'agisse de vérifier la pollution du sol ou de l'air, de fabriquer de la peinture, de l'engrais, du caoutchouc, du papier ou des matières plastiques – implique des opérations chimiques effectuées par ces techniciens.

Les techniciens en génie mécanique travaillent dans tous les domaines où l'on doit utiliser des machines ou des moteurs, depuis le transport maritime jusqu'à la machinerie industrielle, en passant par les systèmes de chauffage et les centrales électriques. En génie civil, on touche à toutes les structures d'utilité publique : routes, trottoirs, ponts, tunnels, égouts, aqueducs, etc. Le béton, l'asphalte et l'acier sont les matériaux de base. Les techniciens en génie industriel cherchent à améliorer la productivité industrielle dans tous les types d'usines : pâtes et papiers, textile, aviation, caoutchouc, meuble, etc. Leur travail consiste à superviser les ouvriers et à assurer un maximum de productivité tout en veillant au respect des normes de qualité. C'est le domaine du génie qui est le plus proche de la gestion.

PROFESSION	PROFESSIONNELS / FINISSANTS	RATIO	SALAIRE ANNUEL MOYEN
Technicien en génie électronique et électrique ★ ★ ★ ★ ★	10 000 / 600	1 / 16	54 000 $
Technicien en chimie ★ ★ ★ ★ ★	7 000 / 90	1 / 80 (wow !)	48 000 $
Technicien en génie mécanique, civil et industriel ★ ★ ★ ★ ★	12 000 / 800	1 / 15	52 000 $

Le ratio professionnels-diplômés pour les techniciens en chimie indique qu'il y a une importante pénurie de main-d'œuvre dans ce domaine.

FORMATION

Dans la plupart des cas, la formation est le cours technique qui dure trois ans. Toutefois, il faut savoir que bien des techniciens sont en fait titulaires de baccalauréats, même s'il n'est pas nécessaire d'obtenir un tel diplôme pour devenir technicien.

DEGRÉ D'HOMOGÉNÉITÉ

Étant donné qu'il est question de plusieurs professions regroupant plusieurs titres d'emploi, on ne note pas beaucoup d'homogénéité entre ces professions ou à l'intérieur de chacune. Chaque secteur industriel, et même chaque usine, représente un monde particulier.

Analyse du marché de l'emploi

HOMMES-FEMMES

Parmi les techniciens en génie civil, électronique ou mécanique, la proportion d'hommes est de 90 %. Du côté des techniciens en chimie, la proportion d'hommes et de femmes est presque égale. Cette proportion varie donc considérablement d'un champ d'activité à l'autre. L'industrie textile, par exemple, compte plus de femmes, alors que les secteurs de la pétrochimie et de la production embauchent plus d'hommes.

TAUX DE CHÔMAGE

Le chômage est pratiquement inexistant dans toutes ces professions. Toutefois, dans les secteurs industriels, il arrive que des événements conjoncturels et des fermetures d'usines entraînent du chômage temporaire. Pour ce qui est des techniciens en génie civil, tout porte à croire que le marché sera au beau fixe pendant de nombreuses années encore.

GÉOGRAPHIE

La géographie de l'emploi est différente selon les secteurs industriels. C'est un élément qu'il faut vérifier avant de choisir une profession. La quantité d'emplois peut varier énormément d'une région à l'autre. Ceux qui cherchent à s'installer dans une région particulière ont tout avantage à bien se renseigner sur les perspectives d'emploi dans la spécialité qui les intéresse.

EMPLOYEURS

Selon les secteurs, les employeurs sont nombreux, voire très nombreux. La plupart des emplois relèvent du secteur privé.

Dans le cas des techniciens en génie électrique, le principal employeur est la société d'État Hydro-Québec, qui offre des conditions de travail remarquables.

SYNDICALISATION

Une vaste majorité des emplois sont syndiqués. Ce n'est que dans les petites et moyennes entreprises (PME) ou lorsqu'on accède à un poste de cadre qu'on n'est pas syndiqué.

QUALITÉ DES EMPLOIS

Près de 90 % des emplois dans ces secteurs sont à plein temps, et généralement d'excellente qualité.

INSERTION PROFESSIONNELLE

L'insertion professionnelle est relativement courte dans ces professions. On peut toutefois attendre un ou deux ans avant d'accéder à un très bon emploi.

Avenir de la profession

PÉRENNITÉ

Il n'y a pas d'inquiétude à se faire pour l'avenir dans les domaines du génie civil et électrique. Les emplois qui existent aujourd'hui existeront probablement encore dans 20 ans.

Dans les cas du génie électronique, mécanique et chimique, la situation est très différente. Ces secteurs subissent à la fois l'influence de la mondialisation et du développement de la technologie. Les prévisions à long terme sont donc hasardeuses. Des emplois pourraient être délocalisés, remplacés par des technologies, ou simplement abolis à cause d'un affaissement du marché. Tout est possible. Les techniciens du domaine de l'aviation peuvent en témoigner...

Malgré tout, la position économique actuelle du Canada et du Québec donne de bonnes raisons d'être optimiste. L'immense majorité de ceux qui s'engageront dans ces domaines dans les prochaines années connaîtra sans doute une carrière florissante.

Il pourrait y avoir des problèmes à s'insérer rapidement dans certains domaines, surtout si on tient à travailler dans une région donnée. Les salaires sont assez bons. Les secteurs des pâtes et papiers, de l'aéronautique et de la pétrochimie ont connu des turbulences au cours des dernières années. On a assisté à de nombreuses fermetures d'usines ou à d'importantes réductions de personnel.

Les perspectives d'avenir sont très bonnes.

Influence sur le bonheur, la santé et la vie quotidienne

DEGRÉ D'AUTONOMIE

On dispose d'un degré d'autonomie moyen dans ces secteurs. Ce sont des emplois concentrés dans de grandes usines où les hiérarchies sont importantes. Les techniciens travaillent le plus souvent sous la supervision d'ingénieurs dans des cadres fonctionnels précis. Plus une usine est imposante, plus les procédures et la réglementation y sont rigoureuses.

HORAIRES

Il s'agit généralement de secteurs où les horaires sont normaux. Ceux qui sont à l'emploi d'usines peuvent toutefois avoir à travailler le soir, la nuit ou les week-ends. En période de crise ou de forte demande, il est possible que l'on ait à travailler de nombreuses heures.

INDICE FAMILLE

La conciliation travail-famille est relativement facile parce que les emplois et les horaires sont généralement stables. Ceux qui travaillent le soir ou la nuit ou qui sont appelés à faire des heures supplémentaires ont bien sûr de plus grands défis à relever pour remplir aussi leurs obligations familiales.

DURÉE DES CARRIÈRES

Sauf en cas de fermeture d'usine, ce sont des carrières qui durent longtemps. Il faut toutefois apporter un bémol : les femmes qui optent pour un milieu très masculin ont parfois beaucoup de mal à s'intégrer et finissent par se réorienter.

DÉPLACEMENTS

Dans plusieurs secteurs, on peut être appelé à bouger beaucoup. Comme l'expertise québécoise est partout en demande, on peut même être affecté à l'extérieur du pays. Pour ceux qui sont intéressés à travailler à l'étranger, il peut donc s'agir d'une avenue professionnelle intéressante.

SENTIMENT D'UTILITÉ

Il est assez élevé dans ces professions. On participe souvent à la fabrication de produits ou de structures dont l'utilité est évidente et on a l'occasion d'être fier de son travail.

DEGRÉ D'HUMANISME

Il est assez faible dans ces emplois qui se passent loin du public.

PLAISIR INTRINSÈQUE

Participer à la construction de choses concrètes et travailler en groupe représentent deux sources de plaisir importantes dans les professions techniques. Au sein d'une usine, les collègues forment parfois une sorte de grande famille, ce qui est agréable.

STIMULATION INTELLECTUELLE

Ces professions sont généralement très satisfaisantes sur ce plan. On peut développer ses connaissances et ses talents. Ceux qui sont habiles et inventifs ont la chance de s'exprimer.

CRÉATIVITÉ

Elle est plus importante qu'on pourrait le croire dans le domaine technique. On doit résoudre des problèmes complexes, ce qui demande de l'imagination.

INDICE BUREAUCRATIE

Il est variable selon les emplois. Le travail des techniciens est plutôt concret, ce qui limite la bureaucratie. Toutefois, comme ils sont au service de grandes organisations, il n'est pas rare qu'ils doivent composer avec d'importantes procédures bureaucratiques. Par exemple, un technicien peut avoir des données à compiler afin que ses supérieurs puissent assurer le suivi des opérations.

SOLITAIRE / EN ÉQUIPE

On travaille toujours en groupe. Il y a toujours beaucoup

de monde sur les chantiers ou dans les usines.

TRAVAILLER À SON COMPTE

Le travail autonome est rare dans ces secteurs. Par contre, il est possible de démarrer sa propre entreprise dans le domaine où on s'est forgé une expertise. C'est de cette manière que naissent la plupart des PME au Québec.

RÉUSSITE OU ÉCHEC

C'est un monde de réussite. Il n'y a peut-être qu'en recherche et développement où la patience est mise à rude épreuve.

RECONNAISSANCE SOCIALE

Sans être vraiment prestigieux, les emplois dans le secteur bénéficient d'une bonne reconnaissance sociale.

DEGRÉ DE POUVOIR

Il est moyen. Les techniciens ont une position hiérarchique intermédiaire. Il n'est pas rare qu'ils supervisent des opérateurs ou des ouvriers. Toutefois, leur pouvoir décisionnel est limité. Ce sont les gestionnaires et les ingénieurs qui prennent les décisions importantes.

MOBILITÉ ET AVANCEMENT

Les possibilités de mobilité professionnelle sont bonnes dans les professions du génie technique. Le nombre d'employeurs de même que la variété des secteurs d'activité font qu'il est assez facile de changer de situation au gré des envies et des occasions.

Les possibilités d'avancement sont également bonnes. Les postes de supervision et les possibilités de promotion sont nombreuses. Toutefois, le sommet des hiérarchies est plus difficile à atteindre pour les titulaires d'un diplôme technique du collégial que pour ceux qui réussissent un diplôme universitaire en génie.

NIVEAU DE STRESS

Comme dans tous les emplois concrets, le degré de stress est habituellement peu élevé. Bien sûr, les entreprises mettent continuellement de la pression pour accélérer le rythme et réduire les coûts. Toutefois, les limites objectives du travail sont presque toujours évidentes, ce qui fait que les travailleurs sont peu tentés de brusquer les choses, car il est beaucoup plus important de respecter rigoureusement les normes et les procédures.

DANGER ET POLLUTION

Quelques emplois peuvent présenter un certain danger ou exposer les travailleurs à un degré de pollution plus élevé que la normale. Toutefois, dans les grandes entreprises, les risques et les niveaux de pollution sont généralement bien contrôlés.

Par ailleurs, ce sont des secteurs d'emploi où les lésions psychologiques sont plutôt rares.

Comme on n'est que rarement en contact avec le public, la pression subie est rarement trop forte.

Évaluation globale

Les métiers techniques, qui constituent surtout un monde d'hommes, gagnent à être connus parce qu'ils offrent des perspectives d'emploi et des conditions de travail enviables. Les emplois sont intéressants et variés, et ils permettent d'explorer de nombreux champs d'intérêt.

Toutefois, le domaine des techniciens et technologues est, d'une certaine manière, pris en étau entre les professions du même domaine du niveau secondaire et celles du niveau universitaire, ce qui en fait un choix moins populaire. En effet, les emplois et les conditions de travail des diplômés de la formation professionnelle au secondaire se comparent avantageusement à ceux des techniciens. On peut donc comprendre que bien des personnes préfèrent la formation secondaire, courte et concrète, à la formation collégiale, plus longue et plus théorique.

Par ailleurs, la situation des ingénieurs est nettement meilleure que celle des techniciens du domaine du génie. L'écart salarial annuel moyen est de plus de 20 000 $ et les possibilités de promotion sont nettement à l'avantage des diplômés universitaires. Ceux qui consentent à faire une formation plus longue choisissent dans bien des cas, et avec raison, de pousser vers l'université.

Malgré tout, les professions de technicien en génie, intéressantes et avantageuses, méritent une bonne note de trois étoiles et demie. ■

Podium collégial
Les trois professions les plus avantageuses

1   POLICIER

Placer la profession de policier au sommet des options de carrière du collégial est une décision facile. Le salaire est excellent, bien au-dessus de la moyenne pour ce niveau. Et, au-delà des conditions de travail, il y a l'attrait intrinsèque de cette profession, qui ouvre de nombreuses perspectives intéressantes. Le métier fascine. On y joue un rôle important et bien en vue dans la société même si, trop souvent, la profession offre une cible facile aux critiques. On s'y sent utile et valorisé. Les plus doués et les plus ambitieux profitent d'occasions d'avancement et les meilleurs peuvent s'affirmer. La mise en valeur des dimensions sociales de la profession et l'arrivée d'un nombre de plus en plus grand de femmes en augmentent aussi la qualité.

2   INHALOTHÉRAPEUTE/PERFUSIONNISTE

Il a été plus difficile de sélectionner la profession qui occuperait la deuxième marche de ce podium parce que les différences entre les techniques du domaine de la santé ne sont pas énormes. La profession d'inhalothérapeute/perfusionniste l'emporte essentiellement parce que les perspectives d'emploi sont meilleures et qu'elle offre des défis stimulants. Ces professionnels sont au cœur de l'action et jouent un rôle primordial lors d'interventions délicates. Étant donné les grandes qualités de cette profession et son côté excitant, il est très étonnant qu'elle attire si peu d'hommes.

3   INFIRMIÈRE

En troisième place, les infirmières devancent de peu les techniciens en génie électrique et électronique. Perspectives d'avenir favorables, qualités humaines, variété du travail, possibilités d'emploi et d'avancement font pencher la balance. Bien que les conditions de pratique soient actuellement difficiles et que les établissements de santé aient des airs de capharnaüm, reste que la profession d'infirmière est un excellent choix qui, dans des circonstances meilleures, pourrait même faire une lutte serrée aux policiers.

Des champions hors catégorie
PILOTE D'AVION DE LIGNE, D'HÉLICOPTÈRE, D'AVION DE BROUSSE, PILOTE DE NAVIRE ET CHAUFFEUR DE TRAIN

Ces professions, analysées avec les métiers du secondaire, exigent en fait une formation collégiale. Comptant un peu plus de 3 000 membres, elles font partie d'un groupe restreint de professions qui représentent souvent l'accomplissement d'un rêve. Elles sont passionnantes, très bien rémunérées, et jouissent d'un statut particulier dans l'imaginaire collectif. Le chemin pour y parvenir est difficile, mais le jeu en vaut la chandelle.

Les 10 meilleurs employeurs au Québec

1 **Le réseau des cégeps**
Pour la convention collective des professeurs.

2 **Hydro-Québec**
Pour les salaires, qui défient toute concurrence !

3 **La Ville de Montréal**
Pour la convention collective des cols bleus et des cols blancs qui touchent des salaires de 10 à 20 % plus élevés que leurs confrères des secteurs privé et public. Les salaires et conditions de travail des gestionnaires sont aussi remarquables.

4 **Radio-Canada**
Pour les excellentes conditions de travail et, surtout, les immenses moyens de production. Le paradis pour les professionnels des médias et du journalisme.

5 **Loto-Québec**
Pour les mêmes raisons qu'au point 2.

6 **La Société des alcools du Québec (SAQ)**
Pour les conditions de travail et les salaires, exceptionnels pour le commerce de détail. Pour le domaine de travail, centré sur le plaisir. Ajoutons que les possibilités d'avancement sont bonnes, qu'on profite d'ateliers de formation sur le vin et de rabais importants sur ses propres achats.

7 **Costco**
Pour les conditions de travail offertes aux employés et le respect dont on fait preuve envers eux.

8 **IKEA**
Pour exactement les mêmes raisons que le commerce précédent !

9 **Le gouvernement du Canada**
Pour les bonnes conditions salariales et les avantages sociaux dont jouissent les fonctionnaires fédéraux. Comme la fonction publique compte des centaines de milliers de travailleurs, les possibilités de mobilité et d'avancement sont très nombreuses.

10 **Le gouvernement du Québec**
Pour les mêmes raisons qu'au point 9, bien que les salaires des fonctionnaires québécois soient environ 15 % moins élevés que ceux de leurs confrères du fédéral.

Il y a sans doute beaucoup d'autres bons employeurs. Les conventions collectives de certains organismes publics sont bien connues, alors qu'il est plus difficile de connaître les conditions de travail dans l'entreprise privée.

Les 10 programmes
de formation à éviter

Voici 10 programmes de formation qui ont des qualités, certes, mais dont les défauts sont considérables. Ils attirent pourtant les candidats par centaines. Je crois qu'il vaut mieux y réfléchir à deux fois avant de s'inscrire à ces programmes. Il en existe d'autres qui sont bien plus avantageux.

1 La plupart des programmes de formation offerts par des établissements privés dans les domaines des soins personnels, des arts, du secrétariat, du design, de l'infographie et du multimédia

Il vaut mieux consulter un professionnel avant de s'inscrire dans ces collèges et instituts, car ils représentent rarement la meilleure option. Très souvent, des programmes de formation équivalents sont offerts à peu de frais ou gratuitement dans le système public.

2 Diplôme d'études professionnelles (DEP) en production porcine et autres programmes de formation du secondaire en agriculture

Les emplois dans ce domaine sont de très mauvaise qualité et ne justifient pas l'investissement dans la formation.

3 Baccalauréat en science politique

Le pire ratio diplômés-professionnels de tous les programmes de formation. Bon an mal an, on forme plus de bacheliers en science politique au Québec que de plombiers, ce qui est plutôt curieux.

4 DEP en nettoyage à sec et entretien de vêtements, et DEP en assistance au service aux tables

Vaut-il vraiment la peine de suivre de tels programmes alors qu'il est tout à fait possible d'obtenir des emplois dans ces professions sans aucune formation ?

5 Baccalauréat en psychosociologie

Ce titre ronflant est trompeur : il n'y a pas de débouché connu pour les diplômés de ce programme. Il est préférable de se diriger vers des programmes qui mènent à des professions mieux définies comme le travail social ou la psychologie.

6 Baccalauréat en biologie médicale

Ce programme attire des candidats qui voudraient aller en médecine, mais qui n'ont pas les notes requises. Or, les débouchés en biologie médicale peuvent s'avérer très décevants, ce qui s'applique d'ailleurs à tous les programmes de formation universitaire en biologie.

7 Maîtrise en enseignement

Ceux qui espèrent améliorer leurs horizons professionnels par cette formation sont souvent déçus. Ce diplôme n'a pas une très grande valeur sur le marché de l'emploi. Le plus souvent, les diplômés de la maîtrise travaillent comme enseignants, tout comme leurs condisciples bacheliers. Ce n'est pas que le programme soit mauvais, c'est simplement qu'il ne mène pas à grand-chose.

8 Technique en commercialisation de la mode

Ce programme attire beaucoup de jeunes femmes qui veulent faire carrière dans l'industrie du vêtement. La plupart d'entre elles déchantent quand elles découvrent la mauvaise qualité des emplois qu'on peut dénicher et elles finissent par se réorienter ou retourner aux études. Le baccalauréat en administration spécialisé dans le domaine de la mode de l'UQAM offre des perspectives nettement plus intéressantes.

9 Baccalauréat en sciences de la consommation

Pour résumer : voilà un mauvais achat. Ce baccalauréat offre une formation sans doute intéressante sur tous les phénomènes associés à la consommation. Le problème, c'est qu'elle ne conduit à rien de précis sur le marché du travail, ce qui est pour le moins embêtant lorsqu'on a besoin de gagner sa vie.

10 Techniques de tourisme

Tous ceux et celles qui s'inscrivent dans ces programmes rêvent de voyager. Or, les chances de faire de beaux voyages sont nettement meilleures si on fait de longues études et qu'on grimpe les échelons, quel que soit le domaine. Pour la plupart des gens, il vaut donc mieux étudier sérieusement que d'aller en tourisme.

NIVEAU
universitaire

Je vais en étonner certains : ce n'est

pas parce qu'un programme universitaire est offert qu'il existe une profession qui y correspond. Le baccalauréat en sciences physiques conduit plus souvent à un poste de professeur de cégep qu'à une carrière de physicien, et la formation universitaire en psychosociologie ne mène à... rien de précis. (Vous connaissez un psychosociologue, vous ?) En fait, les universités fonctionnent désormais à deux vitesses. D'une part, il y a les programmes de formation qui conduisent à des professions précises et bien rémunérées. Ils sont généralement contingentés et on y fait preuve de rigueur. N'y entre pas qui veut. Les diplômés de ces programmes bénéficient d'excellentes perspectives de carrière : emplois de qualité en abondance et conditions de travail avantageuses. La médecine et le droit en offrent de bons exemples.

D'autre part, il y a tous les programmes non contingentés qui ne conduisent pas vers des professions bien définies : sciences humaines, lettres, sciences pures et arts, entre autres. Peu de professions dans ce guide correspondent à ces programmes, dont les diplômés doivent affronter un marché du travail difficile. Seuls les plus doués parviennent à faire carrière dans leur domaine. Les autres – et ils sont des milliers chaque année – poursuivent leurs études par dépit, trouvent un travail décevant, ou se réorientent.

Pour la plupart des professions analysées dans cette section, le marché du travail est assez facile d'accès.

Avocat

Le droit est, avec la médecine, l'une des deux professions libérales qui ont servi de modèle aux autres. Les lois touchent pratiquement toutes les dimensions de notre société, de l'immigration aux affaires en passant par la criminalité et les droits fondamentaux. C'est la raison pour laquelle une variété impressionnante d'organisations embauchent des avocats qui sont amenés à y jouer des rôles très diversifiés. Les avocats sont les experts de la loi, pour le meilleur et pour le pire. Une partie de leur travail consiste à s'occuper de litiges et à représenter des clients lors de procès. Une autre partie, la plus importante, consiste à analyser et à interpréter les textes de loi. Leur rôle le plus fréquent est de conseiller leurs clients ou employeurs et d'encadrer les projets de ces derniers sur le plan juridique. On peut considérer le droit comme un immense labyrinthe, et les avocats comme les guides chargés de mener leurs clients à travers ses dédales.

Coup d'œil

PROFESSION		PROFESSIONNELS / FINISSANTS	RATIO	SALAIRE ANNUEL MOYEN
Avocat	★ ★ ★ ★ ★	22 000 / 859	1 / 25	110 000 $

Il s'agit d'une des professions où les variations de salaire sont les plus importantes, mais ils varient généralement de très bons à excellents. C'est dans les cabinets indépendants et dans les entreprises privées que les salaires sont les meilleurs.

FORMATION

Pour devenir avocat, il faut faire un baccalauréat en droit et une année de formation au barreau. Le baccalauréat en droit n'est pas très contingenté. Par contre, une sélection s'opère pendant la formation et environ le tiers des étudiants est exclu en cours de route. Il s'agit d'un des rares programmes faciles d'accès où la formation demeure très rigoureuse[1].

DEGRÉ D'HOMOGÉNÉITÉ

Le droit est une profession très hétérogène en matière de domaines de pratique et de conditions de travail. Les salaires varient énormément. On peut aussi bien être millionnaire que pauvre en étant avocat.

Analyse du marché de l'emploi

HOMMES-FEMMES

Comptant 55 % d'hommes et 45 % de femmes, la profession est l'une des plus équilibrées. Par contre, comme il y a près de 65 % de femmes dans les facultés, cette proportion risque de changer avec le temps. De plus, les hommes et les femmes optent pour des styles de pratique différents. Alors que les premiers sont plus enclins à travailler dans des cabinets, les secondes recherchent les emplois plus stables et les pratiques à caractère social, ce qui fait qu'au bout du compte, l'équilibre n'est pas maintenu dans tous les secteurs.

TAUX DE CHÔMAGE

Le taux de chômage est pratiquement nul chez les avocats.

GÉOGRAPHIE

Le droit est certainement l'une des professions les mieux réparties sur le territoire. Ceux qui veulent travailler en région seront accueillis à bras ouverts.

EMPLOYEURS

Les employeurs dans le domaine sont nombreux et variés : du petit cabinet d'avocats aux multinationales et aux gouvernements. Il y a donc des employeurs dans les domaines privé et public.

SYNDICALISATION

La plupart des avocats ne sont pas syndiqués, mais ceux qui le sont bénéficient d'excellentes conditions de travail. Par contre, contrairement à ce qui se passe dans la majorité des autres domaines professionnels, ce sont les avocats qui ne sont pas syndiqués qui ont les meilleurs revenus.

QUALITÉ DES EMPLOIS

L'immense majorité des avocats occupent des emplois de qualité. La précarité n'existe pas dans ce domaine.

---

1. Dans *L'orientation mode d'emploi*, j'ai montré que la formation dans les programmes non contingentés est de plus en plus laxiste.

INSERTION PROFESSIONNELLE

La période d'insertion est relativement courte. Par contre, un jeune avocat peut mettre une dizaine d'années à se tailler une place enviable dans le domaine.

Les premières années sont les plus difficiles à tous les points de vue : on doit faire ses preuves, on gagne moins d'argent, on hérite des dossiers les moins intéressants et on travaille plus.

Avenir de la profession

PÉRENNITÉ

Le droit est un domaine où la demande ira surtout en croissant. Il n'y a aucun risque de compression due à la technologie, ou d'externalisation de l'emploi. De plus, avec la mondialisation et la complexification des lois, la demande de services juridiques tend à augmenter. Le phénomène de la judiciarisation, le recours constant au droit et à la justice pour régler les différends, représente au contraire une manne pour les juristes !

PERSPECTIVES D'EMPLOI

Il existe d'innombrables possibilités de spécialisation, entre autres en droit international et dans des domaines de pointe comme la propriété intellectuelle et les médias numériques. Sur le plan de la vigueur du marché, les perspectives sont donc alléchantes.

Les perspectives d'avenir sont excellentes.

Influence sur le bonheur, la santé et la vie quotidienne

DEGRÉ D'AUTONOMIE

Le droit étant la profession libérale par excellence, il va sans dire que les avocats jouissent de beaucoup d'autonomie dans leur pratique. En début de carrière, particulièrement dans les grands

cabinets, cette autonomie est moins grande.

HORAIRES

Il s'agit probablement d'une des professions où le nombre d'heures de travail est le plus élevé. L'ambition et le carriérisme sont répandus et valorisés chez les avocats. Il faut travailler dur pour gravir les échelons.

INDICE FAMILLE

Le droit figure sans doute au nombre des pires professions universitaires pour ce qui est de la conciliation travail-famille. Le taux de fécondité des avocates est proche du zéro absolu, et on stigmatise encore trop souvent celles et ceux qui cherchent à restreindre leur temps de travail pour se consacrer à leur famille. On demande aux avocates de mener leur carrière comme des hommes qui auraient une femme à la maison pour s'occuper de tout. C'est d'ailleurs ce que font encore bien des avocats...

DURÉE DES CARRIÈRES

À cause de la pression et du carriérisme qui sont si présents dans la profession et qui, d'ailleurs, la rendent un peu anachronique, certains avocats finissent par se réorienter. Toutefois, le phénomène reste assez marginal.

DÉPLACEMENTS

Bien que certains mènent une carrière internationale qui les oblige à beaucoup se déplacer, la plupart des avocats sont sédentaires. Le niveau de déplacement est proportionnel à l'importance du poste occupé.

SENTIMENT D'UTILITÉ

Le sentiment d'utilité est variable selon les emplois occupés. Ceux qui sont au service de la communauté sentent, à juste titre, qu'ils font un travail très utile, alors que ceux qui occupent des fonctions plus techniques ont un sentiment plus vague du sens de leur travail.

DEGRÉ D'HUMANISME

Le degré d'humanisme dépend du type de pratique. Certains avocats sont des humanistes notoires : Julius Grey ou la juge Ruffo, par exemple. Le but premier de leur travail est de contribuer au mieux-être individuel et collectif. À l'opposé, dans le droit commercial ou la fiscalité, le progrès social n'est pas nécessairement une préoccupation de tous les instants. On sert des intérêts qui sont d'abord mercantiles et non humains.

PLAISIR INTRINSÈQUE

Le droit est un travail sérieux et bien des tâches peuvent être fastidieuses. Par contre, les nombreuses réunions de travail et les rencontres avec les clients peuvent être très plaisantes. De plus, le droit est vaste et complexe, et on peut éprouver beaucoup de plaisir intellectuel à le pratiquer.

STIMULATION INTELLECTUELLE

Le droit entre dans la catégorie des professions où les

possibilités d'apprentissage et d'amélioration sont infinies. Le métier peut être extrêmement stimulant sur le plan intellectuel et ce n'est pas par hasard qu'il attire tant de gens brillants.

CRÉATIVITÉ

Curieusement, les codes d'intérêts que l'on emploie en orientation associent la profession d'avocat à la catégorie des intérêts artistiques. C'est sans doute vrai pour les plaideurs, mais il me semble exagéré de considérer le métier d'avocat comme artistique. La créativité y est effectivement sollicitée, mais la rigueur intellectuelle, le sens de l'initiative et la persévérance me semblent plus importants.

INDICE BUREAUCRATIE

Les avocats passent leur vie à travailler avec les règles et les lois. Ils sont donc au cœur des appareils bureaucratiques qu'ils maîtrisent plus qu'ils ne subissent. Ils sont assez bien entourés pour le travail de bureau comme tel.

SOLITAIRE / EN ÉQUIPE

L'équilibre semble assez intéressant entre les tâches individuelles et le travail en équipe. Les recherches et la rédaction se font seul, mais d'autres aspects du travail sont effectués en équipe, comme la préparation des procès ou les mandats qui requièrent plusieurs spécialités.

TRAVAILLER À SON COMPTE

Beaucoup d'avocats travaillent à leur compte. La moitié d'entre eux sont à l'emploi de cabinets où ils espèrent devenir associés. Les autres sont employés par des entreprises ou par le gouvernement.

RÉUSSITE OU ÉCHEC

Un avocat peut perdre un procès, bien sûr, mais c'est relativement rare dans la mesure où les procès ne représentent pas une partie aussi importante de leur travail qu'on pourrait le croire. Dans les autres sphères d'activité de l'avocat, les réussites sont beaucoup plus nombreuses que les échecs.

RECONNAISSANCE SOCIALE

Ici, on est dans les ligues majeures. Le droit occupe une place de choix dans l'imaginaire collectif. La moitié de la classe politique est issue de cette profession, et on ne compte plus les œuvres mettant en scène des avocats depuis *Le marchand de Venise* jusqu'à Michael Clayton. En contrepartie, les avocats ont une réputation de malhonnêteté agaçante et très largement injustifiée. Cette perception archaïque tend à s'estomper.

DEGRÉ DE POUVOIR

Il s'agit probablement de la profession qui possède le plus de pouvoir dans la société. Que ce soit dans les domaines politique, législatif ou juridique, dans le secteur des affaires ou par rapport aux grands enjeux de société, les avocats jouent un rôle central de nos jours. Ils participent directement aux décisions les plus importantes dans la société comme dans les entreprises. C'est en bonne partie à cause de son pouvoir que cette profession obtient ici une note très élevée.

MOBILITÉ ET AVANCEMENT

Le droit compte parmi les professions où les possibilités de mobilité et d'avancement sont les meilleures. De plus, le nombre de secteurs où il est pratiqué permet à chacun d'évoluer en fonction de ses intérêts et de ses aspirations. En ce qui a trait à l'avancement, il faut bien sûr faire ses preuves et travailler dur, mais la gratification est au rendez-vous. Les avocats sont nombreux à accéder aux postes de pouvoir dans les organisations et dans la société. L'avancement est fréquent.

NIVEAU DE STRESS

Objectivement, le niveau de stress et de responsabilité est tolérable pour les avocats. Par contre, comme les ambitions et les ego sont parfois grands, bien des avocats vivent avec l'impression de devoir en faire toujours plus. La compétition et la pression des pairs sont aussi importantes. Le milieu peut être cruel.

EN VRAC

Le plus vilain défaut de la profession concerne les charges de travail, qui sont énormes. Ceux qui veulent devenir avocats et maintenir une bonne qualité de vie doivent songer à des emplois dans la fonction publique. Ceux qui optent pour une carrière plus compétitive dans l'entreprise privée risquent de passer beaucoup de temps au bureau. Parmi les problèmes courants figurent aussi l'ambition et le carriérisme. La pression à la performance et l'appât du gain épuisent les avocats.

Du côté des qualités, le droit donne accès à la profession de juge, un des emplois les plus intéressants que l'on puisse occuper.

Évaluation globale

Le droit est une profession très répandue : 22 000 membres du barreau, c'est beaucoup. Avec un salaire moyen de 110 000 $ par année, la profession est l'une des mieux payées au Québec. Intellectuellement, le droit est très intéressant et il s'agit d'une des professions les plus prestigieuses et les plus valorisantes qui soient. Pour toutes ces raisons, j'estime que la profession d'avocat se classe bonne deuxième parmi toutes les professions québécoises (voir Les 13 meilleures professions du marché du travail québécois, p. 99) et je lui accorde quatre étoiles et demie. ■

Pour en savoir plus

Le site du Barreau du Québec. La rubrique « Devenir avocat » est particulièrement bien faite. *www.barreau.qc.ca*

Comptable

Depuis que la loi québécoise sur la comptabilité a été modifiée, en 2008, les comptables agréés (CA), les comptables généraux accrédités (CGA) et les comptables en management accrédité (CMA) possèdent un champ de pratique commun. Ils ont le droit de produire des états financiers publics et de procéder à des vérifications des états comptables des entreprises et organismes. Même si les trois ordres professionnels mettent l'accent sur ce qui les distingue, on peut supposer qu'avec le temps les différences entre les professions vont finir par s'estomper. Si ce n'était des intérêts corporatistes, la logique devrait mener à une fusion de ces trois ordres professionnels.

Les comptables travaillent le plus souvent pour des cabinets-conseils. Sinon, ils sont employés dans la fonction publique, le commerce et l'industrie. Leur tâche consiste à suivre avec exactitude les états financiers et les budgets des organisations afin qu'ils soient intelligibles et utilisables. C'est grâce au travail comptable que les entreprises et les particuliers peuvent savoir, entre autres, de combien d'argent ils disposent, la somme des profits qu'ils ont réalisés et le montant de l'impôt qu'ils doivent à l'État.

Dans *Splendeurs et misères du travail*, le philosophe Alain de Botton fait une description particulièrement juste et perspicace du métier de comptable. On y découvre l'importance et la complexité de l'activité de ces experts, qui jouent un rôle indispensable au fonctionnement du système économique moderne.

Coup d'œil

PROFESSION	PROFESSIONNELS / FINISSANTS RATIO	SALAIRE ANNUEL MOYEN
Comptable agréé (CA) ★ ★ ★ ★ ★	18 000 / n.d.	185 000 $ (!)
Comptable général accrédité (CGA) ★ ★ ★ ★ ★	10 500 / n.d.	93 000 $

▶

Comptable en management accrédité (CMA) ★ ★ ★ ★ ★	9 000 / n.d.	100 000 $
Comptable sans titre (titulaire d'un baccalauréat) ★ ★ ★ ★ ★	10 000 / n.d.	60 000 $

Les comptables qui n'ont pas de titre reconnu font un travail analogue à celui de leurs collègues agréés et accrédités. Cependant, ils ne peuvent poser certains actes qui sont réservés aux membres des ordres professionnels, ce qui explique en partie l'importante différence de salaire. Les quelque 24 mois nécessaires à l'obtention de l'agrément ou de l'accréditation s'avèrent donc un investissement très avantageux.

Les données sur le nombre de finissants par spécialité en comptabilité ne sont pas disponibles. La seule donnée dont nous disposons concerne les quelque 1 000 finissants annuels au baccalauréat en comptabilité. Si on considère que la profession compte près de 50 000 membres, on obtient un ratio général pour tout le domaine d'environ 1 diplômé pour 50 emplois, ce qui est très favorable aux demandeurs d'emploi.

FORMATION

Après avoir terminé un baccalauréat dans le secteur de l'administration spécialisé en comptabilité, on accède aux professions par une formation d'environ deux ans au cycle supérieur. La formation des CA est la plus contingentée et la plus convoitée. Ce sont souvent les résultats scolaires qui déterminent vers quelle spécialité un étudiant peut se diriger.

DEGRÉ D'HOMOGÉNÉITÉ

Les emplois de comptable sont assez homogènes. Même s'il existe différentes spécialités, l'essentiel des tâches et des conditions de travail demeurent semblables. Il y a sans doute plus de différences d'un employeur à l'autre que d'un titre d'emploi à l'autre.

Analyse du marché de l'emploi

HOMMES-FEMMES

La proportion d'hommes et de femmes est à peu près égale.

Cependant, comme les femmes sont désormais majoritaires dans les programmes de formation, on peut prévoir qu'elles le seront aussi bientôt dans la profession.

TAUX DE CHÔMAGE

On ne chôme pas du tout chez les comptables !

GÉOGRAPHIE

Les emplois sont assez bien répartis dans la province, même si on observe une certaine concentration à Montréal et à Québec. Les meilleurs emplois et, surtout, les plus prestigieux sont à Montréal et, bien sûr, à Toronto ou à New York.

EMPLOYEURS

Les employeurs sont nombreux et variés. Près de 80 % des comptables travaillent dans le secteur privé, alors que 20 % d'entre eux sont des employés du secteur public.

SYNDICALISATION

Les comptables ne sont généralement pas syndiqués,

puisqu'ils occupent des fonctions de cadre.

QUALITÉ DES EMPLOIS

Les comptables non agréés connaissent un certain sous-emploi. Les autres travaillent tant qu'ils le veulent à de bonnes conditions.

INSERTION PROFESSIONNELLE

On trouve rapidement un emploi dans le domaine, mais l'insertion professionnelle est longue. En effet, on doit compter au moins cinq ans avant de faire ses preuves et d'accéder à des tâches plus intéressantes. En début de carrière, on a beaucoup à apprendre et on n'est pas prêt à assumer les mandats les plus complexes et les plus gratifiants. Pendant ces années, on travaille le plus souvent sous la tutelle d'un collègue plus expérimenté afin de faire ses classes.

Avenir de la profession

PÉRENNITÉ

Les tâches les plus simples dans le domaine sont assez facilement compressibles ou exportables. Il n'y a pas si longtemps, des

entreprises ont rêvé d'externaliser une bonne partie de leur travail de comptabilité en Inde, ce qui leur aurait permis d'économiser. L'expérience leur a toutefois montré que, bien que certaines tâches puissent être transférées ou automatisées, il est très difficile d'externaliser les opérations de comptabilité dans d'autres pays.

Les besoins en comptabilité sont en fait plutôt à la hausse. Les systèmes sont de plus en plus complexes et, plus que jamais, les organisations veulent des personnes compétentes pour s'y retrouver.

Malgré une croissance quasi exponentielle de la quantité de diplômés depuis les années 1980, on observe toujours le plein emploi dans le domaine. Les organisations et le système financier semblent avoir un appétit insatiable de main-d'œuvre qualifiée. On ne voit pas la fin de cette tendance.

Les perspectives d'avenir sont excellentes.

Influence sur le bonheur, la santé et la vie quotidienne

DEGRÉ D'AUTONOMIE

Comme on doit faire ses classes et apprendre, le degré d'autonomie est faible au départ et s'accroît à mesure que les années passent.

HORAIRES

Les comptables ont la réputation, sans doute fondée, d'avoir des horaires un peu fous. C'est une profession où règnent la compétition et l'ambition, et on se livre à une surenchère d'heures de travail. De plus, les frontières entre le temps de travail et le temps de repos s'estompent à cause des nouveaux moyens de communication, si bien que de nombreux professionnels

restent « branchés » à leur travail en tout temps.

INDICE FAMILLE

D'une certaine manière, la profession est bâtie sur l'ancien modèle traditionnel : un père pourvoyeur qui travaille énormément et une femme au foyer qui assume les obligations familiales. Or, comme la profession se féminise, elle doit s'adapter. Bien souvent, la solution est le recours à une aide familiale. Il n'est pas rare que des professionnels renoncent tout simplement à leurs projets de famille parce qu'ils sont trop absorbés par leur carrière. Bref, c'est un domaine où la conciliation travail-famille est difficile.

DURÉE DES CARRIÈRES

La manière rêvée de quitter la profession est de devenir indépendant de fortune. Autrement, le taux de départ est assez faible. Les carrières sont longues.

DÉPLACEMENTS

C'est une profession où on peut être sédentaire ou nomade, selon ce qu'on préfère. La mondialisation de l'économie et des organisations, de même que la reconnaissance des professionnels québécois dans le domaine font qu'on peut être appelé à se déplacer beaucoup. Les occasions de travail à l'étranger sont nombreuses.

SENTIMENT D'UTILITÉ

Les comptables ont une utilité indéniable dans l'économie. Toutefois, ceux qui sont au service de très grandes organisations et qui ont des tâches très pointues peuvent perdre de vue la valeur pratique de leur travail. De plus, comme le travail devient très virtuel, son sens n'est pas toujours clair.

DEGRÉ D'HUMANISME

La comptabilité n'est pas à proprement parler une profession humaniste. La logique de la rentabilité et du profit a ici préséance sur les visées de développement humain.

PLAISIR INTRINSÈQUE

Le préjugé veut que la comptabilité soit un travail fastidieux et répétitif, consistant essentiellement à analyser des colonnes de chiffres. Or, la réalité est bien différente. Les tâches des comptables sont plutôt variées, et beaucoup de leurs mandats peuvent s'avérer plaisants. La profession est plus intéressante qu'on le croit généralement.

STIMULATION INTELLECTUELLE

Le travail peut être complexe et les possibilités d'apprendre sont infinies. C'est un domaine où le talent peut s'épanouir.

CRÉATIVITÉ

Bien qu'on parle parfois de « créativité comptable », le niveau de créativité mobilisé est moyen. La rigueur l'emporte sur l'originalité.

INDICE BUREAUCRATIE

Les comptables sont les maîtres du système : dans leur domaine, le niveau de bureaucratie ne peut pas être plus élevé. L'idée première de leur travail est de normaliser les procédures et les données.

SOLITAIRE / EN ÉQUIPE

Malgré les idées reçues, la profession est très sociale et une bonne partie du travail se fait en équipe. Comme les tâches les plus fastidieuses sont informatisées, l'aspect essentiel consiste justement à discuter, à informer et à prendre des décisions. On passe beaucoup de temps en lien direct avec les collègues et les clients.

TRAVAILLER À SON COMPTE

Ceux qui le désirent peuvent très bien travailler à leur compte. C'est une profession qui s'y prête tout à fait.

RÉUSSITE OU ÉCHEC

Il faut parfois un peu de patience, mais la profession se déroule plutôt dans la réussite.

RECONNAISSANCE SOCIALE

La population connaît assez mal le travail des comptables. Les préjugés sur le métier sont nombreux, allant des « bas bruns » à la « créativité comptable ». En contrepartie, la profession jouit d'un certain prestige lié à son statut économique qui, lui, n'est pas un mythe.

DEGRÉ DE POUVOIR

Il peut être très élevé, car c'est une profession où l'on peut collaborer à des projets énormes ayant des conséquences économiques et sociales gigantesques. La comptabilité fait partie de la poignée de professions qui se partagent la plus grande part du pouvoir dans notre société.

MOBILITÉ ET AVANCEMENT

Les possibilités de mobilité professionnelle et d'avancement sont remarquables. Il y a des comptables dans presque toutes les entreprises et leur formation fait d'eux des candidats de choix pour les postes de direction. Dans les cabinets de comptabilité, on peut aussi gravir les échelons jusqu'à devenir associé et patron.

NIVEAU DE STRESS

Le stress sert d'aiguillon en début de carrière mais, une fois qu'on est établi dans la profession, le stress objectif est raisonnable en dehors des périodes charnières comme les fins d'exercice financier. Bien que les charges de travail soient importantes et que les comptables aient de grandes responsabilités, le stress auquel ils sont soumis est tolérable.

EN VRAC

La comptabilité est une profession qu'on sous-estime généralement. On imagine à tort qu'il s'agit d'un travail routinier et solitaire alors que c'est, au contraire, un travail qui peut s'avérer varié et stimulant.

Actuaire

Ceux qui ont la bosse des mathématiques et un esprit scientifique pourraient être intéressés par cette profession ultraspécialisée, connexe à celle de comptable. Il en est question dans le chapitre portant sur les professions des sciences de la nature et des sciences sociales (p. 229).

Évaluation globale

On peut diviser la profession comptable en trois catégories. Les comptables agréés en représentent l'aristocratie. En raison de cette situation privilégiée, j'accorde à leur profession une évaluation de quatre étoiles et demie. Non seulement ils bénéficient d'une rémunération plus importante, mais en plus ils ont accès aux positions les plus intéressantes, avec tous les avantages qui en découlent. Le monde leur appartient.

Les CMA et les CGA sont un peu dans l'ombre des comptables agréés, mais leur situation n'est pas mal du tout. Ils touchent de bons salaires, et ils ont accès à des postes intéressants où le travail est stimulant et où ils ont la chance d'être près des centres de décision. J'accorde à ces deux professions quatre étoiles.

Enfin, les comptables qui n'ont pas de titre gagnent moins d'argent et leurs possibilités de carrière sont plus restreintes. Ils risquent d'être affectés à des tâches moins intéressantes que leurs collègues. J'accorde donc à cette profession trois étoiles et demie. ■

Agent, conseiller, directeur en ressources humaines et en relations industrielles

Les agents, conseillers et directeurs en ressources humaines et en relations industrielles sont responsables, dans les organisations, de tout ce qui concerne l'embauche et la planification de la main-d'œuvre, la gestion des conventions collectives et des avantages sociaux, de même que de tout ce qui peut permettre d'améliorer les pratiques de gestion du personnel. Il n'y a pas de différence notable entre le travail des professionnels en relations humaines et en relations industrielles.

Coup d'œil

PROFESSION	PROFESSIONNELS / FINISSANTS RATIO	SALAIRE ANNUEL MOYEN
Agent, conseiller en ressources humaines et en relations industrielles ★ ★ ★ ★ ★	15 000 / 1 000 1 / 25 (incluant les directeurs)	62 000 $
Directeur des ressources humaines et des relations industrielles ★ ★ ★ ★ ★	10 000 / s.o.	74 000 $

Au Québec, on dénombre un total de 25 000 personnes dans le domaine des ressources humaines et des relations industrielles dont le travail correspond à une formation universitaire. Parmi eux, on trouve 10 000 cadres et 15 000 professionnels.

L'Ordre des conseillers en ressources humaines et en relations industrielles agréés compte 8 000 membres. Il faut être titulaire d'un baccalauréat en ressources humaines ou en relations industrielles pour en devenir membre.

FORMATION

Les personnes qui travaillent dans ce domaine sont le plus souvent titulaires d'un baccalauréat en administration, spécialisé dans le domaine des ressources humaines, ou d'un baccalauréat en relations industrielles.

Toutefois, bon nombre ont un baccalauréat dans un autre domaine et un certificat en ressources humaines.

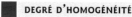

DEGRÉ D'HOMOGÉNÉITÉ

Il s'agit de professions plutôt homogènes.

Analyse du marché de l'emploi

HOMMES-FEMMES

Depuis 20 ans, la proportion de femmes dans ces professions est passée de 41 à 66 %. Étant donné leur nombre dans les programmes de formation, elles représenteront bientôt 75 % des membres de la profession.

TAUX DE CHÔMAGE

Il est négligeable dans ce domaine.

GÉOGRAPHIE

L'emploi est assez bien réparti au Québec, même s'il est concentré dans les centres urbains.

EMPLOYEURS

Les employeurs sont nombreux. L'emploi est concentré dans les grandes entreprises et dans les services publics. Il existe aussi certains cabinets spécialisés en ressources humaines et en relations industrielles.

Les employeurs appartiennent aux secteurs privé et public, mais les emplois sont moins intéressants dans le public. En effet, les organisations publiques sont prises dans un double carcan : d'une part, les conventions collectives sont rigides, ce qui laisse moins de place à la créativité, et, d'autre part, comme l'État vit un interminable mouvement de restriction budgétaire, il n'est possible de pratiquer qu'une gestion de personnel minimale.

Dans le secteur privé, on trouve du meilleur et du pire. Le pire est constitué des entreprises qui considèrent encore la main-d'œuvre comme un mal nécessaire avec lequel il faut composer. Dans le meilleur figurent les entreprises qui mobilisent de l'énergie et des ressources pour rendre l'environnement de travail stimulant. Dans une telle situation, le travail des professionnels en ressources humaines devient très intéressant. Le choix de l'employeur est donc déterminant dans la carrière.

SYNDICALISATION

Comme les spécialistes des ressources humaines et des relations industrielles représentent la partie patronale, ils ne sont évidemment pas syndiqués.

QUALITÉ DES EMPLOIS

L'emploi est presque toujours à temps plein et à horaire fixe, et de qualité.

INSERTION PROFESSIONNELLE

Dès la sortie de l'université, on peut avoir accès à des emplois de qualité.

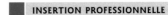

Avenir de la profession

PÉRENNITÉ

Les emplois dans ce domaine ne sont ni compressibles, ni exportables. Comme dans les autres secteurs de l'administration, la demande est à la hausse.

PERSPECTIVES D'EMPLOI

Le nombre de personnes occupant ces professions a doublé depuis 20 ans, mais le travail ne manque pas. Ce sont des professions qui pourraient encore prendre de l'expansion.

La seule ombre au tableau est la vulnérabilité aux coupures de personnel. Comme, dans une entreprise, les ressources humaines ne génèrent pas de revenus, les décideurs sont tentés de couper du personnel dans les périodes difficiles.

Les perspectives d'avenir sont excellentes.

Influence sur le bonheur, la santé et la vie quotidienne

DEGRÉ D'AUTONOMIE

Les professionnels en ressources humaines sont à la remorque des autres gestionnaires dans les organisations. Ils bénéficient donc de moins d'autonomie : ils appliquent les décisions, mais ne les prennent pas. De plus, le travail exige de suivre d'innombrables règles.

HORAIRES

Les horaires sont typiques, on travaille durant les heures normales de bureau.

INDICE FAMILLE

L'indice famille va de bon à excellent. Les horaires sont normaux et la compétition est moins intense que dans les autres secteurs de l'administration. Ce sont donc des emplois qui permettent de maintenir un bon équilibre entre les obligations familiales et celles du travail.

DURÉE DES CARRIÈRES

Les carrières dans ces domaines sont le plus souvent longues et stables. Toutefois, une certaine proportion de travailleurs se sentent à l'étroit et décident de se réorienter. La routine et la bureaucratie en découragent quelques-uns.

DÉPLACEMENTS

Sauf exception, la profession est plutôt sédentaire. De plus, le marché international est moins important que dans les autres secteurs de l'administration.

SENTIMENT D'UTILITÉ

L'impression d'utilité peut varier grandement d'une entreprise à l'autre. Le côté procédurier et la distance de l'action peuvent faire émerger un sentiment de vacuité. La culture de l'entreprise est déterminante. À cet égard, *Images de l'organisation*, un livre de Gareth Morgan, permet de se faire une idée des grandes différences qui existent entre les entreprises[2]. L'auteur y montre que, dans certaines organisations, les agents de ressources humaines jouent un rôle central, alors que dans d'autres, ils sont confinés à un travail strictement administratif.

DEGRÉ D'HUMANISME

L'expression « ressources humaines » est une sorte d'oxymore, c'est-à-dire l'assemblage de deux mots de sens contradictoires. Et malgré ce nom, la profession se déroule le plus souvent loin des gens. D'ailleurs, c'est la mauvaise surprise qui attend beaucoup de ceux qui se dirigent dans cette voie. Ils y vont parce qu'ils sont attirés par les relations humaines, mais ils se retrouvent plongés dans une carrière essentiellement bureaucratique, productiviste ou bêtement instrumentaliste. Trop souvent, l'aspect humain est le parent pauvre de leur travail. Les entreprises qui accordent réellement une priorité au facteur humain sont plutôt l'exception que la règle.

PLAISIR INTRINSÈQUE

Les meilleurs emplois dans le domaine peuvent être très plaisants. Par contre, le plaisir est moins présent dans les emplois de moins bonne qualité. Le respect des procédures et les économies de bout de chandelle sont encore le lot de bien des travailleurs en ressources humaines. À l'heure actuelle, les emplois dans le secteur public ne sont pas les plus plaisants.

---

2. Gareth Morgan, *Images de l'organisation*, Québec, Les Presses de l'Université Laval, 1989.

STIMULATION INTELLECTUELLE

Le travail est généralement assez peu complexe. En théorie, les possibilités dans le domaine sont infinies. En réalité, bien des organisations adoptent un mode de gestion du personnel très conventionnel où la nouveauté est plutôt rare.

CRÉATIVITÉ

Elle est aussi très variable selon les employeurs. Généralement, le travail est peu créatif, sauf dans les meilleurs emplois où l'on peut vraiment élaborer des stratégies originales. Dans les entreprises qui sont à la fine pointe des pratiques innovantes, la créativité est importante, car il s'agit alors de tout mettre en œuvre pour que les employés s'épanouissent et connaissent des cheminements de carrière satisfaisants. C'est dans les secteurs des finances et des nouvelles technologies qu'on trouve les entreprises les plus dynamiques à cet égard.

INDICE BUREAUCRATIE

Énorme! C'est une profession où les règles et les procédures sont omniprésentes.

SOLITAIRE / EN ÉQUIPE

Le travail d'équipe est fréquent, bien qu'une large partie des tâches s'effectue seul.

TRAVAILLER À SON COMPTE

Le travail autonome est rare. Ceux qui ont acquis beaucoup d'expérience et une expertise remarquable peuvent offrir des services-conseils.

RÉUSSITE OU ÉCHEC

L'échec est peu présent, sauf dans certains secteurs, ou à cause de certaines conjonctures. Par exemple, le secteur de la santé est actuellement aux prises avec de nombreux problèmes en ressources humaines qui semblent pratiquement insolubles, qu'il s'agisse de la pénurie de personnel ou de la détresse des employés. Dans ce type de contexte, les professionnels en ressources humaines se sentent impuissants à améliorer les choses.

RECONNAISSANCE SOCIALE

Ce sont des professionnels bien reconnus, mais qui ne bénéficient pas du prestige dont jouissent leurs collègues des autres secteurs de l'administration. Les ressources humaines constituent la branche la plus discrète de l'administration.

DEGRÉ DE POUVOIR

Les professionnels en ressources humaines sont le plus souvent tributaires des décisions des autres gestionnaires. La finance, la comptabilité et le marketing ont plus de pouvoir dans les organisations.

MOBILITÉ ET AVANCEMENT

Pour ce qui est de la mobilité, il est assez facile de changer d'employeur. Par contre, les emplois dans le secteur n'étant pas très variés, on finira presque toujours avec les mêmes tâches. Il faut acquérir une formation spécialisée pour pouvoir modifier significativement ses tâches.

Les possibilités d'avancement sont aussi plus restreintes que dans les autres secteurs de l'administration. On peut s'élever au sein de la filière des ressources humaines, mais il est rare qu'on obtienne des responsabilités en dehors de ce domaine d'expertise. Les postes de haute direction vont plutôt aux professionnels de la comptabilité, de la finance et même du marketing, c'est-à-dire à ceux qui sont naturellement plus près du pouvoir et qui génèrent des revenus dans les organisations.

NIVEAU DE STRESS

Le niveau de stress est normalement acceptable dans ces professions. Il peut toutefois être très élevé en période de coupure de personnel ou de restrictions budgétaires.

Évaluation globale

En théorie, le domaine des ressources humaines pourrait être le plus intéressant et le plus prestigieux de l'administration. En réalité, c'est plutôt du côté des argentiers que se concentre le pouvoir dans l'entreprise pendant que les spécialistes des ressources humaines jouent les seconds violons. Alors qu'ils auraient le potentiel de changer les choses et de mettre en place une gestion créative, ils sont souvent réduits à un rôle d'intendance.

Ce manque de pouvoir s'accompagne toutefois d'une certaine tranquillité. Comme il s'agit d'activités périphériques, ceux qui ont besoin de calme et de sécurité trouvent leur compte dans ce type d'emplois stables, où la compétition est

▶

moins féroce que dans les autres branches de l'administration. Certains s'y épanouiront, alors que d'autres s'y sentiront à l'étroit.

Au chapitre de l'emploi, le secteur est intéressant. Les conditions de travail et les salaires sont bons. J'accorde donc la note de trois étoiles et demie à ces professions. ∎

Directeur et professionnel en marketing, en publicité et en vente

En marketing, en publicité et en vente, tout le travail a pour objectif le maintien et l'augmentation des parts de marché de l'entreprise qui nous emploie. Si on veut obtenir une description brutale mais efficace du domaine, on lira le roman *99 francs* de Frédéric Beigbeder.

Certains secteurs commerciaux sont plutôt stables. Le travail de représentation est alors centré sur les bonnes relations entre les partenaires, l'organisation des transactions et les tâches de gestion liées aux échanges. On agit essentiellement comme intermédiaire entre deux organisations.

Dans les secteurs plus dynamiques, la compétition est plus vive et on doit déployer beaucoup d'efforts pour favoriser la croissance des parts de marché. Dans ces emplois, le travail de démarchage, de représentation et de vente est plus important.

Coup d'œil

PROFESSION	PROFESSIONNELS / FINISSANTS RATIO	SALAIRE ANNUEL MOYEN
Directeur des achats ★★★★★	2 500 / n.d.	77 000 $
Directeur du marketing, directeur des ventes ★★★★★	28 000 / n.d.	76 000 $
Agent de développement économique et de marketing ★★★★★	11 000 / n.d.	54 000 $
Représentant ★★★★★	22 000 / n.d.	70 000 $ - 80 000 $

Les données disponibles sur les diplômés ne permettent pas de distinguer le nombre exact de finissants en marketing. Entre 800 et 1 000 étudiants obtiennent un diplôme dans le domaine chaque année. Comme le secteur compte plus de 50 000 travailleurs, le ratio entre les diplômés et les professionnels peut être évalué à 1 pour 50, ce qui est tout à l'avantage des demandeurs d'emploi.

La rémunération réelle des directeurs de marketing et des représentants est sans doute plus élevée que ce que révèlent les données officielles. Les entreprises ont des systèmes de gratification pour ces employés : on leur offre des cadeaux en espèces, des bonis, des régimes d'actionnariat, des congrès ou des voitures de service, par exemple. Toutes ces gratifications ne sont généralement pas comptabilisées dans la rémunération.

FORMATION

La formation menant aux professions des domaines du marketing, de la publicité et de la vente est très diversifiée. Je ne traite ici que des emplois auxquels donnent accès les écoles d'administration. La formation typique est un baccalauréat en administration spécialisé en marketing, parfois complété par un diplôme d'études supérieures spécialisées (DESS)[3] ou une maîtrise dans le domaine.

Bien des représentants issus d'autres programmes de formation travaillent dans des domaines spécialisés. Par exemple, un chimiste peut être représentant pour une entreprise de produits chimiques et un designer, pour une entreprise de meubles. On peut accéder à un poste de représentant par l'intermédiaire de presque tous les domaines d'études.

DEGRÉ D'HOMOGÉNÉITÉ

Le degré d'homogénéité est faible. Les réalités varient grandement selon les employeurs et les secteurs économiques.

Analyse du marché de l'emploi

HOMMES-FEMMES

On compte 70 % d'hommes et 30 % de femmes dans ces professions.

TAUX DE CHÔMAGE

Ce sont des domaines où le chômage est quasiment inexistant. Les rares personnes qui chôment

---

3. Le DESS est l'équivalent d'un certificat, mais au cycle supérieur. Il s'agit donc d'une formation de 30 crédits qui peut être accomplie en une année.

le font parce qu'elles refusent des emplois moins intéressants.

GÉOGRAPHIE

L'emploi est concentré dans les zones urbaines et industrielles, tout en étant assez bien réparti sur le territoire.

EMPLOYEURS

Il y a d'innombrables employeurs dans le secteur privé. Ce sont des entreprises de toutes tailles.

SYNDICALISATION

Ces emplois ne sont à peu près jamais syndiqués.

QUALITÉ DES EMPLOIS

Il s'agit surtout d'emplois à plein temps, mais ils ne sont pas tous de qualité. Bien des emplois sont mal rémunérés et se caractérisent par de mauvaises conditions de travail.

INSERTION PROFESSIONNELLE

Les premières années, il faut faire ses preuves et on risque d'occuper les emplois les plus difficiles et les plus ingrats. Au bout d'un certain temps, on accède à des fonctions plus intéressantes et les gratifications se multiplient.

Avenir de la profession

PÉRENNITÉ

Le domaine n'est menacé ni par les compressions dues à la technologie, ni par les transferts à l'étranger. Au contraire, il est probable que le nombre de ces professionnels augmentera encore sensiblement au cours des prochaines décennies.

PERSPECTIVES D'EMPLOI

Si l'on est ambitieux et per-sévérant et qu'on ne compte pas ses heures, le travail dans ces domaines est abondant et les possibilités de gagner beaucoup d'argent sont réelles.

Ceux qui ne souhaitent pas que le travail occupe une trop grande place dans leur vie s'exposent à être déçus.

Les perspectives d'avenir sont excellentes.

DEGRÉ D'AUTONOMIE

À première vue, l'autonomie est très élevée, mais le degré d'adhésion aux valeurs de l'entreprise, donc de conformisme, est important. On pense généralement que les spécialistes en marketing et les représentants misent surtout sur leurs techniques personnelles, mais des auteurs ont démontré que, derrière cette apparence de liberté, les entreprises exercent un contrôle serré sur leurs employés[4]. Les méthodes de vente et la manière d'interagir avec les clients, par exemple, sont analysées et contrôlées dans les moindres détails.

HORAIRES

Ce sont des domaines où on travaille pendant de très longues heures, où il faut parfois demeurer disponible en dehors des heures de travail, et où il faut faire preuve de beaucoup de souplesse. Une grande part du travail s'accomplit le soir et le week-end et, avec les nouveaux médias électroniques, il peut être très difficile de décrocher. Ces professionnels sont nombreux à rester branchés au boulot en tout temps, même durant leurs vacances.

INDICE FAMILLE

Faire carrière en marketing, en publicité ou en vente et avoir une vie familiale équilibrée est plutôt improbable. Aujourd'hui encore, la réalité est que bien des hommes qui travaillent dans ce secteur comptent sur une « femme dévouée » pour assurer la cohésion familiale. Bien sûr, ce n'est plus comme dans la série *Mad Men*, qui se déroule dans les années 1960, mais...

DURÉE DES CARRIÈRES

Ce sont des domaines où le roulement de personnel et les départs de la profession sont nombreux. On ne compte plus d'ailleurs les publicitaires qui ont abandonné la profession et qui ont écrit un livre pour dénoncer ce milieu. Ce phénomène est certainement symptomatique.

DÉPLACEMENTS

Il s'agit des secteurs d'emploi où les déplacements sont les plus nombreux. Cela

---

4. Voir entre autres Arlie Russell Hochschild, *The Managed Heart : Commercialization of Human Feeling*, Berkeley, University of California Press, 1983, ainsi que Vincent de Gaulejac, *La société malade de la gestion : Idéologie gestionnaire, pouvoir managérial et harcèlement social*, Paris, Points, 2005.

peut représenter un atout, mais aussi un inconvénient sérieux si l'on recherche plus de stabilité[5]. Il existe de bonnes possibilités de travail à l'étranger.

SENTIMENT D'UTILITÉ

Il est variable. Certains représentants ont un rôle clair et précis et se sentent utiles. Dans d'autres cas, le travail n'a pour seule fin que l'augmentation des chiffres de vente et des profits. C'est ce qui explique que bien des gens dans ces domaines deviennent désabusés ou cyniques. L'ambition et l'argent sont les principaux vecteurs de motivation.

DEGRÉ D'HUMANISME

Bien qu'on soit souvent en relation avec les autres, ces professions ne comportent pas un aspect humain important.

PLAISIR INTRINSÈQUE

Plus le travail sollicite de connaissances, plus il est intéressant. Il est très important de choisir un secteur qui correspond à ses champs d'intérêt. C'est souvent le lien étroit entre les goûts d'une personne et le domaine dans lequel elle fait

carrière qui constitue la meilleure garantie de succès. Qu'il s'agisse de produits ou d'idées, on vend bien et facilement ce qui nous plaît ou ce qu'on approuve. D'ailleurs, travailler à vendre un bien ou un service pour lequel on n'a pas d'intérêt ou qui ne correspond pas à ses valeurs mène directement à la déception et à l'échec.

STIMULATION INTELLECTUELLE

Le degré de complexité du travail est généralement moyen, de même que les possibilités d'apprendre. Paradoxalement, le domaine de la vente est un de ceux où les cours, ateliers et programmes de formation sont les plus nombreux. L'objectif réel de ces programmes, toutefois, n'est pas d'enrichir les connaissances des participants, mais plutôt de stimuler leur motivation.

CRÉATIVITÉ

Elle est plus importante en publicité, moins dans le secteur de la vente et du marketing.

INDICE BUREAUCRATIE

Il va de moyen à élevé selon les secteurs d'emploi.

---

5. C'est le cas du personnage de Franz Kafka dans le roman *La métamorphose* : « Ah mon Dieu, pensa-t-il, quel métier exténuant j'ai donc choisi ! Jour après jour en voyage. Les ennuis professionnels sont bien plus grands que ceux qu'on aurait en restant au magasin et j'ai par-dessus le marché la corvée des voyages, le soucis des changements de trains, la nourriture irrégulière et médiocre, des têtes toujours nouvelles, jamais de relations durables ni cordiales avec personne. Le diable emporte ce métier ! »

SOLITAIRE / EN ÉQUIPE

Le travail dans le domaine oscille entre la collégialité et la grande solitude. D'un côté, les entreprises cherchent à créer un sentiment d'appartenance et d'équipe. De l'autre, les représentants passent beaucoup de temps seuls en voyage ou auprès de leurs clients. Dans certains emplois, le degré de solitude peut être très élevé, voire intolérable.

TRAVAILLER À SON COMPTE

Seuls certains professionnels très bien établis dans un secteur peuvent travailler à leur compte.

RÉUSSITE OU ÉCHEC

Ces métiers sont centrés sur la compétition. On y réussit autant qu'on y échoue. Il faut être solide parce que vivre des échecs à répétition peut démoraliser. On est toujours dans une logique où il faut se surpasser. Ce qui était une réussite hier ne suffit plus aujourd'hui.

RECONNAISSANCE SOCIALE

Évidemment, avec la réussite matérielle viennent le prestige et la reconnaissance. Socialement, toutefois, cette reconnaissance est atténuée par le caractère très mercantile du travail.

DEGRÉ DE POUVOIR

Il y a passablement de pouvoir rattaché à ces professions.

On travaille près des centres de décision et on peut exercer une grande influence.

MOBILITÉ ET AVANCEMENT

De toutes les professions, celles de représentant et de directeur du marketing sont celles où la loi du marché s'applique avec le plus de rigueur. Les possibilités professionnelles sont directement liées à la qualité et à la quantité de travail que chacun est capable de fournir. Ainsi, les plus forts et les plus diligents réussiront à se frayer un chemin vers les meilleurs postes et le sommet des hiérarchies, alors que ceux qui ont le moins d'avantages compétitifs verront leur carrière stagner. Le bilinguisme, d'excellentes habiletés sociales, un diplôme d'études supérieures et une disponibilité sans faille constituent les éléments essentiels à l'ascension professionnelle. La capacité à construire et à entretenir des réseaux sociaux est également très importante.

NIVEAU DE STRESS

Le stress dans ces professions est lié à l'atteinte d'objectifs de plus en plus exigeants et ambitieux. Les marchés et le contexte commercial peuvent se transformer rapidement et influer sur le travail et les revenus.

Il est fréquent que les professionnels du marketing se questionnent sur le sens de leur travail. Bien des emplois de représentant sont utiles et ceux qui les occupent sont fiers de leur travail, à juste titre. Toutefois, dans certains domaines, l'appât du gain prime tout le reste et les professionnels finissent par développer une piètre opinion d'eux-mêmes et de leur travail. Le cynisme et le désabusement représentent des menaces constantes. Plusieurs choisissent de changer de secteur.

Professions semblables

Acheteur

On compte 13 000 acheteurs au Québec qui gagnent un salaire annuel moyen de 48 000 $. Cette profession est intimement liée au marketing parce qu'une forte proportion des acheteurs sont issus de ce domaine. De plus, les acheteurs font systématiquement affaire avec les représentants dans le cadre de leur travail. Ce sont deux professions jumelles. Les achats et les ventes sont les deux faces d'une même médaille. Les uns sont les interlocuteurs des autres.

Le rôle des acheteurs est de pourvoir leur organisation du matériel qui lui est nécessaire. C'est un travail qui tient à la fois de la logistique, de l'investigation et de la gestion. Une forte proportion des acheteurs possèdent une formation autre que le baccalauréat en marketing et liée aux biens qu'ils achètent. Un acheteur dans le domaine aéronautique, par exemple, sera sans doute ingénieur de formation.

Évaluation globale

La pièce *Mort d'un commis voyageur* d'Arthur Miller conserve une saisissante actualité plus de 60 ans après sa création. Encore de nos jours, il existe bien des emplois dans les secteurs du marketing, de la vente ou de la publicité où les rêves qui sont attisés ne se réaliseront jamais. Les conditions et les horaires de travail sont parfois très difficiles, et on peut être déçu par ce type de travail même s'il permet de bien gagner sa vie.

▶

La qualité des emplois et leur intérêt sont très variables. Le marché recèle des postes vraiment très intéressants avec des conditions de travail excellentes, mais aussi des postes beaucoup moins avantageux. Le choix d'un secteur d'activité et celui d'un employeur sont déterminants dans la qualité de la carrière. De plus, le succès de la carrière dépend presque entièrement des dispositions individuelles. Il faut aimer la compétition et cultiver l'individualisme.

Le principal point positif des professions du marketing porte sur les salaires et les possibilités d'avancement, qui sont très bons. Pour toutes ces raisons, j'accorde la note de trois étoiles et demie à ces professions. ■

Analyste, conseiller et planificateur financier

Depuis le tournant des années 1970, l'économie mondiale s'est financiarisée à outrance, ce qui signifie que parallèlement à une économie basée sur des données objectives s'est développée une autre économie, fondée, celle-là, sur l'échange de produits financiers et dont le lien avec l'économie réelle est de moins en moins clair[6]. Cet univers où l'argent circule en quantités astronomiques est celui des analystes, conseillers et planificateurs financiers, et la Bourse constitue le théâtre de leur activité. Leur tâche consiste à créer, à vendre ou à acheter différents produits associés à des valeurs monétaires ou marchandes. On estime que plus de 90 % des transactions boursières effectuées dans le monde aujourd'hui sont de nature financière et n'ont plus rien à voir avec des échanges de biens tangibles.

Coup d'œil

PROFESSION	PROFESSIONNELS / FINISSANTS RATIO	SALAIRE ANNUEL MOYEN
Cadre supérieur finance ★ ★ ★ ★ ★	12 000 / n.d.	118 000 $
Directeur financier : finance, courtage, immobilier, assurances, banque ★ ★ ★ ★ ★	33 000 / n.d.	80 000 $
Analyste financier, analyste en placements ★ ★ ★ ★ ★	14 000 / n.d.	75 000 $
Planificateur financier, courtier en hypothèque et tous autres types d'agent financier ★ ★ ★ ★ ★	22 000 / n.d.	62 000 $

On ne connaît pas le nombre exact de personnes qui chaque année terminent une formation universitaire en finances au Québec. Les données disponibles permettent de l'évaluer à environ

---

6. La crise financière mondiale de 2008 liée au papier commercial en a fourni une démonstration éloquente. Les professionnels de la finance qui ont acheté ces papiers à coup de milliards ne savaient même pas exactement à quel type de dette ils étaient adossés.

1 500. Comme le bassin de main-d'œuvre dans le domaine dépasse les 80 000 professionnels, on voit que le ratio entre les diplômés et les professionnels est autour de 1 pour 50, ce qui est tout à l'avantage des demandeurs d'emploi. Chaque année, le secteur de la finance recrute plus de personnes qu'on en forme, ce qui l'oblige à attirer des candidats issus d'autres programmes de formation en administration et même dans d'autres domaines. Une proportion importante des finissants en économie trouvent du travail dans le domaine de la finance.

FORMATION

Un baccalauréat en économie ou en administration spécialisé en finance représente la formation habituelle. Une maîtrise spécialisée est un atout majeur et améliore considérablement les perspectives de rémunération. Divers programmes de formation très pointus sont également offerts aux professionnels. Certains de ces programmes, très exigeants, permettent d'obtenir des certifications reconnues.

Le prestige de l'établissement où on a étudié a des répercussions sur la carrière. Ceux qui sont issus des meilleures écoles ont rapidement accès aux emplois les plus avantageux. Au Québec, l'Université McGill, HEC Montréal et, dans une moindre mesure, l'Université de Sherbrooke sont les établissements les mieux cotés dans le domaine.

DEGRÉ D'HOMOGÉNÉITÉ

L'argent est toujours au cœur du travail, mais la gamme des emplois est variée.

Analyse du marché de l'emploi

HOMMES-FEMMES

La proportion hommes-femmes varie selon les secteurs d'emploi. Les hommes sont attirés par les emplois les plus risqués et où ils auront du pouvoir, alors que les femmes sont surreprésentées dans les emplois les plus stables[7].

---

7. Dans une recherche antérieure sur le domaine des assurances, j'ai été frappé de constater que les hommes choisissent systématiquement les emplois payés à la commission, plus risqués mais plus payants, alors que les femmes préfèrent être rémunérées à salaire, quitte à gagner moins. (Jacques Langlois, *La déqualification/requalification des agents d'assurance de dommages*, mémoire de maîtrise, Université de Sherbrooke, 1997.)

Autrement dit, les requins de la finance vont continuer à être des hommes...

TAUX DE CHÔMAGE

Il n'y a pas de chômage dans les domaines de l'économie et de la finance. L'emploi connaît une croissance constante depuis une vingtaine d'années.

GÉOGRAPHIE

On peut décrocher les meilleurs emplois à Montréal et à Québec... ainsi qu'à Toronto, à New York et à Londres! On trouve également de l'emploi ailleurs dans la province, partout où il y a des institutions financières.

Les titulaires de maîtrise et les ambitieux ne parviendront pas à des postes à la hauteur de leurs attentes en dehors de Québec et de Montréal.

EMPLOYEURS

Il n'existe pas beaucoup d'employeurs dans ce domaine. Les emplois sont concentrés dans les banques, les compagnies d'assurance et les sociétés d'investissement.

Il se trouve quelques emplois dans le secteur public (dans des hôpitaux, des ministères ou le système scolaire, par exemple), mais 90 % des emplois sont offerts par de très grandes entreprises du secteur privé. Ici dominent les gros joueurs comme les banques et les compagnies d'assurance.

SYNDICALISATION

Il n'y a presque pas d'emplois syndiqués dans ce domaine.

QUALITÉ DES EMPLOIS

Les emplois sont de bonne qualité et à plein temps. C'est un secteur où on travaille beaucoup et où la compétition est féroce. Par contre, la rémunération est à l'avenant.

INSERTION PROFESSIONNELLE

La qualité des emplois disponibles est très acceptable dès la sortie de l'université. Par contre, les premières années dans la finance peuvent être difficiles. Il faut bûcher pour se faire une place. De plus, il est fréquent, en début de carrière, de devoir s'astreindre à des séances de formation ardues et accaparantes en plus du travail à plein temps pour satisfaire les exigences de son employeur.

Avenir de la profession

PÉRENNITÉ

Le secteur québécois de la finance vit toujours dans la menace des transferts à l'extérieur de la province, particulièrement à Toronto. Il est de plus en plus fréquent que des professionnels de la finance choisissent de quitter le Québec pour améliorer leurs perspectives de carrière.

Malgré la concurrence ontarienne, toutefois, le secteur affiche toujours une bonne vigueur au Québec et on peut être optimiste pour l'avenir. Tout porte à croire que le secteur financier continuera à prospérer longtemps, ici comme ailleurs.

PERSPECTIVES D'EMPLOI

Le puissant mouvement de financiarisation de l'économie évoqué plus haut n'est pas du tout en voie de s'essouffler. Il y a tout lieu de penser que le secteur de la finance a encore un avenir très prometteur.

Les perspectives d'avenir sont excellentes.

Influence sur le bonheur, la santé et la vie quotidienne

DEGRÉ D'AUTONOMIE

Les emplois dans les grandes organisations sont très bien encadrés et le degré de contrôle est parfois impressionnant. Les logiciels permettent d'analyser le travail financier dans ses moindres détails. L'autonomie est très restreinte en début de carrière ; elle augmente par la suite. De plus, on exige des financiers qu'ils se conforment aux idées et aux usages du domaine.

HORAIRES

On travaille régulièrement de très longues heures en finance. En début de carrière, on doit en plus investir beaucoup de temps dans la formation afin d'acquérir une des nombreuses certifications du monde financier. Il n'est pas rare que la plupart des week-ends y passent pendant quelques années.

INDICE FAMILLE

La conciliation travail-famille est facile dans les emplois les moins exigeants du domaine, beaucoup moins dans les emplois les plus prestigieux. Ambition et famille font mauvais ménage. Il est encore fréquent que des hommes comptent sur l'appui d'une « gentille épouse » pour s'occuper des obligations familiales... L'expression « Je n'ai pas vu mes enfants grandir » est parfois d'une cruelle vérité.

DURÉE DES CARRIÈRES

Les carrières sont longues et stables. Une certaine proportion de travailleurs se dégoûtent du secteur et se réorientent. Toutefois, le rêve de tout financier est de faire fortune et de quitter le domaine les poches bien remplies pour enfin s'adonner à ses passions ou à ses loisirs. On compte au Québec quelques gentlemen-farmers qui ont des antécédents dans la finance.

DÉPLACEMENTS

Les déplacements sont assez nombreux, très variables selon les domaines financiers. Ceux qui sont au sommet des hiérarchies voyagent beaucoup. Les possibilités de travail à l'étranger sont aussi importantes.

SENTIMENT D'UTILITÉ

Il est variable. Ceux qui travaillent près des gens dans les domaines des prêts ou des investissements se sentent plus utiles.

Ceux dont les emplois sont plus abstraits et plus spéculatifs ne mesurent leur utilité que par les gains qu'ils réalisent. Dans certains emplois très spécialisés et très abstraits, il est possible de perdre le sens de son travail.

DEGRÉ D'HUMANISME

Il est faible. Le travail dans le domaine financier est centré sur les résultats quantitatifs qui se traduisent en plus-value et en profits. L'épanouissement humain ne fait pas partie des enjeux de la profession.

PLAISIR INTRINSÈQUE

Il y a bien des emplois qui ne sont pas palpitants en finance. Par contre, c'est un secteur qui en passionne aussi plusieurs. Les hommes s'entichent de finance par esprit de jeu et par avidité. La Bourse et la finance sont d'immenses jeux de Monopoly et de roulette.

STIMULATION INTELLECTUELLE

Le travail peut varier beaucoup en complexité. Certains emplois sont assez simples, alors que d'autres sont très complexes. Il n'y a pas de limites aux possibilités d'apprendre en finance, on peut se former toute sa vie.

CRÉATIVITÉ

La créativité est peu sollicitée, sauf dans les plus hautes sphères.

INDICE BUREAUCRATIE

Il est important, voire très important.

SOLITAIRE / EN ÉQUIPE

Certains emplois peuvent être très collégiaux alors que d'autres se déroulent dans la solitude la plus absolue. En règle générale, l'emploi est plutôt social.

TRAVAILLER À SON COMPTE

Il vaut sans doute mieux travailler au sein d'une entreprise ou d'une institution bancaire en début de carrière afin d'approfondir ses connaissances et d'acquérir de l'expérience. Après avoir fait ses classes, on peut choisir de se lancer à son compte.

RÉUSSITE OU ÉCHEC

On réussit beaucoup plus qu'on n'échoue dans ces domaines. Dans les emplois plus spéculatifs, c'est précisément la tolérance au risque et l'envie de parier qui rend le travail excitant. Il arrive que des financiers connaissent des revers retentissants. Certains perdent leur chemise sur des spéculations. Les périodes de correction boursière provoquent bien des ulcères. En contrepartie, les paris gagnés peuvent rapporter gros et s'avérer très excitants.

RECONNAISSANCE SOCIALE

Le moins qu'on puisse dire est que les gens du domaine de la finance n'ont pas très bonne presse depuis quelques années. La profession est prestigieuse à cause de l'argent qui coule à flot, mais elle est de plus en plus mal vue parce que son utilité réelle est difficile à cerner. De plus, comme la dernière crise économique l'a montré, il existe bel et bien des requins de la finance qui ne sont motivés que par l'acquisition d'une fortune personnelle et les profits à court terme.

DEGRÉ DE POUVOIR

Il est énorme, disproportionné. Évidemment, les postes de petite et de moyenne envergure ne bénéficient que d'un pouvoir relatif. Toutefois, là-haut au sommet, ceux qui occupent les emplois les plus importants possèdent un pouvoir gigantesque. Les financiers peuvent influer sur le destin de nations entières. Ils peuvent créer la prospérité comme la pauvreté à très grande échelle.

MOBILITÉ ET AVANCEMENT

Avec le marketing, la finance est l'un des domaines où la loi du marché s'applique presque parfaitement en ce qui concerne la mobilité et l'avancement. Les possibilités sont nombreuses dans la finance : *« the sky's the limit »*, diront même certains. On a accès en finance à des postes de supervision et de direction, de haute direction et de très haute direction. Les meilleurs graviront les échelons jusqu'au sommet.

Professions semblables

Économiste

On compte 2 700 économistes au Québec et leur salaire moyen est de 71 000 $ par année. Les économistes ont surtout pour métier d'observer, d'analyser ou de commenter l'ensemble de l'activité économique. Leur travail est un peu moins centré sur les résultats que celui des financiers et plus sur la compréhension des systèmes économiques. Ils jouent généralement un rôle d'expert-conseil auprès des banques, des compagnies d'assurance, des grandes entreprises et des gouvernements.

NIVEAU DE STRESS

Le stress et les charges de travail sont proportionnels à l'ambition et aux risques économiques.

EN VRAC

Les métiers de la finance se trouvent au cœur du système capitaliste. Ils peuvent être très payants et conduire à des positions très avantageuses. En contrepartie, ils sont également au centre de toutes les tempêtes économiques, qui sont nombreuses. Le système se nourrit du chaos ; les emplois dans ce secteur sont donc fréquemment exposés à des crises. Ce sont des professions où l'ambition joue un rôle primordial.

Évaluation globale

Objectivement, le secteur de la finance offre des possibilités très intéressantes. Des quatre spécialités de l'administration, il se démarque clairement avec la comptabilité sur le plan de la qualité des emplois et de l'intérêt intrinsèque du travail.

Les aspects négatifs ont trait au caractère intensément compétitif, au fait que certains emplois peuvent être franchement fastidieux, aux aléas d'une économie souvent explosive et, enfin, à la difficulté de donner un sens à ce travail.

▶

Malgré ces points négatifs, les professions de la finance restent très attrayantes et je leur accorde une note globale de quatre étoiles. Les emplois de planificateur financier, courtier en hypothèque et agent financier obtiennent une note de trois étoiles et demie parce que ce sont les portes d'entrée dans la profession. Ceux qui obtiennent ces emplois amélioreront leur sort au cours de leur carrière. ∎

Ingénieur

Évidemment, chaque secteur du génie a ses particularités. Cependant, les ingénieurs ont comme caractéristique commune de posséder des connaissances scientifiques spécialisées et appliquées qui leur permettent d'être au cœur des activités productives tant sur le plan de la réalisation que de la gestion. Ce sont eux qui supervisent et font rouler les usines, les chantiers, les mines, les centrales électriques et les entreprises informatiques. Ils sont à la fois des scientifiques, des praticiens et des gestionnaires. Étant donné leur rôle de premier plan, ils se hissent très souvent à la direction des entreprises, grandes et moins grandes.

Coup d'œil

PROFESSION	PROFESSIONNELS / FINISSANTS	RATIO	SALAIRE ANNUEL MOYEN[8]
Cadre supérieur industrie, transport et construction ★★★★★	21 000 / s.o.		103 000 $
Ingénieur civil ★★★★★	10 000 / 400	1 / 25	76 000 $
Ingénieur mécanique et aérospatial ★★★★★	8 500 / 780	1 / 11	74 000 $
Ingénieur électrique et électronique ★★★★★	8 000 / 600	1 / 13	80 000 $
Ingénieur chimique et pétrolier ★★★★★	1 600 / 138	1 / 12	80 000 $
Ingénieur industriel ★★★★★	6 000 / 228	1 / 26	68 000 $
Ingénieur métallurgie ★★★★★	600 / 58	1 / 10	79 000 $
Ingénieur minier ★★★★★	400 / 15	1 / 27	92 000 $
Ingénieur géologue ★★★★★	100 / 30	1 / 3	78 000 $
Ingénieur informatique ★★★★★	5 000 / 240	1 / 21	81 000 $

---

8. En réalité, les revenus annuels moyens des ingénieurs sont probablement légèrement plus élevés que ce qu'indique le tableau. Les entreprises utilisent plusieurs formes de gratification qui ne sont pas toujours bien comptabilisées dans les statistiques.

Certains des ratios entre les finissants et les professionnels sont étonnamment élevés et pourraient laisser entrevoir des difficultés d'insertion professionnelle. Or, les taux de placement des diplômés en génie sont généralement très favorables. Ce paradoxe s'explique de deux façons. La première est que les ingénieurs formés dans une spécialité peuvent travailler dans une autre spécialité ou sous un autre titre professionnel dans leur domaine. Le nombre de professionnels est alors sous-estimé par rapport au nombre de diplômés. Il faut aussi tenir compte des 21 000 cadres, qui représentent le tiers de la profession. La deuxième piste d'explication est qu'une certaine proportion des diplômés en génie s'orienteraient vers des emplois connexes comme représentant ou enseignant. De plus, une proportion significative des finissants choisit de quitter le domaine.

L'ordre des ingénieurs du Québec compte 58 000 membres, ce qui fait de cette profession l'une des plus importantes au Québec. Il s'agit du deuxième ordre professionnel quant au nombre de membres, derrière l'Ordre des infirmières. Le salaire moyen dans la profession se situe autour de 80 000 $ par année. Comme on le voit, certains secteurs sont plus payants que d'autres, mais, en général, les salaires sont assez constants.

FORMATION

La formation d'ingénieur consiste en un baccalauréat de quatre ans, parfois allongé par des stages. Une fois diplômé, on peut obtenir le permis d'ingénieur junior et, après deux ans de probation et un examen d'entrée dans la profession, le titre d'ingénieur.

DEGRÉ D'HOMOGÉNÉITÉ

La profession est modérément homogène, c'est-à-dire que la nature des tâches et le style d'emploi peuvent varier en fonction des secteurs et des organisations. Par exemple, certains ingénieurs ont un emploi très concret, alors que d'autres travaillent dans un bureau et ne voient pratiquement jamais les résultats tangibles de leur travail.

Analyse du marché de l'emploi

HOMMES-FEMMES

Les femmes représentent entre 10 et 20 % des professionnels, selon les spécialités. Elles sont concentrées dans le génie industriel et le génie civil. Cette proportion atteindra sans doute un jour 25 %, mais cela risque d'être long. Même si le génie offre des avenues de carrière attrayantes, il semble que les femmes s'y intéressent peu.

TAUX DE CHÔMAGE

Il est présentement faible. Il peut arriver que des crises ponctuelles dans certains secteurs de l'économie créent une vague de chômage temporaire.

GÉOGRAPHIE

La répartition géographique dépend des spécialités. Il est donc important de s'assurer qu'il y a de l'emploi dans la région où on souhaite s'installer avant de choisir l'une ou l'autre branche du génie. L'exemple le plus évident est celui du génie minier qui est concentré dans certaines régions-ressources comme l'Abitibi ou le Grand Nord.

EMPLOYEURS

Selon les secteurs, les employeurs sont plus ou moins nombreux. Dans chaque secteur, la vaste majorité des emplois est concentrée dans moins d'une douzaine d'organisations de grande taille. L'immense majorité des ingénieurs travaillent pour de grandes entreprises ou d'importants cabinets-conseils.

On trouve des ingénieurs tant au privé qu'au public. Les proportions varient selon les spécialités. En génie métallurgique, par exemple, pratiquement tous les emplois relèvent du secteur privé, alors qu'en génie civil ou informatique, la proportion d'emplois au sein des gouvernements est importante.

Le Québec possède quelques-unes des plus grandes firmes de génie dans le monde, ce qui peut être très intéressant en matière de débouchés de carrière.

SYNDICALISATION

Les ingénieurs ne sont généralement pas syndiqués parce qu'ils font partie du patronat. Ceux qui travaillent pour les gouvernements sont syndiqués.

QUALITÉ DES EMPLOIS

On travaille presque exclusivement à plein temps en génie. À tel point qu'il est sans doute difficile de trouver du travail à temps partiel.

INSERTION PROFESSIONNELLE

Le plus souvent, les ingénieurs réussissent à être bien établis dans la profession avant l'âge de 30 ans. Ils accèdent assez rapidement à des postes intéressants où on leur confie d'importantes responsabilités.

Toutefois, les ratios présentés dans le tableau indiquent que l'insertion professionnelle en génie n'est pas toujours facile. Il est possible qu'une proportion des finissants éprouvent des difficultés à trouver du travail dans leur domaine d'études. Une certaine prudence s'impose.

Avenir de la profession

PÉRENNITÉ

Les possibilités de compression due à la technologie sont pratiquement nulles. En ce qui concerne la possibilité de transfert à l'étranger, c'est une idée qui a circulé au début des années 2000. À cette époque, on pensait que le gigantesque bassin d'ingénieurs en Inde pourrait être mis à contribution de manière à réduire le personnel ici. La réalité s'est révélée bien différente. D'abord, on s'est rendu compte qu'il est difficile de transférer des tâches à l'étranger et que c'est beaucoup moins avantageux que prévu. Presque toutes les expériences en ce sens ont échoué. Par ailleurs, ce sont plutôt les ingénieurs québécois qui ont été de plus en plus appelés à travailler dans d'autres pays. Ils jouissent d'une excellente réputation internationale et leurs services sont en demande un peu partout sur la planète.

PERSPECTIVES D'EMPLOI

La situation de l'emploi en génie est excellente. Seule ombre au tableau : certains secteurs de la profession sont parfois touchés par les turbulences économiques. C'est le cas par exemple de l'aéronautique, qui évolue en dents de scie. Le secteur forestier, les pâtes et papiers de même que l'industrie pétrochimique traversent actuellement une période très difficile. L'intention du gouvernement de développer le Nord québécois ouvre présentement de bonnes perspectives d'avenir dans différentes spécialités comme le génie civil, géologique et, bien sûr, minier. D'innombrables travaux d'infrastructure seront aussi nécessaires dans la prochaine décennie et mobiliseront beaucoup d'ingénieurs.

Les perspectives d'avenir sont excellentes.

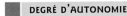
DEGRÉ D'AUTONOMIE

Le degré d'autonomie est inversement proportionnel à la taille de l'entreprise : les ingénieurs au service des plus petites entreprises ont le plus d'autonomie, alors que ceux qui travaillent dans les plus grandes en ont le moins.

HORAIRES

Dans les usines et dans certains contextes, il peut arriver qu'on ait à travailler le soir, la nuit ou le week-end. Toutefois, la plus grande partie du travail s'effectue de jour et en semaine.

Les deux aspects négatifs sont le nombre d'heures travaillées et la disponibilité. Il n'est pas rare que des ingénieurs travaillent plus de 50 heures par semaine. En outre, à cause d'impératifs de production ou d'organisation, ils doivent souvent être disponibles et joignables en tout temps. Beaucoup d'ingénieurs sont scotchés à leur cellulaire ou à leur ordinateur portable.

INDICE FAMILLE

La conciliation travail-famille est difficile. Le génie est un autre de ces domaines où le succès de bien des hommes repose sur la disponibilité d'une conjointe qui se charge de la plupart des responsabilités familiales. La sociologue Arlie Russell Hochschild a montré que, même dans les entreprises qui font officiellement des efforts pour faciliter la conciliation travail-famille, il est encore tabou de restreindre son temps de travail pour des raisons familiales[9].

DURÉE DES CARRIÈRES

Les ingénieurs changent d'employeur quand ils veulent améliorer leur condition, mais il est assez rare qu'ils quittent la profession. La plupart d'entre eux sont satisfaits de leur sort.

DÉPLACEMENTS

La nécessité de se déplacer dépend des secteurs et des emplois. Certains ingénieurs sont sédentaires et d'autres sont nomades. Dans certains domaines, ils sont fréquemment appelés à travailler dans des régions éloignées. Les grands chantiers hydroélectriques, par exemple, nécessitent des séjours dans les régions nordiques.

Ceux qui ont envie de travailler à l'étranger peuvent le

---

9. Arlie Russell Hochschild, *The Time Bind*, Berkeley, University of California Press, 2002.

faire. Les grandes firmes de génie québécoises ont des antennes partout dans le monde.

SENTIMENT D'UTILITÉ

Comme leur travail est concret, les ingénieurs se sentent le plus souvent utiles. Ceux qui travaillent dans de très grandes organisations, par contre, peuvent parfois se demander à quoi ils servent.

Il peut aussi arriver que les projets posent des problèmes de conscience et qu'au lieu de se sentir utile, on se sente nuisible. C'est le cas quand les objectifs financiers s'opposent aux visées écologiques ou humaines, notamment. Les débats houleux sur l'exploitation du gaz de schiste ou des sables bitumineux offrent des exemples de situations pouvant soulever des questions éthiques pour les ingénieurs.

DEGRÉ D'HUMANISME

Le travail d'ingénieur est assez peu humaniste. Il est plus centré sur les résultats. Cependant, comme les ingénieurs jouent souvent un rôle de supervision, leurs qualités humaines sont sollicitées.

PLAISIR INTRINSÈQUE

Le travail est concret et il implique souvent des technologies et des instruments complexes et sophistiqués dont l'utilisation peut être très intéressante. Le travail des ingénieurs prend la forme de projets qui peuvent s'avérer de véritables aventures ou d'immenses jeux excitants et stimulants.

STIMULATION INTELLECTUELLE

En règle générale, le degré de complexité du travail est important, sans être excessif. Les ingénieurs développent le plus souvent un champ d'expertise dans lequel ils sont à l'aise. Beaucoup d'entre eux sont très curieux et augmentent continuellement leurs connaissances.

CRÉATIVITÉ

On est partagé entre le respect des procédures et la recherche de nouvelles façons de faire. Les ingénieurs ont souvent des tâches de conception et de résolution de problèmes qui demandent de la créativité.

INDICE BUREAUCRATIE

Il est moyen. Comme ils sont des rouages centraux d'imposants appareils de production, les ingénieurs ont beaucoup de comptes à rendre. Ils doivent présenter d'innombrables devis et rapports sur le déroulement de leurs activités.

SOLITAIRE / EN ÉQUIPE

Le travail d'ingénieur se déroule presque toujours en

relation avec d'autres, collègues, subalternes ou équipes multidisciplinaires. Il s'agit d'un travail très social.

L'emploi autonome est assez rare et se concentre chez les ingénieurs qui sont en fin de carrière et qui offrent des services-conseils dans un domaine de spécialité.

C'est un travail qui se déroule presque toujours dans la réussite. Les échecs ne sont le plus souvent que temporaires. Rarement a-t-on vu un pont, un avion ou une usine finir à la casse parce qu'on avait échoué à le construire. Par contre, les ingénieurs doivent respecter des impératifs de production sévères. Un arrêt de production sur un chantier ou dans une usine peut représenter des pertes se chiffrant à des millions de dollars pour une entreprise. La pression repose souvent sur les épaules des ingénieurs qui doivent trouver une solution rapidement.

Elle est très bonne. La profession jouit d'un certain prestige, et la population a de l'admiration pour les réalisations des ingénieurs. Au Québec, cela est particulière-ment vrai pour les grands travaux hydroélectriques.

Les ingénieurs ne déplacent pas les montagnes, mais presque. La profession est très près du pouvoir et des centres de décision. Elle fait partie des trois ou quatre professions où l'on détient le plus de pouvoir.

Comme les employeurs sont le plus souvent de très grandes entreprises, ils sont relativement peu nombreux, ce qui rend le changement d'emploi plus difficile. Par contre, à l'intérieur de l'entreprise, on a accès à une grande variété de postes et de tâches.

Les possibilités d'avancement sont excellentes. Au cours d'une carrière, il est probable de se voir offrir des postes de supervision et de direction. La profession permet de se hisser aux plus hauts échelons de la hiérarchie. Elle fait partie des rares professions dont on trouve des membres à la haute direction des entreprises.

Le stress et les charges de travail sont le plus souvent raisonnables. Les ingénieurs ne se plaignent pas d'être écrasés par la tâche. Cela s'explique par le fait qu'ils ont du contrôle sur leur travail et du poids dans les organisations. Ils n'ont donc pas le sentiment d'être impuissants. Au contraire, ils sont agissants.

Il arrive que des usines ferment ou soient délocalisées. Le génie est une des rares professions universitaires où l'on peut voir sa situation s'effondrer du jour au lendemain. Ce risque est toutefois compensé par une rémunération avantageuse et une robustesse du marché qui fait qu'on peut généralement se replacer ailleurs.

Professions semblables

Architecte
La profession d'architecte, qui compte 5 000 membres, se compare avantageusement aux professions du génie. Ceux qui ont un bon esprit scientifique et un penchant pour les arts devraient la considérer sérieusement.

Évaluation globale

La situation de l'emploi et de la rémunération dans le domaine du génie est excellente. Les ingénieurs sont mieux payés que la majorité de leurs confrères ayant accompli quatre années d'études universitaires. De plus, les emplois dans le domaine sont variés et les possibilités de carrière sont aussi nombreuses qu'avantageuses. C'est un métier où l'on peut vraiment se sentir utile, collaborer à de grands projets et avoir l'impression d'accomplir de grandes choses. On travaille le plus souvent en équipe, on a du pouvoir et on est bien reconnu socialement. L'aspect concret du travail est également positif. C'est une profession que l'on peut pratiquer avec plaisir.

Les rares inconvénients concernent les horaires de travail, la vulnérabilité aux turbulences économiques et le fait que la profession compte peu de femmes. Toutefois, si on pèse le pour et le contre, on doit conclure que la profession d'ingénieur figure certainement parmi les plus avantageuses. Je lui attribue quatre étoiles. ■

Les professions de l'informatique

Les travailleurs de l'informatique interviennent dans tous les domaines de la sphère économique et sociale. Ils conçoivent et administrent les systèmes et réseaux informatiques tant sur le plan des logiciels que du matériel. De nos jours, il y a bien peu de choses qui fonctionnent sans l'appui d'un système informatique, ce qui offre un éventail très varié d'activités aux informaticiens et programmeurs. C'est aussi un domaine qui est encore très jeune et dont les possibilités d'avenir sont insoupçonnées. Qui sait à quoi il ressemblera dans une ou deux décennies ?

Coup d'œil

PROFESSION	PROFESSIONNELS / FINISSANTS	RATIO	SALAIRE ANNUEL MOYEN
Gestionnaire informatique ★ ★ ★ ★ ★	10 000 / n.d.		83 000 $
Ingénieur informatique et logiciels ★ ★ ★ ★ ★	9 500 / 461	1 / 20	76 000 $
Analyste et consultant en informatique ★ ★ ★ ★ ★	36 000 / 740	1 / 48	64 000 $
Administrateur de base de données ★ ★ ★ ★ ★	2 500 / n.d.		60 000 $
Programmeur et développeur en médias interactifs ★ ★ ★ ★ ★	28 000 / n.d.		54 000 $[10]
Concepteur et développeur de sites Web ★ ★ ★ ★ ★	4 000 / n.d.		42 000 $

FORMATION

Les principaux programmes de formation dans le domaine sont le baccalauréat de trois ans en sciences de l'informatique ou d'autres programmes universitaires de quatre ans en génie informatique conduisant au titre d'ingénieur (voir le chapitre précédent). Les cégeps offrent également des programmes techniques de trois ans en informatique qui peuvent

---

10. Les professionnels de ce secteur sont très jeunes, ce qui explique en partie le salaire moyen plus bas.

mener aux emplois mentionnés dans le tableau. Toutefois, les perspectives d'emploi et de salaire des diplômés universitaires sont nettement meilleures que celles des diplômés du collégial.

DEGRÉ D'HOMOGÉNÉITÉ

Le dénominateur commun de toutes ces professions est l'informatique. Les informaticiens travaillent soit dans des firmes spécialisées, soit au sein des services informatiques d'entreprises de toutes sortes. Comme je réunis dans ce chapitre un certain nombre de professions assez différentes, le degré d'homogénéité n'est pas très grand.

Analyse du marché de l'emploi

HOMMES-FEMMES

Les femmes comptent pour environ 20 % de la main-d'œuvre et pour 20 % des diplômés. On peut donc supposer que cette proportion restera stable un certain temps.

TAUX DE CHÔMAGE

Le marché informatique a connu des turbulences majeures pendant les années 2000. Malgré tout, le chômage est toujours demeuré faible. Au cours des prochaines années, il diminuera sans doute à cause de l'effet combiné de deux facteurs : il y a moins de diplômés alors que le marché de l'emploi tend à se stabiliser et même à croître. On devrait donc observer des pénuries de main-d'œuvre à court et à moyen terme.

GÉOGRAPHIE

Même s'il y a des possibilités de trouver du travail dans presque toutes les régions, l'emploi est surtout concentré en zone urbaine, particulièrement à Montréal et à Québec.

EMPLOYEURS

Il existe quelques très gros employeurs dans le domaine, de même qu'une foule de plus petits. Il s'agit surtout d'entreprises privées, mais les administrations publiques emploient près de 20 % des professionnels du domaine de l'informatique.

SYNDICALISATION

Les employés des administrations publiques sont presque tous syndiqués. Dans le secteur privé, la tendance n'est pas tellement à la syndicalisation.

Il s'agit surtout d'emplois à plein temps et de bonne qualité.

INSERTION PROFESSIONNELLE

Au cours des prochaines années, l'insertion professionnelle s'annonce facile et rapide pour les nouveaux diplômés. À titre d'exemple, au printemps 2010, on avait reçu trois fois plus d'offres d'emploi qu'il n'y avait de diplômés disponibles à l'Université du Québec à Trois-Rivières. Lorsque la demande de personnel dépasse ainsi l'offre, les diplômés peuvent se diriger très vite vers les postes et les employeurs les plus intéressants. Et les employeurs doivent faire des efforts pour attirer du personnel en bonifiant les salaires et les conditions de travail.

Avenir de la profession

PÉRENNITÉ

On est encore très loin du jour où le travail des informaticiens sera remplacé par des machines. Toutefois, l'évolution de plus en plus rapide des technologies peut entraîner des vagues de chômage passagères et localisées. Ceux qui sont les moins qualifiés sont les plus vulnérables.

Et qu'en est-il du transfert des emplois en Inde où des milliers d'informaticiens compétents sont prêts à travailler pour une bouchée de pain ? Il s'agit plutôt du fantasme éveillé de gestionnaires et de futurologues que d'une réalité importante. Comme dans d'autres secteurs où des expériences ont été tentées, les résultats n'ont pas été à la hauteur des attentes.

Le danger pour le Québec est de perdre des travailleurs et non des emplois. Pour ceux qui possèdent les meilleures qualifications, le marché de l'informatique est mondial et l'attrait de la Silicone Valley est encore puissant. L'enjeu est donc plutôt de contrer l'exode des cerveaux.

PERSPECTIVES D'EMPLOI

Dans le domaine de l'informatique, les personnes les moins qualifiées occupent les emplois de moins bonne qualité et moins bien rémunérés. De plus, les horaires de travail sont parfois harassants. Il s'agit toutefois des seuls aspects négatifs. Pour le reste, tout est au beau fixe, particulièrement en ce qui concerne la quantité d'emplois disponibles.

Les perspectives d'avenir sont excellentes.

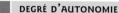

Influence sur le bonheur, la santé et la vie quotidienne

DEGRÉ D'AUTONOMIE

L'autonomie est grande dans les emplois en informatique. Dans les organisations, les services informatiques sont des entités un peu à part qui ont leur propre mode de fonctionnement. À l'intérieur de ces services et dans les grandes firmes d'informatique, on laisse généralement beaucoup de latitude aux employés.

HORAIRES

Le travail le soir et le week-end est fréquent. Les heures supplémentaires sont nécessaires pendant certaines périodes, en particulier dans le secteur des médias interactifs. Malgré tout, les horaires de travail sont sans doute plus normaux et moins contraignants que ceux des ingénieurs, par exemple.

INDICE FAMILLE

Dans les milieux les plus compétitifs, la conciliation travail-famille peut s'avérer difficile à cause des horaires surchargés. Ceux qui ont des emplois dans les organisations publiques parviennent plus facilement à concilier le travail et les tâches familiales.

DURÉE DES CARRIÈRES

Les parcours de carrière sont variables. Comme il s'agit d'un domaine très technique et en perpétuel renouvellement, il peut arriver que l'intérêt s'émousse et qu'on ait envie de relever de nouveaux défis. Certains finissent par se fatiguer de l'esprit de compétition et d'urgence qui règne en permanence et migrent vers des emplois plus stables et moins exigeants. Les employeurs doivent déployer des efforts pour maintenir l'intérêt et la motivation du personnel.

DÉPLACEMENTS

La vaste majorité des informaticiens se déplace peu. Il existe par contre une proportion significative de professionnels qui offrent des services-conseils, ce qui peut les amener à se déplacer énormément à l'intérieur comme à l'extérieur du pays. Les possibilités de travail à l'étranger sont nombreuses.

SENTIMENT D'UTILITÉ

Même si certains informaticiens croient que leur rôle est essentiel et que des pannes informatiques peuvent paralyser complètement les organisations, la réalité est que bien des tâches en informatique sont modestes et passent presque inaperçues.

DEGRÉ D'HUMANISME

Dans ce type de travail, l'attention est plus centrée sur les machines, les logiciels et les fonctionnalités que sur les facteurs humains. Certains projets amènent les analystes et les chargés de projet à travailler en relation étroite avec un ou des clients de l'entreprise pour de longues périodes. Dans ces circonstances, la dimension humaine prend plus d'importance.

PLAISIR INTRINSÈQUE

Dans le secteur du multimédia, le plaisir est au cœur même du travail. Dans les autres domaines, cela est moins évident. Certaines tâches sont plaisantes, d'autres moins. Il y a des informaticiens qui sont passionnés par leur travail, alors que d'autres en arrivent à le trouver routinier. Pour eux, l'attrait de la nouveauté finit par s'émousser.

STIMULATION INTELLECTUELLE

Les possibilités d'innovation et d'apprentissage sont infinies. Le travail des concepteurs et « architectes » des systèmes informatiques est sans doute plus stimulant intellectuellement que celui des administrateurs de réseau.

CRÉATIVITÉ

Ceux qui s'occupent d'innovation, de conception et de développement mobilisent leur créativité. Les autres, pas mal moins.

INDICE BUREAUCRATIE

Une large part du travail informatique consiste à rendre plus rapides et plus efficaces les tâches de nature bureaucratique. D'une certaine manière, ce travail informatique est donc en soi bureaucratique.

SOLITAIRE / EN ÉQUIPE

Bien que l'on soit seul devant son écran, le travail dans le domaine informatique est moins individuel qu'on pourrait le penser. Un nombre considérable d'activités se déroulent en équipe ou en interaction avec d'autres. Les informaticiens qui souffrent de solitude sont très rares. Au contraire, de bonnes habiletés sociales constituent un atout majeur dans les carrières en informatique.

TRAVAILLER À SON COMPTE

Plus ou moins 10 % des professionnels du domaine travaillent à leur compte. Leur situation est très polarisée. Il y a, d'un côté, des professionnels qui se distinguent par leur expertise et leur compétence, et peuvent demander des honoraires élevés, et de l'autre, des personnes mal insérées professionnellement qui essaient de se bâtir un créneau en offrant des services privés. La formation, la compétence et les années de service dans une entreprise qui permet de gagner ses galons font toute la différence. Ceux qui ont un CV bien garni peuvent espérer une carrière fructueuse en consultation.

RÉUSSITE OU ÉCHEC

Il faut avoir une bonne tolérance à l'échec en informatique. Il est assez rare que les systèmes fonctionnent parfaitement bien du premier coup. Le métier consiste précisément à composer avec les problèmes et les imprévus. C'est aussi ce qui maintient l'intérêt pour ce travail.

RECONNAISSANCE SOCIALE

La plupart des gens ne savent pas vraiment ce que font les informaticiens, mais ils sont tous heureux quand l'un d'entre eux peut les aider à résoudre quelques problèmes... C'est un métier qui inspire le respect et, même, qui fascine.

DEGRÉ DE POUVOIR

De nos jours, peu de choses fonctionneraient si les informaticiens n'existaient pas. Ils ont beaucoup de pouvoir dans les organisations.

MOBILITÉ ET AVANCEMENT

Les possibilités de mobilité professionnelle et d'avancement sont très bonnes, semblables à celles dont bénéficient les ingénieurs. Il est facile de changer d'emploi en informatique et les postes sont variés. Il est donc possible de trouver ce qui convient vraiment à ses aspirations.

Les possibilités d'avancement sont nombreuses. Les postes de supervision et de cadre sont accessibles et, dans plusieurs entreprises, les informaticiens peuvent grimper les échelons jusqu'à la haute direction. Les postes de direction sont sans doute plus accessibles pour ceux qui ont le titre d'ingénieur.

NIVEAU DE STRESS

Certaines périodes peuvent être excessivement chargées et d'autres beaucoup plus calmes. Dans l'univers du multimédia, en particulier, la pression est souvent importante parce que les retards peuvent avoir de graves conséquences sur le plan économique.

Les tendinites et les problèmes de dos sont courants dans la profession. De plus, l'extrême sédentarité de certains postes peut être difficile à supporter et représenter un défi important pour la santé.

Évaluation globale

Rappelons qu'il vaut mieux être plus formé que moins dans ce domaine. Les emplois de bacheliers sont nettement meilleurs que ceux de techniciens, et décrocher un titre d'ingénieur est mieux que de se contenter du baccalauréat spécialisé. Les ingénieurs ont accès aux meilleurs emplois et, pour eux, les possibilités de carrière sont beaucoup plus variées. Ils touchent aussi de meilleurs salaires, parfois même pour un travail exactement équivalent.

Les emplois sont abondants dans le domaine et, bien qu'une proportion de ceux-ci soit d'un intérêt relatif, ceux qui sont offerts dans les secteurs avant-gardistes et dans le multimédia sont créatifs et amusants. Notons cependant que, dans le secteur du multimédia, la qualité des emplois est inégale. Les employeurs profitent parfois de l'enthousiasme de jeunes travailleurs sans les rétribuer à leur juste valeur.

Dans ce domaine, les plus allumés ont accès à des emplois fantastiques : ils peuvent devenir très riches et être à la fine pointe du progrès. Toutefois, l'informatique est un des rares domaines où l'intérêt peut s'émousser avec le temps. Cela s'explique par le fait que l'attrait de la nouveauté est éphémère et que celle-ci peut devenir un objet de fatigue. Les informaticiens doivent continuellement apprendre de nouveaux systèmes qui leur sont imposés de l'extérieur, ce qui peut lasser.

Les professions de gestionnaire et ingénieur en informatique obtiennent une évaluation de quatre étoiles parce

▶

qu'elles regroupent les meilleurs emplois, les meilleurs salaires, les meilleures conditions de travail et les tâches les plus intéressantes dans le domaine. Les professions d'analyste, de consultant et de gestionnaire de bases de données sont légèrement moins avantageuses, c'est pourquoi je leur attribue une évaluation inférieure d'une demi-étoile. Enfin, les programmeurs, les développeurs multimédias et les concepteurs et développeurs de sites Web ont des conditions de travail encore moins avantageuses, ce qui explique que je n'accorde à ces professions que trois étoiles. ■

Les professions scientifiques : sciences de la nature et sciences sociales

Les biologistes, les chimistes, les physiciens, les mathématiciens, les géologues, les agronomes, les anthropologues, les archéologues, les géographes et les linguistes sont des scientifiques. Ils ont pour fonction de traiter, d'interpréter et de générer des données scientifiques dans leur domaine respectif. Leur travail consiste à faire de la recherche, à résoudre des problèmes liés à leur domaine ou à donner leur avis sur des questions particulières. En recherche, une part importante du travail est consacrée aux demandes de bourses et au financement.

Coup d'œil

PROFESSION	PROFESSIONNELS / FINISSANTS	RATIO	SALAIRE ANNUEL MOYEN
Physicien et astronome ★ ★ ★ ★	900 / 100	1 / 9	67 000 $
Chimiste ★ ★ ★ ★ ★	6 000 / 150	1 / 40	63 000 $
Géologue ★ ★ ★ ★ ★	1 000 / 38	1 / 25	67 000 $
Biologiste ★ ★ ★ ★ ★	4 500 / 1000	1 / 5 (!)	56 000 $
Agronome ★ ★ ★ ★ ★	2 000 / 133	1 / 15	50 000 $
Mathématicien, statisticien ★ ★ ★ ★ ★ actuaire ★ ★ ★ ★ ★	3 000 / 330	1 / 10	78 000 $
Professionnel des sciences sociales (anthropologue, archéologue, géographe, gérontologue, historien, linguiste, politologue, psychométricien, sociologue) ★ ★ ★ ★ ★	1400 / plus de 1400	1 / 1 (!!)	55 000 $
Urbaniste ★ ★ ★ ★ ★	1 500 / 140	1 / 11	55 000 $

Les ratios diplômés-professionnels indiqués dans le tableau doivent être interprétés en tenant compte du fait que le principal débouché est l'enseignement. En chimie, en physique, en mathématique et en sociologie, c'est l'enseignement au collégial, alors que dans les autres sciences sociales, c'est l'enseignement universitaire. (Voir l'évaluation des emplois de professeur au collégial et d'université, page 295 et page 301, pour en savoir plus.) On doit donc comprendre que malgré, par exemple, un mauvais ratio de 1 diplômé pour 10 travailleurs, la réalité est que les mathématiciens n'ont pas de difficulté à trouver du travail. Il n'en demeure pas moins que les ratios entre les diplômés et les professionnels dans presque toutes les disciplines scientifiques soulèvent des inquiétudes. Il semble y avoir plus d'appelés que d'élus et, pour ceux qui n'ont pas d'intérêt pour l'enseignement, l'avenir peut s'annoncer très difficile.

Le nombre de diplômés dans les sciences de la nature est assez peu élevé, sauf en biologie. Dans cette discipline, l'offre de main-d'œuvre dépasse largement la demande. Ceux qui s'intéressent à la biologie devraient donc être prudents, et songer à une discipline connexe où les perspectives sont meilleures. Une formation en technique de laboratoire médical ou un diplôme en génie pharmaceutique, par exemple, peuvent constituer des choix plus sûrs.

Par ailleurs, le marché du travail est très restreint dans toutes les disciplines scientifiques. Avant d'espérer trouver du travail, il faudra faire une maîtrise, souvent

un doctorat et, même, des études postdoctorales. Ceux qui n'ont pas un vif intérêt pour la discipline en question ou qui ne sont pas prêts à étudier très longtemps devraient y réfléchir à deux fois. À l'exception des chimistes, des actuaires et des mathématiciens, les titulaires d'un baccalauréat risquent d'avoir beaucoup de difficultés à trouver du travail dans leur domaine.

Du côté des sciences sociales, le ratio entre les diplômés et les emplois disponibles est parfois étonnant. On forme environ 200 personnes par année en anthropologie et en géographie, ce qui est beaucoup. On diplôme également 300 personnes par année en sociologie, 400 en histoire et 850 en science politique, ce qui est disproportionné si l'on considère les taux d'emploi très bas dans ces domaines.

FORMATION

Baccalauréat, maîtrise pour la majorité, doctorat et postdoctorat. Avec le temps, les exigences du marché sont toujours plus grandes. De plus en plus souvent, la durée des études universitaires dépasse 10 ans.

Le marché pour les chimistes et les actuaires est plus favorable. Ces scientifiques arrivent à trouver du travail sans prolonger indûment leurs études. Les deux professions sont régies par un ordre professionnel, ce qui témoigne de leur reconnaissance.

À l'intérieur de chaque profession, le degré d'homogénéité est moyen, par contre, il existe évidemment de grandes différences entre les diverses professions regroupées ici. Je répète que mon objectif est de donner une idée générale de ces professions : ceux qui envisagent de s'y diriger doivent approfondir leurs recherches. Au sein de chacune, il y a aussi des différences notables à considérer.

Analyse du marché de l'emploi

HOMMES-FEMMES

La proportion hommes-femmes est assez équilibrée chez les chimistes, les biologistes et les professionnels des sciences sociales. Les hommes sont plus nombreux en mathématiques, en physique et en géologie.

TAUX DE CHÔMAGE

Il est faible chez les actuaires, les géologues et les chimistes, mais élevé dans les autres professions. Par ailleurs, la proportion de travailleurs surqualifiés dépasse largement les 50 %. Dans le cas des travailleurs en sciences sociales, cette proportion dépasse 75 %.

GÉOGRAPHIE

Les emplois sont concentrés dans les grands centres urbains, particulièrement autour des villes universitaires.

Les plus doués ont des possibilités d'études supérieures et de carrière en dehors du pays.

Dans les domaines les plus pointus, une partie importante des diplômés du doctorat font leur carrière à l'extérieur.

EMPLOYEURS

Les employeurs sont assez peu nombreux. Ici encore, les chimistes et les actuaires bénéficient de plus de choix. Dans les autres professions scientifiques, le niveau d'emploi dépend en grande partie des dépenses gouvernementales en la matière. Or, depuis le tournant des années 1990, non seulement ces dépenses ont-elles diminué, mais elles se sont concentrées dans les secteurs jugés comme rentables et donc plus près de l'industrie. Autrement dit, ceux qui s'intéressent à la recherche fondamentale font face à un marché qui s'est rétréci comme une peau de chagrin. Étant donné la conjoncture politique, rien ne porte à croire que cette situation s'améliorera.

Les chimistes, les géologues et les actuaires ont des ouvertures tant au privé que dans le secteur public. Les autres scientifiques travaillent le plus souvent pour le secteur public.

Les biologistes devraient en principe bénéficier de nombreuses ouvertures au privé. En pratique, les possibilités sont plutôt restreintes. Les emplois sont plus nombreux dans le secteur public, tout comme pour les professionnels des sciences sociales. Notons que la plupart des scientifiques sont employés par de grandes entreprises.

SYNDICALISATION

Presque tous ceux qui travaillent au public sont syndiqués. Dans le secteur privé, la syndicalisation est moins importante.

QUALITÉ DES EMPLOIS

Les chimistes, les géologues et les actuaires accèdent facilement à des emplois permanents. Les autres scientifiques n'ont souvent accès qu'à des emplois précaires ou à durée indéterminée. Pour les biologistes et les professionnels des sciences sociales, l'obtention d'un poste à plein temps est incertaine : on peut attendre des années.

INSERTION PROFESSIONNELLE

Elle est de courte durée pour les géologues, les chimistes et les actuaires, mais interminable pour les autres. Il arrive même que la situation professionnelle ne se stabilise que vers la fin de la trentaine ou le début de la quarantaine.

Avenir de la profession

PÉRENNITÉ

Les facteurs de compression due à la technologie et les risques de transfert à l'étranger sont inexistants. Ce sont surtout les décisions politiques qui ont un effet sur le volume de travail disponible.

PERSPECTIVES D'EMPLOI

Si on exclut les actuaires, les géologues et les chimistes, les professions scientifiques figurent parmi celles qui offrent le moins bon retour sur investissement par rapport aux études, autant sur les plans de la quantité et de la qualité des emplois, que sur celui de la rémunération. Les chances de gagner correctement sa vie comme scientifique sont comparables à celles de gagner sa vie comme artiste. Comme je l'ai mentionné plus haut, le principal débouché est l'enseignement collégial et universitaire. La quantité de scientifiques qui gagnent leur vie en dehors de l'enseignement est restreinte.

Il faut aussi souligner que les salaires que touchent les scientifiques sont relativement peu élevés comparés à ceux des ingénieurs ou des diplômés de l'administration. Or, étant donné que le sous-emploi est fréquent et que l'insertion professionnelle est très longue.

Les perspectives d'avenir sont mauvaises.

Influence sur le bonheur, la santé et la vie quotidienne

DEGRÉ D'AUTONOMIE

Les actuaires et les géologues sont assez autonomes dans leur travail, même s'ils doivent fonctionner au sein de grandes organisations.

Pour ce qui est des autres scientifiques, une minorité d'entre eux bénéficient de beaucoup d'autonomie. Les autres évoluent dans des environnements de travail très encadrés. Les impératifs financiers et l'hyperspécialisation de la recherche rendent le travail excessivement structuré. La recherche scientifique se fait de plus en plus en grands groupes et le nombre d'exécutants est largement supérieur à celui des dirigeants. Dans ce contexte, l'impression d'autonomie est restreinte.

HORAIRES

Les horaires sont normaux. Toutefois, étant donné le manque de travail, beaucoup se sentent pressés d'en faire toujours un peu plus. En effet, il n'est pas rare que des scientifiques soient engagés dans plusieurs projets à la fois afin de réussir à accumuler un revenu décent. Souvent, ils accumulent des tâches de recherche et d'enseignement et travaillent plus de 40 heures par semaine.

INDICE FAMILLE

À l'heure actuelle, les carrières scientifiques sont très peu compatibles avec les projets familiaux. Comme les études sont très longues et que l'entrée véritable dans la carrière se fait très tard, les projets de famille sont parfois reportés si loin qu'ils finissent par ne jamais se réaliser. Les carrières scientifiques ressemblent un peu à un sacerdoce. Le taux de natalité chez les femmes scientifiques est d'ailleurs très bas.

La situation est un peu différente pour les actuaires, les géologues et les chimistes. Ceux-ci ont moins de problèmes d'emploi. Par contre, les exigences du travail, surtout dans le secteur privé, peuvent rendre la conciliation travail-famille difficile.

DURÉE DES CARRIÈRES

Sur 100 personnes qui entament des études scientifiques, moins de 50 feront carrière dans le domaine pendant plus de cinq ans. Les déceptions et les frustrations font qu'une majorité de candidats quittent la voie des sciences, même s'ils étaient très intéressés. Les écarts entre les aspirations et la réalité finissent par décourager même les plus coriaces. Très souvent, les personnes qui ont entamé des études dans ces domaines se réorientent vers des programmes qui conduisent plus directement au marché du travail.

DÉPLACEMENTS

En dehors de congrès et d'autres déplacements ponctuels, les emplois dans ce secteur sont surtout sédentaires. Il faut par contre faire une exception notable pour les biologistes et les géologues qui doivent aller recueillir des données directement sur différents sites. Il n'est pas rare que ces professionnels soient appelés à faire des séjours dans des régions excentrées, en particulier dans les immensités du Grand Nord. Si on supporte bien les mouches noires, cet aspect du travail peut s'avérer passionnant.

Au sein de l'élite, certains scientifiques mènent des carrières internationales et sont appelés à travailler régulièrement à l'étranger. Ce phénomène est relativement marginal. La «fuite des cerveaux» dont les médias font grand cas ne touche que peu de personnes. De plus, comme tous les autres pays riches, le Canada attire beaucoup plus de scientifiques formés à l'étranger, particulièrement dans les pays moins développés, qu'il n'en perd au profit des autres.

SENTIMENT D'UTILITÉ

Les géologues, les actuaires et les chimistes ont des tâches précises, et il leur est facile de comprendre leur rôle et de se sentir utiles. Les autres scientifiques appartiennent plutôt à d'énormes appareils, et ils collaborent à des projets dont les avancées ne sont pas toujours claires. En contrepartie, leur contribution à l'avancement des connaissances peut constituer une source intarissable de motivation.

La contribution des scientifiques a certes des effets sur le quotidien des gens à

d'innombrables degrés.
Toutefois, le moins qu'on puisse
dire est que ces effets ne sont
pas immédiats. Le travail scientifique est donc plus une affaire
de conviction et de vision à long
terme que de résultats tangibles.

DEGRÉ D'HUMANISME

Ce sont des professions où
l'on est loin des gens. On passe
beaucoup plus de temps entre
collègues qu'auprès d'autrui.

PLAISIR INTRINSÈQUE

La jouissance intellectuelle
peut être immense. Malgré la
rigueur de la science, on peut en
retirer beaucoup de plaisir. Les
scientifiques sont à la fine pointe
des connaissances humaines.
Ceux qui réussissent leur carrière
dans ces domaines sont des
passionnés.

STIMULATION INTELLECTUELLE

Évidemment, le travail est
complexe, le niveau de qualification est élevé et les possibilités
d'apprendre sont infinies. Ce sont
des professions où l'on est toujours
en situation d'apprentissage.

Paradoxalement, toutefois,
le travail dans certains milieux
scientifiques peut s'avérer routinier et peu complexe. Même si,
pour comprendre l'ensemble des
travaux, il faut posséder des
connaissances importantes, il
n'est pas rare que les tâches

quotidiennes ne requièrent que
très peu d'habiletés intellectuel-
les. Certains travaux de recherche
et d'analyse s'assimilent plutôt
à un travail de moine qu'à un
travail de découverte stimulant.

CRÉATIVITÉ

Elle est importante pour
certains, et elle peut être quasiment
absente du travail pour d'autres.
La recherche scientifique est de
plus en plus standardisée et
inféodée aux impératifs de l'industrie, ce qui fait que la créativité en
prend pour son rhume. L'originalité
est rarement payante en recherche.

Il reste que les scientifiques
sont par nature des gens créatifs
et qui ont de l'imagination.
Plusieurs d'entre eux, malgré les
difficultés qu'ils éprouvent, se
débrouillent pour garder leur
vivacité d'esprit. Dans les labora-
toires et les centres de recherche
les plus performants et les mieux
dotés, la créativité peut encore
s'épanouir.

INDICE BUREAUCRATIE

C'est peut-être un des
défauts les plus notables de ces
professions. Qu'ils travaillent dans
le secteur privé ou public, les
scientifiques doivent continuellement rendre compte de leur travail,
respecter des échéances ou monter
des demandes de financement
ou de subvention. Des multiples
tâches de gestion s'ajoutent au

travail scientifique. Les obligations bureaucratiques peuvent atteindre des niveaux difficilement tolérables parce qu'elles donnent aux chercheurs le sentiment d'être empêtrés dans les procédures au lieu de se consacrer à ce qui les intéresse vraiment.

SOLITAIRE / EN ÉQUIPE

Le travail en groupe est assez fréquent. Nous sommes à l'ère de la multidisciplinarité et des collectifs de travail : à peu près aucun article scientifique n'est publié sous le nom d'un seul auteur.

Par contre, le travail solitaire l'est également. Les emplois scientifiques sont parmi ceux où la solitude peut être la plus importante. Plusieurs tâches, comme la rédaction de rapports ou d'articles et la lecture, ne peuvent être accomplies que seul. On ne peut vraiment réfléchir que seul. De plus, la compétition qui règne entre les scientifiques contribue à l'isolement de chacun. À la solitude s'ajoute donc le manque de solidarité.

RÉUSSITE OU ÉCHEC

Les échecs font partie de la science, surtout si on se dirige vers la recherche. Pour réussir dans ces domaines, il faut avoir une tolérance à l'échec et une patience hors du commun. Encore ici, la comparaison avec un travail de moine est éclairante.

RECONNAISSANCE SOCIALE

Dire dans une conversation qu'on est physicien ou mathématicien paraît toujours bien. Par contre, dès qu'on entre dans le détail de son travail, on perd bien des interlocuteurs. Voilà le paradoxe des scientifiques : ils fascinent, mais ce qu'ils font réellement comme travail est parfois difficilement compréhensible pour le commun des mortels.

DEGRÉ DE POUVOIR

Platon rêvait d'une société dirigée par ceux qui possèdent la connaissance. Notre époque le décevrait, car ce sont plutôt les gestionnaires qui dirigent tout. Les scientifiques possèdent la connaissance, mais ils ont trop peu souvent le pouvoir de changer les choses.

La science est plutôt malmenée par les temps qui courent. La montée de certains courants religieux et le populisme de classes dirigeantes ébranlent la communauté scientifique, dont les travaux et l'utilité sont de plus en plus remis en question. Dans certains milieux, il est devenu de bon ton de remettre en question des connaissances établies et de les placer dans une sorte de relativisme intellectuel où croyances et connaissances sont confondues. Par exemple, on trouve dans la classe politique et dans la population des gens qui remettent ouvertement en question des évidences comme la théorie de l'évolution des espèces de Darwin ou le réchauffement climatique. Le climat social de scepticisme mêlé de fanatisme et de religion représente une menace réelle pour les milieux scientifiques.

Pourtant, nous vivons une époque où l'on a plus que jamais besoin des avancées de la science : crises énergétiques, changements climatiques, tornades, tremblements de terre, tsunamis, inondations, désertification. La recherche scientifique est plus que jamais nécessaire. Voilà le paradoxe dans lequel se trouvent les scientifiques.

MOBILITÉ ET AVANCEMENT

Les emplois scientifiques sont très spécialisés et les organisations ont tendance à confiner les travailleurs de ce domaine à leur rôle initial. Autant les ingénieurs sont mobiles, autant les scientifiques sont sédentaires. Le fait d'acquérir des connaissances très pointues dans un domaine, c'est un peu comme creuser un sillon. Plus le temps avance, plus il est profond.

Sur le plan de l'avancement, les possibilités sont également restreintes. Il est probable que les ingénieurs et les autres types d'administrateurs dament le pion aux scientifiques.

Il faut faire une exception notable pour les actuaires qui, contrairement aux autres scientifiques, sont des candidats tout désignés pour les postes de supervision et de direction. Dans leur cas, l'avancement est même fréquent.

NIVEAU DE STRESS

Le stress peut être pernicieux dans ces emplois. Il peut provenir d'angoisses de performance amplifiées par le climat de compétition ou par des demandes organisationnelles peu réalistes. Généralement, le niveau de stress est raisonnable.

Ce sont des professions où l'on est exposé à la fatigue chronique. La fatigue s'installe en début de carrière à cause de la volonté de réussir et de se tailler une place. Par la suite, c'est plutôt l'ampleur, la lourdeur et la durée des projets qui finissent par miner le moral.

Professions semblables

Enseignant, professeur

Si on veut vraiment connaître les perspectives professionnelles dans les domaines de connaissances fondamentales, on doit surtout bien observer les caractéristiques des emplois en enseignement collégial et universitaire. Il est plus probable de trouver des emplois en enseignement que dans tout autre domaine pour ceux qui font des études scientifiques, à l'exception encore une fois des chimistes, des actuaires et des géologues.

Évaluation globale

Dans l'absolu, les carrières scientifiques ont leurs qualités et peuvent être considérées comme des choix valables, dans la mesure où l'on réussit à trouver du travail. Par contre, lorsqu'on met en parallèle les qualités qu'offrent ses professions avec les exigences qu'il faut respecter pour y accéder, on constate qu'elles sont parmi les moins avantageuses des options universitaires. La longueur des études, les investissements en temps et en énergie que l'on doit consentir et les très mauvaises perspectives d'emploi font des carrières scientifiques des options qui valent rarement la peine. De plus, dans les cas où l'on réussit à trouver du travail, on constate que ces emplois ne sont pas toujours aussi intéressants que prévu.

Ceux qui s'engagent dans des études scientifiques doivent savoir qu'ils devront sans doute bifurquer. Soit ils feront une carrière dans l'enseignement, soit ils choisiront de se diriger vers un diplôme offrant de réelles perspectives d'emploi. Pour ceux qui espèrent enseigner, il faut s'assurer que des postes seront disponibles. Dans des domaines comme l'histoire ou les sciences politiques, les possibilités sont très minces.

En raison de toutes ces difficultés et contraintes, il est impossible de recommander ces domaines d'études. J'en arrive donc à une évaluation assez faible de deux étoiles et demie.

Il faut évidemment faire une exception notable pour les professions d'actuaire, de géologue et de chimiste, qui offrent des conditions nettement meilleures. J'évalue ces professions à trois étoiles et demie. ∎

Médecin généraliste et médecin spécialiste

Le rôle du médecin est d'évaluer la santé, de diagnostiquer la maladie, de prescrire et d'appliquer des traitements pour permettre au patient de recouvrer la santé.

Les médecins généralistes, qu'on appelle aussi omnipraticiens ou médecins de famille, veillent au suivi médical de la population. Ils font un travail de prévention et ils s'occupent de la santé générale de leurs patients.

Les médecins spécialistes se répartissent en 35 spécialités reconnues par le Collège des médecins et qui vont des chirurgies les plus spécialisées à la pathologie, en passant par la dermatologie, la radiologie et l'oncologie. Il y a des spécialistes de tout : des reins, du système nerveux, des os, du système cardiaque, du système digestif, des poumons, des maladies oculaires, et j'en passe. La tendance est à la multiplication des spécialités. On peut donc prévoir que le nombre de spécialistes augmentera. On assiste aussi à la prolifération des surspécialités, c'est-à-dire des spécialisations à l'intérieur des spécialités. Par exemple, des oncologues deviennent des experts dans le traitement de certains cancers ou des chirurgiens cardiaques se spécialisent dans la réalisation de certaines interventions complexes qu'ils exécutent régulièrement.

Coup d'œil

PROFESSION		PROFESSIONNELS / FINISSANTS	RATIO	SALAIRE ANNUEL MOYEN
Médecin généraliste	★ ★ ★ ★ ★	12 000 / 300	1 / 40	200 000 $
Médecin spécialiste	★ ★ ★ ★ ★	9 000 / 400	1 / 23	250 000 $

Parmi les finissants en médecine, les nouveaux spécialistes sont plus nombreux que les nouveaux généralistes, ce qui fait que le rapport entre les deux catégories s'inversera dans les années à venir. Partout dans le monde, on observe une tendance vers la médecine de spécialité, et on forme de moins en moins d'omnipraticiens.

Par rapport aux salaires indiqués, il faut préciser qu'il s'agit de revenus de travail autonome. Une fois les dépenses liées au travail payées, la rémunération des médecins est légèrement moindre. Les salaires sont aussi très variables selon les spécialités. La rémunération moyenne des radiologistes atteint 400 000 $ (!), alors que celle des psychiatres, des pédiatres et des spécialistes de la médecine communautaire est en deçà de 200 000 $, ce qui classe ces trois dernières spécialités au rang des moins payantes du domaine médical.

On peut, sans crainte de se tromper, affirmer qu'en général les médecins gagnent bien leur vie.

FORMATION

Le doctorat en médecine mène à la profession. Il dure quatre ou cinq ans après lesquels l'étudiant opte pour la médecine générale, ou médecine familiale, ou pour une spécialité. Ceux qui se dirigent vers la médecine générale doivent ajouter deux années à leur formation, alors que les futurs spécialistes en ont encore pour quatre à six ans avant de pratiquer. Le doctorat en médecine est le plus contingenté des programmes universitaires. Il faut un excellent dossier scolaire pour y accéder. La moitié des candidats admis possèdent déjà une formation universitaire.

DEGRÉ D'HOMOGÉNÉITÉ

La profession est à la fois homogène et non homogène. Les spécialités sont assez différentes les unes des autres mais, à l'intérieur de chacune, les emplois sont plutôt homogènes.

Analyse du marché de l'emploi

HOMMES-FEMMES

La proportion hommes-femmes est d'environ 60 pour 40, mais, comme les femmes sont désormais majoritaires dans les programmes de formation, elle devrait s'inverser dans quelques années.

TAUX DE CHÔMAGE

Il n'y a pas de chômage en médecine, voyons...

GÉOGRAPHIE

Les spécialistes sont plus nombreux dans les centres urbains, près des universités qui ont des facultés de médecine. Les généralistes sont légèrement mieux répartis sur le territoire. Le médecin qui souhaite s'établir en région peut le faire et reçoit en plus une prime d'éloignement substantielle. Par contre, dans certaines spécialités, les conditions de travail peuvent être très difficiles.

EMPLOYEURS

La vaste majorité des spécialistes travaillent dans des hôpitaux. Les généralistes partagent le plus souvent leur temps entre leur cabinet privé et un hôpital, un centre local de services communautaires (CLSC) ou un centre d'hébergement et de soins de longue durée (CHSLD).

Sauf exception, c'est l'État qui paie tous les médecins. On assiste présentement à d'importantes tractations de la part de puissants lobbys pour que de plus en plus de services médicaux soient offerts par le secteur privé. Les résultats de ces pressions auront une influence sur l'évolution de la profession.

Mis à part ceux qui pratiquent en cabinet privé, les médecins travaillent tous dans de grandes organisations.

SYNDICALISATION

Les médecins ne sont pas syndiqués, mais leur rapport de force par rapport à l'employeur est excellent.

QUALITÉ DES EMPLOIS

Ceux qui travaillent à temps partiel le font par choix. Ce sont surtout les femmes généralistes qui optent pour le temps partiel.

INSERTION PROFESSIONNELLE

La durée de l'insertion est d'environ... 15 minutes! Les médecins qui mettent plus d'une semaine à trouver du travail sont ceux qui choisissent de prendre des vacances avant de démarrer leur carrière.

La médecine offre un avantage considérable. Elle est une des rares professions où l'on touche le plein salaire en commençant. Les médecins sont rémunérés à l'acte et, dès leur première année de travail, ils peuvent gagner autant d'argent que leurs collègues. Cela leur permet de concrétiser très rapidement leurs projets de vie.

PÉRENNITÉ

Les possibilités de compression due à la technologie ou de transfert du travail à l'étranger sont inexistantes.

Trois facteurs peuvent influer sur l'avenir de la profession. Le premier a été largement médiatisé, mais il n'est pas le plus important à long terme : le vieillissement de la population. Avec une population qui vit de plus en plus longtemps, la demande de soins augmente, ce qui accroît aussi le besoin de travailleurs dans le domaine. Le deuxième facteur, les avancées dans les connaissances et les possibilités de traitement, me paraît plus significatif. On soigne de plus en plus de maladies et les traitements sont de plus en plus sophistiqués, mobilisant dans la foulée toujours plus de ressources et de main-d'œuvre. Cette tendance n'est pas près de s'essouffler, et elle entraîne une demande sans cesse croissante de médecins. Enfin, troisième facteur, les politiques de santé publique exercent également une influence sur la demande de médecins. D'un côté, il y a les sommes que la société consent à investir dans les soins de santé et, de l'autre, les politiques de prévention et de santé communautaire qui peuvent avoir des effets sur la structure de la demande.

La conjoncture permet de penser que la profession médicale a encore un avenir radieux devant elle. On assiste en plus à un phénomène qui est lié au déplacement vers la droite de l'échiquier politique : on accorde des augmentations de salaire pharaoniques aux médecins, dont les moyennes salariales augmentent beaucoup plus rapidement que l'inflation depuis quelques années. Entre 2009 et 2014, le salaire moyen des spécialistes se sera accru d'au moins 60 000 $ par année.

PERSPECTIVES D'EMPLOI

Les emplois sont abondants et très bien rémunérés. Le seul bémol concerne les horaires de travail, qui sont parfois pénibles. La pratique de la profession est exigeante sur ce plan.

Les perspectives d'avenir sont excellentes.

DEGRÉ D'AUTONOMIE

Le degré d'autonomie est élevé. Dans les hôpitaux, les médecins sont perçus (et traités) comme des patrons. Ils décident eux-mêmes comment ils doivent accomplir leurs tâches. Toutefois, comme les hôpitaux sont de très grandes organisations, les systèmes de travail sont très structurés et hiérarchisés. Le système a préséance sur l'individu.

HORAIRES

L'époque des médecins qui travaillaient 70 heures par semaine et qui ne voyaient leurs enfants que pendant les congés est révolue. Les médecins travaillent moins qu'avant, surtout les femmes, mais travaillent tout de même encore beaucoup. Les semaines ont régulièrement 50 heures, parfois plus en raison des urgences.

La majeure partie du travail en médecine s'effectue le jour, en semaine. Bien sûr, il faut aussi parfois être disponible le soir, le week-end et la nuit. Les horaires sont très différents selon les spécialités. Ainsi, il est rare que les pathologistes, les néphrologues (spécialistes du rein) ou les spécialistes en santé communautaire travaillent de nuit, alors que c'est évidemment très fréquent pour les urgentologues, les orthopédistes ou les chirurgiens. Il s'agit d'un critère qui peut être pris en compte dans le choix d'une spécialité.

Comme les périodes de travail peuvent être très intenses, les médecins prennent régulièrement des congés pour récupérer. La plupart d'entre eux s'accordent de 10 à 14 semaines de vacances par année, ce qui est nettement mieux que la moyenne. Comme ils sont travailleurs autonomes, ils déterminent eux-mêmes leurs périodes de congé en collaboration avec leurs collègues afin que les services essentiels soient maintenus.

INDICE FAMILLE

La médecine possède probablement le plus haut taux de natalité parmi toutes les professions. Cela s'explique sans doute en partie par la nature de la profession, qui est intimement liée à la vie, mais également par les conditions avantageuses que la profession offre pour fonder une famille. Les horaires sont assez compatibles avec la vie familiale et, en plus, les médecins ont les moyens de se payer tout le soutien dont ils ont besoin.

DURÉE DES CARRIÈRES

Le roulement de personnel et les réorientations sont rares en médecine.

DÉPLACEMENTS

Les déplacements sont peu importants dans la profession, si ce n'est pour assister à des congrès dans des endroits bucoliques... En fait, la question des déplacements est inversée dans le cas de nombreux médecins qui sont tenus de résider dans un rayon déterminé de l'hôpital auquel ils sont rattachés pour pouvoir répondre aux urgences dans le délai prescrit.

SENTIMENT D'UTILITÉ

Les médecins ne sont pas nécessairement toujours des sauveurs, mais force est d'admettre que leur travail est utile. Ils éloignent la mort, soulagent la souffrance et aident à vivre. Ce n'est pas si mal.

DEGRÉ D'HUMANISME

Le degré d'humanisme et la proximité des gens sont très importants. Toutefois, pour ceux qui sont moins doués pour les relations sociales, il existe des spécialités où l'on est moins directement en contact avec les patients. C'est en médecine générale que le niveau de contact avec les gens prend le plus d'importance.

PLAISIR INTRINSÈQUE

La médecine est une profession d'extrêmes. D'un côté, il y a la maladie, la douleur, la vieillesse et la mort, réalités qui n'ont rien d'amusant et avec lesquelles les médecins sont continuellement aux prises. De l'autre côté, la profession comporte sa large part de plaisir. Le pouvoir de soigner n'est pas banal, et s'y ajoute le plaisir scientifique de comprendre et de maîtriser les phénomènes biomédicaux. Certains notent le plaisir d'améliorer ses techniques d'intervention et celui de disposer d'appareils de très haute technologie. Enfin, la médecine offre d'innombrables défis à relever.

STIMULATION INTELLECTUELLE

La médecine est évidemment très complexe et les possibilités d'apprendre sont infinies. De plus, comme on mène énormément de recherches dans ce secteur, on soumet constamment des nouveautés aux médecins, tant des appareils que des médicaments et des façons de faire. Ils doivent consacrer beaucoup de temps à leur formation continue.

CRÉATIVITÉ

Toutes les spécialités exigent une part de créativité et de souplesse intellectuelle, en particulier la psychiatrie, la pédiatrie et la médecine familiale.

INDICE BUREAUCRATIE

La guerre à la bureaucratie est continuelle dans la profession. Il y a, d'une part, les demandes d'un système énorme dont la tendance est d'exiger toujours plus de contrôle et, d'autre part, l'ampleur regrettable que prend le phénomène de la judiciarisation, c'est-à-dire le recours constant au droit et à la justice pour régler les différends. Les médecins doivent de plus en plus se prémunir contre les risques de poursuites judiciaires, et ils tentent de le faire en multipliant les justifications administratives de leurs gestes médicaux.

SOLITAIRE / EN ÉQUIPE

Les médecins de famille en cabinet privé vivent un peu plus de solitude. Sinon, la médecine se pratique toujours en équipe. Les médecins sont continuellement entourés. On ne doit pas sous-estimer le degré d'habileté sociale que la profession requiert.

TRAVAILLER À SON COMPTE

Environ 50 % des médecins sont travailleurs autonomes et 50 % sont salariés. En réalité, ils ont tous le même statut. La différence entre les travailleurs autonomes et les salariés est une technicalité dans le mode de rémunération. Les rares médecins qui sont vraiment des salariés pratiquent dans des CLSC ou en santé communautaire.

RÉUSSITE OU ÉCHEC

Les médecins travaillent avec la vie et avec la mort. Ils connaissent de grandes réussites, mais ils doivent également apprendre à composer avec le fait de « perdre » des patients.

Toutefois, la vraie menace pour les médecins n'est pas la mort, qui est naturelle, mais les erreurs médicales. En réalité, *tous* les médecins font des erreurs. C'est inévitable à cause du volume de travail qu'ils doivent abattre et de la quantité énorme d'informations qu'ils doivent traiter. Tôt ou tard, des erreurs surviennent. Heureusement, la plupart de ces erreurs sont anodines. Les médecins doivent apprendre à gérer les risques inhérents à leur métier. La situation est particulièrement difficile dans le contexte actuel, où l'on entretient l'idée fantaisiste que les médecins devraient être parfaits. Les médecins sont très performants, mais il est absurde de penser qu'ils sont infaillibles.

RECONNAISSANCE SOCIALE

Les médecins sont des héros des temps modernes. Il suffit de voir le nombre de séries télévisées qui leur sont consacrées pour le comprendre. La profession exerce une grande fascination dans la population.

DEGRÉ DE POUVOIR

Le degré de pouvoir est élevé, tant sur le plan du contenu du travail que sur le plan hiérarchique et social. Dans les hôpitaux, les médecins occupent le sommet de la hiérarchie. Ce sont eux qui prennent les décisions.

MOBILITÉ ET AVANCEMENT

La mobilité n'est pas fréquente et l'avancement non plus. Ceux qui souhaitent une carrière plus prestigieuse ou plus animée travaillent dans les hôpitaux universitaires.

Comme les spécialités sont très nombreuses et variées, il y a en a presque pour tous les goûts. Des personnes ayant des profils assez différents peuvent donc choisir la médecine et y trouver leur compte. Le premier cycle d'études permet de bien découvrir le domaine et de déterminer dans quel secteur on voudra faire carrière.

NIVEAU DE STRESS

Les responsabilités sont énormes, et la charge de travail souvent trop lourde. Les médecins sont débordés. Il faut qu'ils aient les nerfs solides pour survivre. Comme ils exercent beaucoup de contrôle sur leur travail, leur niveau de stress demeure tolérable.

Pour plusieurs, ce sont les relations avec les patients qui, à long terme, finissent par se révéler difficiles à supporter. Ces relations sont nombreuses et intenses. Elles font vivre beaucoup d'émotions aux médecins et peuvent menacer leur sérénité.

DANGER ET POLLUTION

C'est le surmenage qui est le danger le plus courant dans la profession.

EN VRAC

La médecine est une profession de performance, ce qui permet de s'accomplir, mais peut aussi représenter un piège. Beaucoup de médecins, continuellement en train de repousser leurs limites, sont hyperactifs. Le désir de performance et de perfection finit par les épuiser et par gâcher leur plaisir.

Plusieurs des spécialités de la médecine exigent beaucoup de disponibilité. Il faut non seulement pouvoir travailler, mais aussi être en forme pour le faire. Les médecins ont donc tout avantage à avoir une très bonne discipline de vie.

Ajoutons qu'on note une bonne dose d'insatisfaction chez les médecins. Le système de santé est dysfonctionnel à plusieurs égards, et les médecins se butent continuellement aux aberrations du système. Beaucoup de médecins sont fatigués.

Enfin, il faut mentionner le rapport particulier qu'entretiennent les médecins avec leur téléavertisseur. C'est un des aspects les plus désagréables de la profession. Lorsqu'ils sont de garde, ils sont continuellement rattachés à leur travail par l'intermédiaire de ce petit appareil qui a la fâcheuse habitude de sonner la nuit et pour lequel ils finissent par développer une réelle aversion.

Évaluation globale

La médecine est le prototype de la profession parfaite. Non pas qu'elle soit sans défaut, loin de là, mais elle possède à peu près toutes les qualités qu'on peut espérer d'une profession : excellent salaire, travail abondant, vacances fréquentes, prestige, autonomie, utilité, pouvoir, possibilités d'apprentissage et de perfectionnement, grandes équipes de travail, variété de tâches, équipements sophistiqués, etc.

C'est une profession qui offre la possibilité de faire une carrière florissante et de mener une belle vie. Pour toutes ces raisons, la médecine mérite la première place dans ce guide et je lui accorde une note de cinq étoiles. Cependant, une mise en garde s'impose. Bien que la médecine ait de nombreuses qualités, une personne ne doit se diriger vers cette profession que si elle correspond à ses intérêts, ses aptitudes et ses valeurs. Il s'agit d'un métier très exigeant et il faut vouloir le pratiquer sincèrement pour s'y épanouir. Ce n'est pas non plus parce qu'on obtient de bonnes notes en sciences qu'on doit aller dans ce domaine. Il y a d'autres professions intéressantes pour les personnes qui sont douées, mais que la médecine n'attire pas. De toute façon, les plus talentueux ont toutes les chances de connaître une carrière cinq étoiles, même si ce n'est pas en médecine. ■

Pharmacien

Vendre des pilules, déchiffrer l'écriture des médecins... Sérieusement, les pharmaciens font un travail plus important qu'il n'y paraît. Ce sont eux qui distribuent les médicaments à la population et qui doivent donc veiller à ce que les choix de médicaments et les dosages soient justes. Avec une population vieillissante et une pharmacopée de plus en plus sophistiquée, leur travail est de plus en plus délicat et complexe.

Coup d'œil

PROFESSION		PROFESSIONNELS / FINISSANTS RATIO	SALAIRE ANNUEL MOYEN
Pharmacien	★ ★ ★ ★ ★	7 000 / 300 1 / 23	114 000 $

FORMATION

Pour accéder à l'Ordre des pharmaciens du Québec, il faut suivre la formation universitaire de quatre ou cinq ans offerte à l'Université Laval ou à l'Université de Montréal.

Les programmes de formation en pharmacie sont devenus très contingentés au cours des dernières années. En 2008, la « cote R » du dernier admis en pharmacie dépassait même celle de son homologue admis en médecine[11]. Il faut donc posséder un dossier scolaire étincelant pour être admis en pharmacie.

DEGRÉ D'HOMOGÉNÉITÉ

Les emplois sont très homogènes dans ce secteur.

---

11. La « cote R » est un indicateur de l'excellence du dossier scolaire calculé sur la moyenne des résultats d'un étudiant et comparé aux résultats de ses condisciples. En 2008, il a donc été plus difficile d'être admis en pharmacie qu'en médecine, ce qui est tout de même étonnant.

HOMMES-FEMMES

La profession est féminine aux deux tiers. Cette proportion est la même dans les programmes de formation, elle devrait donc demeurer stable.

TAUX DE CHÔMAGE

Il est nul. Les pharmaciens ne chôment pas!

GÉOGRAPHIE

Les pharmaciens peuvent trouver de l'emploi partout au Québec. On note une pénurie de main-d'œuvre dans presque toutes les régions éloignées.

EMPLOYEURS

Il y a deux types d'emplois dans la profession, les pharmaciens communautaires et les pharmaciens d'hôpital. Les premiers, dont Jean Coutu est l'archétype québécois, travaillent dans des pharmacies qui sont le plus souvent affiliées à de grandes bannières. Les seconds sont chargés de la distribution de médicaments dans les centres hospitaliers.

SYNDICALISATION

Les pharmaciens communautaires ne sont pas syndiqués. Au contraire, ils sont souvent propriétaires de leur établissement. Les pharmaciens des hôpitaux sont des employés syndiqués.

QUALITÉ DES EMPLOIS

Tous les emplois sont de qualité. Les pharmaciens qui travaillent à temps partiel le font par choix.

INSERTION PROFESSIONNELLE

L'insertion est instantanée! Un pharmacien qui cherche de l'emploi n'a même pas le temps de rédiger un *curriculum vitae*. Un coup de téléphone ou deux suffisent généralement pour trouver du travail.

Avenir de la profession

PÉRENNITÉ

On n'observe aucun facteur de compression due à la technologie, ni aucune possibilité de transfert à l'étranger. On peut être certain que la profession va se maintenir et même croître à cause du vieillissement de la population et des découvertes dans l'industrie pharmaceutique. Depuis quelques années, la plus grande part de l'augmentation des dépenses en santé au Canada est attribuable à l'augmentation de la valeur des médicaments consommés par la population.

Le gouvernement est en train de revoir les limites du champ de pratique des pharmaciens pour leur attribuer de nouvelles fonctions actuellement réservées aux médecins. Ces changements législatifs pourraient avoir une incidence positive sur la demande de travail pour les pharmaciens.

PERSPECTIVES D'EMPLOI

Au cours des dernières années, les universités ont augmenté le nombre de places dans les programmes de pharmacie afin de compenser la pénurie de main-d'œuvre. Malgré cela, le marché va demeurer excellent pour les pharmaciens pendant plusieurs années.

Du côté des pharmaciens d'hôpital, la pénurie de main-d'œuvre devrait malheureusement se prolonger parce que l'écart avec les salaires de leurs collègues du secteur privé n'en finit plus de se creuser. Dans ces conditions, on se demande même ce qui peut motiver des candidats à choisir le service public, d'autant plus qu'il faut une maîtrise pour travailler en milieu hospitalier.

Les perspectives d'avenir sont excellentes.

Influence sur le bonheur, la santé et la vie quotidienne

DEGRÉ D'AUTONOMIE

De façon générale, les pharmaciens ont beaucoup d'autonomie dans leur travail. Ce sont les professionnels affiliés à de grandes chaînes qui ont le moins d'autonomie parce qu'ils sont tenus de respecter certaines normes liées à leur bannière.

HORAIRES

La majeure partie du travail se déroule le jour et en semaine. Par contre, il faut aussi travailler le soir et le week-end et même la nuit dans les hôpitaux.

Les horaires de travail de soir et de week-end et le nombre d'heures de travail parfois élevé ne rendent pas la conciliation travail-famille toujours facile, mais elle n'est pas si difficile non plus. Leurs revenus substantiels permettent aux pharmaciens de se payer des services d'aide à domicile. De plus, comme ils travaillent souvent dans des commerces de proximité, la majorité d'entre eux n'a pas à affronter les problèmes de circulation pour aller au travail.

DURÉE DES CARRIÈRES

Les départs de la profession sont très rares. Pratiquement tous les pharmaciens maintiennent leur choix tout au long de leur carrière. Ceux qui quittent la profession jeunes le font généralement parce qu'ils ont les moyens de prendre leur retraite, souvent avant 50 ans.

DÉPLACEMENTS

Les pharmaciens se déplacent peu, si ce n'est pour des congrès ou pour suivre des cours et ateliers de formation.

SENTIMENT D'UTILITÉ

Le travail est concret et permet d'avoir un contact direct avec les gens. Par contre, la tâche est assez modeste. La distribution de médicaments n'a rien de spectaculaire, même si elle est indispensable. Les pharmaciens vivent un peu dans l'ombre des médecins. C'est dans leur rôle-conseil qu'ils se sentent le plus utiles.

DEGRÉ D'HUMANISME

Les pharmaciens d'hôpital ont peu de rapport avec les patients, alors que les pharmaciens communautaires jouent un rôle de plus en plus actif auprès de la clientèle. Étant donné le manque criant de médecin, la population a tendance à se tourner vers les pharmaciens.

Il arrive de plus en plus fréquemment que les pharmaciens développent un lien assez étroit avec certains clients, ceux souffrant de maladie chronique par exemple, avec qui ils doivent travailler de concert pour ajuster la médication. Ces relations peuvent durer pendant des décennies.

PLAISIR INTRINSÈQUE

Le plaisir naît du travail bien fait, de la précision, de l'organisation, de la compétence et des relations de confiance établies avec les clients. Bref, rien de spectaculaire, mais de petites joies quotidiennes.

STIMULATION INTELLECTUELLE

Une part importante du travail est relativement simple. Il est plus question de vigilance que de grande complexité. Toutefois, la pharmacie est un domaine très dynamique, où les changements sont continuels. Chaque mois, des dizaines de nouveaux médicaments arrivent sur le marché. Les pharmaciens doivent toujours maintenir leurs connaissances à jour.

CRÉATIVITÉ

Le travail sollicite assez peu la créativité. Au contraire, ce sont surtout la précision et la rigueur qu'on exige des pharmaciens.

INDICE BUREAUCRATIE

Il est assez important. Les pharmaciens travaillent beaucoup dans la paperasse, les dossiers et les fichiers informatiques.

SOLITAIRE / EN ÉQUIPE

Les pharmaciens travaillent le plus souvent en petite équipe de moins d'une dizaine de personnes et dans une atmosphère assez bon enfant. Le soir, la nuit et le week-end, par contre, le travail peut s'avérer plus solitaire.

TRAVAILLER À SON COMPTE

Environ 36 % des hommes et 18 % des femmes sont travailleurs autonomes, c'est-à-dire pharmaciens-propriétaires. Ce sont les pharmaciens qui gagnent le mieux leur vie. Il y a plus d'hommes dans cette catégorie : les femmes sont plus réticentes à devenir propriétaires parce qu'à leurs yeux les avantages financiers ne compensent pas les risques et les investissements qu'il faut consentir pour exploiter son propre commerce. Les hommes et les femmes ont des rapports différents au travail : les hommes valorisent l'indépendance et les revenus élevés, les femmes préfèrent gagner moins et prendre moins de risques.

Les pharmaciens d'hôpital sont ceux qui touchent les salaires les moins élevés : en moyenne moins de 75 000 $ par année, ce qui est bien en deçà des revenus de leurs confrères du secteur privé. Cet écart pose de très sérieux problèmes de recrutement aux hôpitaux.

RÉUSSITE OU ÉCHEC

Le travail consiste précisément à prévenir et à éviter les erreurs. Étant donné le volume de tâches à accomplir, toutefois, des erreurs surviennent quand même. La grande crainte de tous les pharmaciens est de commettre une erreur grave ayant des conséquences désastreuses.

RECONNAISSANCE SOCIALE

Les pharmaciens sont bien perçus dans la population, on leur fait confiance et la valeur de leur travail est reconnue. Leurs revenus élevés ajoutent au sentiment de reconnaissance sociale.

Le pouvoir est restreint. Les pharmaciens ne sont pas au cœur des centres de décision. Bien que leur rôle soit indispensable, ils sont malgré tout tributaires du travail des médecins. Certains s'accommodent très bien de cette situation, d'autres en souffrent.

Les possibilités d'avancement sont limitées. De salarié, on peut devenir propriétaire si on le souhaite.

Pour ce qui est de la mobilité, on peut changer d'emploi, mais pas vraiment de poste. Tous les postes de pharmacien sont similaires. La seule possibilité de changement est de passer de la pharmacie communautaire à la pharmacie hospitalière, ou vice versa.

En raison de la pénurie de main-d'œuvre, en particulier dans les hôpitaux, certains pharmaciens écopent d'horaires allongés et d'une surcharge de travail.

Par ailleurs, avec le vieillissement de la population et la mise au point de nouvelles molécules, les risques d'interactions indésirables entre les médicaments sont de plus en plus nombreux. Les pharmaciens doivent toujours composer avec ce risque. Ils travaillent avec des produits susceptibles de provoquer des problèmes graves et même la mort. Dans ce contexte, ils vivent constamment avec un certain stress.

Les pharmaciens entretiennent des rapports étroits avec les pharmaceutiques qui, elles, sont prêtes à tout pour mousser la vente de leurs produits. En conséquence, ces professionnels doivent résister aux pressions et aux tentatives d'influence parfois très sophistiquées de ces compagnies. Les questions d'éthique ne sont jamais loin. De plus, la compétition est très intense entre les différentes bannières pharmaceutiques, ce qui fait que les impératifs commerciaux peuvent devenir envahissants. Avec des commerces de plus en plus gros, les contraintes financières augmentent sans cesse.

Au chapitre des qualités, le revenu moyen des pharmaciens-propriétaires dépasse 250 000 $ par année, ce qui n'est pas banal. Il s'agit d'une des professions scientifiques les plus lucratives. D'ailleurs, certains de ceux qui la choisissent sont principalement motivés par l'argent.

Évaluation globale

Bon salaire, bons emplois, bonnes perspectives d'avenir, bonne reconnaissance sociale, travail utile et stimulant, sans être écrasant, des emplois permanents dont les horaires sont gérables, voilà bien des qualités pour une même profession. Le travail de pharmacien est par contre assez discret, un peu dans l'ombre, et il n'est pas aussi excitant que d'autres professions médicales. Il faut avoir envie de stabilité ou accepter de développer des passions en dehors du travail. Il n'en demeure pas moins que la profession assure une excellente voie de carrière. Je la classe parmi les plus avantageuses actuellement sur le marché, avec quatre étoiles. ■

Dentiste

Comme leur nom l'indique, les dentistes s'occupent des dents. Ce sont des professionnels de la santé qui ont une expertise considérable en anatomie et en médecine. Ils préviennent et soignent d'innombrables sortes de problèmes liés à la santé buccale et dentaire. Ils pratiquent aussi des interventions plus ou moins complexes pour corriger les problèmes dentaires.

Coup d'œil

PROFESSION	PROFESSIONNELS / FINISSANTS	RATIO	SALAIRE ANNUEL MOYEN
Dentiste ★ ★ ★ ★ ★	4 000 / 148	1 / 27	137 000 $

FORMATION

On devient dentiste après un doctorat de premier cycle (ou doctorat professionnel) de quatre ou cinq ans. Certains peuvent ajouter quelques années pour acquérir une spécialisation. Environ 10 % des dentistes ont une spécialité.

Les programmes de formation en dentisterie sont très contingentés, à peine moins que ceux en médecine. Le ratio professionnels-finissants est excellent.

DEGRÉ D'HOMOGÉNÉITÉ

Il s'agit d'une des professions les plus homogènes. Tous les emplois sont pratiquement identiques.

Analyse du marché de l'emploi

HOMMES-FEMMES

Les femmes représentent actuellement 40 % de l'effectif.

Comme elles sont majoritaires à 65 % dans les programmes de formation, on peut prévoir qu'elles finiront par être aussi majoritaires dans la profession.

TAUX DE CHÔMAGE

Le taux de chômage est nul chez les dentistes.

GÉOGRAPHIE

Partout où il y a des dents...

EMPLOYEURS

Les dentistes sont presque tous travailleurs autonomes. Les seuls employeurs potentiels sont les hôpitaux qui n'embauchent que 2 % d'entre eux.

QUALITÉ DES EMPLOIS

La plupart des dentistes (85 %) travaillent à plein temps. Le temps partiel est assez rare, entre autres parce qu'il est difficile de composer avec les responsabilités d'un cabinet en adoptant un horaire réduit. Si c'était moins difficile, il y a sans doute plus de dentistes qui choisiraient de travailler à temps partiel.

Comme les dentistes sont pour la plupart des travailleurs autonomes, leurs horaires de travail sont assez peu flexibles. On ne peut pas décider soudainement de fermer son cabinet un mois ou deux pour se ressourcer sans en subir les conséquences. De ce côté, la profession est contraignante. En revanche, les dentistes peuvent facilement moduler leur horaire.

INSERTION PROFESSIONNELLE

Dans les régions où l'offre et la demande de services dentaires est équilibrée, un jeune professionnel peut mettre quelques années à se construire une bonne clientèle. Dans d'autres régions, au contraire, il manque cruellement de dentistes et les intéressés peuvent se bâtir instantanément une pratique rentable.

Avenir de la profession

PÉRENNITÉ

Même la meilleure technologie au monde n'éliminera pas le travail des dentistes. Leur nombre devrait donc demeurer stable à l'avenir. La profession est très bien établie dans la société, mais les possibilités de développement semblent assez limitées. La seule croissance possible est liée à la croissance démographique. Comme celle-ci est très faible, celle du nombre de dentistes devrait le demeurer également.

L'horizon est au beau fixe. Les emplois et l'argent ne manquent pas.

Les perspectives d'avenir sont excellentes.

Influence sur le bonheur, la santé et la vie quotidienne

DEGRÉ D'AUTONOMIE

Le degré d'autonomie est important. Par contre, cette autonomie est entravée par un facteur qu'il ne faut pas sous-estimer : les coûts d'immobilisation et les frais d'exploitation liés à la pratique. Ce sont les premiers qui sont de plus en plus contraignants pour les dentistes. Avec le développement de nouvelles technologies et la position de force des fournisseurs d'appareils dans ce domaine, les dentistes doivent assumer des coûts de plus en plus élevés qui les obligent à travailler beaucoup pour atteindre le seuil de rentabilité. Les premières années de pratique peuvent s'avérer rudes sur ce plan.

Les frais d'assurance ont aussi significativement augmenté au cours des dernières années, en raison des recours en justice de plus en plus fréquents.

HORAIRES

Les horaires sont surtout de jour et en semaine. Certains acceptent de travailler quelques soirs par semaine. Il est aussi nécessaire de maintenir une disponibilité pour les urgences.

INDICE FAMILLE

Le travail de dentistes est accaparant et nécessite souvent des semaines de travail de plus de 40 heures. Dans ce contexte, la vie familiale pose bien des défis. Dans l'ensemble, on peut tout de même estimer que c'est un travail qui se concilie assez bien avec la famille. Comme les dentistes peuvent établir leur horaire, ils ont la possibilité de faire coïncider leurs congés avec ceux des enfants. De plus, leurs revenus leur permettent d'avoir recours à de l'aide pour les obligations familiales et ménagères.

DURÉE DES CARRIÈRES

Les dentistes qui quittent leur profession sont l'exception. Généralement, les carrières sont stables de la promotion à la retraite.

DÉPLACEMENTS

Il n'y a plus de dentistes itinérants depuis belle lurette !

SENTIMENT D'UTILITÉ

Les dentistes ne sauvent pas de vie, mais ils peuvent rendre de sacrés services ! Il y a une certaine humilité à s'occuper de la santé dentaire. Les actions d'éclat sont rares. Par contre, il n'y a aucun doute sur l'utilité de ce travail. Les résultats sont tangibles et immédiats.

DEGRÉ D'HUMANISME

Les dentistes doivent faire preuve d'empathie et de compréhension pour apaiser les craintes de leurs patients. Les rapports humains sont limités par le fait que, la plupart du temps, leurs patients ne sont pas en état de parler pour des raisons évidentes. Malgré tout, au fil du temps, les relations avec les patients sont significatives et la confiance s'installe.

PLAISIR INTRINSÈQUE

Peu de gens aiment aller chez le dentiste, ce qui est un aspect difficile de leur travail. Beaucoup d'interventions sont désagréables ou douloureuses et suscitent la crainte. Malgré cela, comme le travail est très concret et qu'il mobilise beaucoup de connaissances, il reste somme toute plaisant. La dimension manuelle est importante et, à ce titre, le plaisir des dentistes est un peu analogue à celui des artisans ou des travailleurs manuels.

STIMULATION INTELLECTUELLE

Les connaissances évoluent continuellement dans le domaine et les dentistes ont la possibilité d'apprendre et de se perfectionner tout au long de leur carrière. La plupart du temps, le travail est relativement simple et ne requiert pas de grands efforts intellectuels. Par contre, il se présente régulièrement des cas plus difficiles où les compétences les plus fines et la capacité à bien analyser le problème sont sollicitées. Il faut alors bien maîtriser son art pour offrir un bon service au client.

CRÉATIVITÉ

La part de créativité, sans être très importante, est bien réelle. Devant certaines situations, les dentistes doivent faire preuve de créativité.

INDICE BUREAUCRATIE

Il est moyennement important. Les dentistes sont bien appuyés par leur personnel de soutien. Malgré cela, ils doivent superviser les différentes tâches administratives relatives au cabinet, ce qui finit par représenter un travail assez lourd.

SOLITAIRE / EN ÉQUIPE

Les dentistes travaillent peu avec leurs collègues, qu'ils fréquentent plus dans les activités de formation et les congrès qu'au quotidien. Par contre, ils travaillent rarement seuls. Ils sont toujours assistés. Dans le meilleur des cas, ils développent une belle complicité avec leurs assistants et évoluent dans un bon climat de travail. En fait, les dentistes qui ne parviennent pas à créer des liens harmonieux et productifs avec leur personnel se condamnent à la solitude et à la tension.

TRAVAILLER À SON COMPTE

Presque tous les dentistes (98 %) travaillent dans de petits cabinets ; 80 % d'entre eux sont travailleurs autonomes et 20 % sont salariés, à l'emploi d'autres dentistes. Les autres (2 %) sont embauchés par des hôpitaux ou des centres locaux de services communautaires (CLSC).

RÉUSSITE OU ÉCHEC

C'est un métier où l'on réussit à exécuter ses tâches avec succès. Les très rares cas d'échec peuvent tourner à la catastrophe, et il peut être difficile de s'en remettre.

Il y a toujours une possibilité d'erreur professionnelle et on peut s'exposer à des recours judiciaires. Toutefois, à moins de réelle incompétence, les risques d'erreur ou de poursuite sont assez limités. On peut toujours tomber sur des patients qui cherchent les conflits, mais l'Ordre professionnel des dentistes et les pouvoirs juridiques tendent à protéger les professionnels des assauts injustifiés.

RECONNAISSANCE SOCIALE

Les dentistes sont reconnus et appréciés. Elle est très loin l'époque où on les qualifiait d'« arracheurs de dents ».

DEGRÉ DE POUVOIR

Le pouvoir est relatif. La zone de pouvoir des dentistes est relativement modeste tout en étant primordiale. Leur rôle est humble, mais essentiel à la société. Par ailleurs, comme les dentistes sont des travailleurs autonomes, ils ont le plaisir de contrôler leur environnement de travail presque à 100 %, ce qui est très satisfaisant.

MOBILITÉ ET AVANCEMENT

La carrière de dentiste ne se caractérise pas par la mobilité. Les professionnels visent plutôt la stabilité afin de développer leur clientèle. Dans ce contexte, la mobilité est rare et l'avancement, pratiquement inexistant. Certains dentistes sont ambitieux et cherchent continuellement à rendre leur pratique plus lucrative.

Ils représentent toutefois une minorité dans la profession.

■ NIVEAU DE STRESS

Le stress des dentistes provient moins de leur travail que de tout ce qui l'entoure. Pour les dentistes qui sont bien établis dans la profession, les trois grandes sources de stress sont le volume élevé de travail, les charges financières et les problèmes de gestion de personnel. Les dentistes sont très dépendants de leur personnel, et il suffit d'une ou deux démissions à des postes clés pour perturber la vie du cabinet. C'est une profession qui requiert des nerfs solides.

Professions semblables

Quatre autres professions consistent à tenir un cabinet centré sur un aspect de la santé. Elles réunissent plusieurs des caractéristiques de la profession de dentiste et peuvent facilement y être comparées. Elles sont toutefois un peu moins avantageuses.

Optométriste

Les optométristes font des examens de la vue et ils prescrivent les lunettes et verres de contact à leurs clients. Ils traitent aussi d'autres problèmes liés à la santé oculaire comme les conjonctivites.

La profession d'optométriste est très bien établie et reconnue. Elle compte 1 500 membres qui gagnent un salaire moyen de 73 000 $. Avec une quarantaine de diplômés par année, on ne risque pas d'inonder le marché. Les perspectives d'avenir sont excellentes dans ce domaine, notamment parce que l'accès au marché est restreint et que la demande de soins se maintiendra ou s'accroîtra à l'avenir. On peut même s'attendre à ce que les revenus des optométristes augmentent à moyen terme. Mis à part les revenus moindres, la profession se compare presque en tous points à celle de dentiste, si ce n'est que ça fait moins mal de se faire faire des lunettes que de se faire réparer les dents...

Podiatre

Les podiatres sont des professionnels qui s'occupent de tout ce qui touche la santé des pieds. Sur le marché de l'emploi, leur situation est semblable à celle des optométristes. Ils sont encore relativement peu nombreux, mais une nouvelle formation est désormais offerte au Québec, ce qui devrait faire augmenter leur nombre. La profession devrait connaître une croissance soutenue au cours des prochaines années et acquérir dans la société un statut semblable à celui des autres professions médicales.

Vétérinaire

Les vétérinaires qui, on le sait, soignent les animaux sont 1 500 au Québec et ils gagnent un salaire moyen de 74 000 $. Par contre, 85 personnes accèdent chaque année à la profession, ce qui est beaucoup. Le nombre de vétérinaires augmentera donc au cours des prochaines années. Il semble que le marché pourra les absorber, mais certains éprouveront des difficultés d'insertion professionnelle. La moitié des vétérinaires prodigue des soins aux animaux de compagnie, alors que les autres s'occupent surtout des animaux de ferme et d'élevage. Ce secteur de travail offre beaucoup d'emplois, mais il attire moins de candidats et, surtout, de candidates.

La profession de vétérinaire est entourée d'une aura romantique : on s'imagine que l'on pourra « sauver des animaux ». Cet aspect du métier ne correspond que très vaguement à la réalité. En fait, la profession de vétérinaire est moins agréable et, surtout, pas mal moins romantique que ce que croient bien des jeunes. Je recommande fortement à ceux qui songent à cette voie de bien en mesurer les qualités et les défauts. Les aspects commerciaux et les tâches ingrates prennent beaucoup de place dans la profession. Elle demeure un choix objectivement défendable, mais qui n'a rien d'idyllique.

Chiropraticien

Les chiropraticiens s'occupent surtout de soulager les maux de dos grâce à différentes techniques manuelles. La profession compte 1 500 membres qui gagnent un salaire moyen de 60 000 $. Comme la formation est désormais offerte au Québec et qu'on diplôme 50 personnes par année, le nombre de chiropraticiens devrait augmenter au cours des prochaines années. Il n'est pas certain que le marché pourra absorber tous les nouveaux professionnels.

Certaines controverses, par contre, rendent la profession moins recommandable. Ceux qui la choisissent devront toujours défendre leurs pratiques, qui sont remises en question par les communautés scientifique et médicale. Je pense que ceux qui s'intéressent à la santé du dos feraient un meilleur choix en optant pour la physiothérapie. Toutes les autres professions médicales de niveau universitaire ou les bons programmes de technique médicale me semblent plus avantageux que la chiropractie.

Évaluation globale

La profession de dentiste recèle trois défauts. Premièrement, elle n'offre pratiquement pas de possibilité de mobilité professionnelle. Pour ceux qui ont besoin de changement, cela peut être difficile à accepter. Deuxièmement, avec les développements technologiques, les dentistes sont de plus en plus contraints d'acheter de nouveaux appareils. Bien sûr, certains apprécient la nouveauté et s'accommodent bien de la situation. Il n'en demeure pas moins que c'est une perte de liberté et un surcroît de responsabilités financières. Troisièmement, le travail n'est pas très glorieux, et il se déroule dans un contexte de douleur et de crainte, ce qui n'est pas toujours drôle.

Malgré ces aspects négatifs, la profession de dentiste représente une option de carrière de premier choix. Le salaire est élevé, les emplois sont abondants, le travail est intéressant, on s'y sent utile et reconnu, et ceux qui sont un peu habiles socialement réussissent à développer une pratique où règnent le plaisir, la confiance et l'harmonie. Pour toutes ces raisons, j'attribue une note globale de quatre étoiles et demie à la profession. ■

Physiothérapeute / Ergothérapeute / Nutritionniste / Audiologiste / Orthophoniste

On pourrait qualifier les physiothérapeutes de « réadaptologues » ! Leur fonction principale est d'encadrer, de soutenir et de soulager les personnes qui sont victimes de différentes blessures restreignant leurs activités. Une de leurs tâches typiques est d'aider les personnes ayant subi un accident ou une opération à retrouver leurs fonctions motrices et à réduire leur douleur. Les physiothérapeutes pratiquent régulièrement des thérapies manuelles.

L'ergothérapie est en quelque sorte jumelle de la physiothérapie, avec cette différence que les ergothérapeutes interviennent auprès de personnes souffrant de handicaps, de maladie chronique ou qui sont en perte de motricité. Si les physiothérapeutes visent la guérison, les ergothérapeutes tentent plutôt de maintenir l'état des patients. Elles pratiquent moins de thérapies manuelles que les physiothérapeutes, mais les dimensions relationnelles de leur travail sont plus importantes. Elles s'intéressent aux activités quotidiennes de leurs patients et à leur environnement, et proposent des aménagements adaptés à leurs besoins.

Comme leur nom l'indique, les nutritionnistes sont des spécialistes de la nutrition. Leur rôle consiste à composer des diètes appropriées aux différents besoins de leur clientèle, ainsi qu'à soutenir et à encadrer leurs patients pour qu'ils respectent leurs prescriptions alimentaires. Les nutritionnistes interviennent auprès de quatre principaux types de clientèle : les personnes atteintes de troubles alimentaires, celles qui ont des problèmes de poids, celles qui souffrent de problèmes de santé nécessitant une diète spéciale et les personnes âgées.

Alors que les audiologistes s'occupent plutôt des problèmes de l'ouïe et de l'audition, les orthophonistes s'intéressent surtout aux problèmes de la parole. Pour les audiologistes, il peut s'agir de cas de surdité ou de problèmes liés au vieillissement ou à l'usure. Pour les orthophonistes, le travail est en partie lié aux séquelles d'accidents ou de maladie mais, le plus souvent, il a trait aux problèmes propres à la petite enfance. Au sein de l'Ordre professionnel des orthophonistes et des audiologistes du Québec, les orthophonistes représentent 85 % des membres et les audiologistes, 15 %.

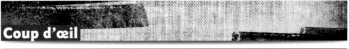

Coup d'œil

PROFESSION		PROFESSIONNELS / FINISSANTS	RATIO	SALAIRE ANNUEL MOYEN
Physiothérapeute	★ ★ ★ ★ ★	5 000 / 166	1 / 30	51 000 $
Ergothérapeute	★ ★ ★ ★ ★	3 500 / 200	1 / 18	50 000 $
Nutritionniste (diététiste)	★ ★ ★ ★ ★	2 500 / 141	1 / 18	49 000 $
Orthophoniste	★ ★ ★ ★ ★	2 000 / 64	1 / 31	54 000 $
Audiologiste	★ ★ ★ ★ ★			

Ces professions exigent une longue formation dans des programmes très contingentés. Il s'agit d'emplois très qualifiés et très exigeants. Pourtant, comme on le voit, les salaires moyens oscillent autour de 50 000 $ par année, ce qui est bas comparativement à d'autres domaines de formation universitaire, d'autant plus que les moyennes indiquées ne concernent que la moitié des professionnelles, celles qui ont un emploi à plein temps. Les autres touchent en réalité un salaire encore moins élevé.

Cette situation s'explique par quatre facteurs. Le premier est qu'il s'agit de professions relativement jeunes et qui n'ont pas encore bien fait leur place dans le marché. Le deuxième est que la moyenne d'âge des professionnelles est peu élevée. La plupart d'entre elles sont donc loin du sommet de l'échelle salariale. De plus, troisième facteur, ces professions sont très largement féminines, ce qui, malheureusement, contribue à maintenir les salaires sous leur juste valeur. La dynamique sociale fait que, encore aujourd'hui, le travail des femmes est mal reconnu et, surtout, mal rémunéré[12]. Enfin, ces professions font partie des groupes professionnels embauchés par le secteur public

---

12. Les médecins sont en majorité des femmes et ils sont très bien payés, ce qui semblerait contredire la règle salariale en défaveur des femmes. Or, il n'en est rien. Si les médecins sont si bien payés malgré que la profession soit majoritairement féminine, c'est essentiellement parce qu'il s'agit d'une profession qui était à l'origine masculine. Le rapport salarial s'est maintenu malgré la féminisation de la profession. Notons d'ailleurs au passage que tous les dirigeants de la profession médicale sont des hommes...

dans des domaines qui sont toujours les premiers touchés par les restrictions budgétaires. On coupe plus facilement un poste de nutritionniste ou de physiothérapeute qu'un emploi d'infirmière ou de médecin. Les conséquences sont moins visibles et immédiates, même si elles sont tout aussi graves.

faire un baccalauréat et une maîtrise spécialisés. Les programmes d'études qui mènent à ces professions sont excessivement contingentés.

La formation exigée pour les nutritionnistes est un baccalauréat spécialisé. Ce programme est légèrement moins contingenté.

FORMATION

Les physiothérapeutes, les ergothérapeutes, les audiologistes et les orthophonistes doivent

DEGRÉ D'HOMOGÉNÉITÉ

Ces quatre professions sont homogènes. Le cadre de travail et les tâches sont bien définis.

Analyse du marché de l'emploi

HOMMES-FEMMES

Chez les physiothérapeutes, on dénombre 18 % d'hommes (surtout en physiothérapie sportive) et 82 % de femmes. Chez les ergothérapeutes, on compte 5 % d'hommes et 95 % de femmes.

La profession de nutritionniste est féminine à 96 %... tout comme celles d'audiologiste et d'orthophoniste, qui n'attirent elles aussi que 4 % d'hommes. La situation ne semble pas en voie de se modifier : en 2007, dans ces deux derniers domaines, les femmes représentaient 100 % des diplômées !

TAUX DE CHÔMAGE

Le chômage est inexistant, ces professions sont toutes en pénurie de main-d'œuvre. On peut espérer que cette situation finira par exercer une pression à la hausse sur les salaires.

GÉOGRAPHIE

L'emploi est relativement bien réparti dans la province. Quiconque désire s'éloigner des grands centres sera très bien accueilli en région.

EMPLOYEURS

En plus des hôpitaux, les centres locaux de services communautaires (CLSC), les centres d'hébergement et de soins de longue durée (CHSLD) et des écoles primaires (pour les orthophonistes), certaines professionnelles sont à l'emploi de cliniques et cabinets privés.

Celles qui ne sont pas travailleuses autonomes sont exclusivement à l'emploi d'organismes publics.

SYNDICALISATION

La plupart des emplois du secteur public sont syndiqués.

QUALITÉ DES EMPLOIS

Malgré l'existence de besoins criants pour les services de ces professionnelles, le quart d'entre elles travaillent à temps partiel, et ce n'est pas toujours par choix. Le temps partiel est une stratégie utilisée par les employeurs pour réduire les coûts de main-d'œuvre.

INSERTION PROFESSIONNELLE

Présentement, à cause des pénuries de main-d'œuvre, l'insertion professionnelle est très courte. Elle est un peu plus longue pour les diététistes.

Avenir de la profession

PÉRENNITÉ

Les possibilités de compression due à la technologie et de transfert du travail à l'étranger sont inexistantes. En contrepartie, le développement des services et des connaissances combiné au vieillissement de la population font que la demande pour ces professions augmente en flèche. Chacune d'entre elles devrait certainement augmenter son effectif d'au moins 50 % au cours des 20 prochaines années.

PERSPECTIVES D'EMPLOI

Ces professions présentent un curieux mélange de pénurie de main-d'œuvre, de sous-emplois et de salaires peu élevés. Lorsqu'on compare les salaires des professionnelles de ce secteur à ceux des médecins, des dentistes, des pharmaciens ou même des infirmières, on se rend compte à quel point la situation est incongrue. J'aimerais pouvoir dire qu'un certain rattrapage s'effectuera au cours des prochaines années, mais je ne suis pas très optimiste.

Celles et ceux et celles qui choisissent ces domaines peuvent se consoler en sachant que l'emploi y est surabondant. Dans cette situation, il est au moins plus facile de négocier ses conditions d'embauche et de travail.

Les perspectives d'avenir sont excellentes.

Influence sur le bonheur, la santé et la vie quotidienne

DEGRÉ D'AUTONOMIE

Toutes ces professionnelles sont assez autonomes dans leur travail. Par contre, les diététistes et les physiothérapeutes peuvent voir une partie de leur travail subordonnée aux ordonnances et directives des médecins avec lesquels elles collaborent.

Par ailleurs, le travail dans les hôpitaux et les CLSC peut être assez rigoureusement encadré.

HORAIRES

Les horaires sont normaux, de jour et en semaine. Une toute petite partie du travail doit être accompli selon des horaires atypiques.

INDICE FAMILLE

La conciliation travail-famille est aisée, puisque les horaires de travail sont normaux et peu envahissants.

DURÉE DES CARRIÈRES

Le roulement est plus fréquent dans ces professions que dans d'autres occupations du domaine médical. À cause du sous-emploi et des mauvaises conditions de travail, un certain nombre de professionnelles cherchent sans doute à améliorer leur sort. La montée des pratiques privées fournit un indice probant à cet égard. De plus, une certaine partie des professionnelles se réorientent vers la médecine lorsqu'elles parviennent à y être admises.

DÉPLACEMENTS

Ce sont les ergothérapeutes et les orthophonistes qui se déplacent le plus. Les premières effectuent des visites au domicile de leurs patients, alors que les secondes vont d'un lieu d'intervention à l'autre : écoles, garderies, résidences. Ces déplacements se font à l'intérieur du temps de travail.

SENTIMENT D'UTILITÉ

Ces professionnelles se sentent utiles quand on leur donne les moyens de travailler. Ce sont les physiothérapeutes et les orthophonistes qui voient le plus directement les résultats de leur travail.

DEGRÉ D'HUMANISME

Il est variable, mais important. L'étroitesse des liens avec les patients peut varier en fonction des pratiques. Le travail de certaines de ces professionnelles est très proche de la relation d'aide, alors que d'autres évoluent dans des sphères où l'on est plus distancé du patient.

Les nutritionnistes qui interviennent auprès de personnes qui ont des troubles alimentaires ou des problèmes d'obésité doivent développer de très bonnes compétences relationnelles.

Les orthophonistes qui travaillent auprès d'enfants font un travail très humain où la relation d'aide est centrale. Les problèmes de la parole ont souvent leur origine au cœur de la psyché. Pour les traiter, il faut établir une relation très étroite avec les enfants.

PLAISIR INTRINSÈQUE

Le plaisir dans ces professions n'est pas nécessairement

direct. Ce n'est pas tant ce qui est fait qui est plaisant que les résultats qu'on obtient. Aider une personne à se rétablir, soulager ses souffrances, soutenir ses efforts pour mieux s'alimenter ou l'aider à mieux communiquer peut être à la fois très satisfaisant ou très frustrant.

En outre, certains aspects du travail des physiothérapeutes, des nutritionnistes, des ergothérapeutes et des orthophonistes peuvent être routiniers, ce qui est moins plaisant.

STIMULATION INTELLECTUELLE

Bien que les études pour accéder à ces professions soient très poussées, une partie du travail n'est pas si complexe. Cependant, les plus allumées peuvent raffiner leur pratique à l'infini. Les nutritionnistes sont sans doute celles qui risquent le plus d'avoir l'impression de faire du surplace. À l'opposé, les orthophonistes sont probablement celles qui peuvent se former et s'améliorer le plus longtemps. Leur travail est si complexe que, même après 20 ans, elles sont encore en processus d'apprentissage.

CRÉATIVITÉ

La physiothérapie est parmi ces quatre professions celle qui sollicite le moins de créativité. À l'opposé, l'orthophonie est celle qui en exige le plus. Entre les deux, l'ergothérapie et la nutrition peuvent en demander une certaine dose, en fonction des situations.

INDICE BUREAUCRATIE

Les contraintes bureaucratiques ne sont pas très élevées. Il faut tenir ses dossiers correctement et c'est à peu près tout.

SOLITAIRE / EN ÉQUIPE

Ces quatre emplois sont assez solitaires. On travaille le plus souvent seul avec son patient. Les interactions avec les collègues sont limitées.

TRAVAILLER À SON COMPTE

Les ergothérapeutes travaillent très peu souvent à leur compte. En revanche, environ 13 % des physiothérapeutes, des orthophonistes et des audiologistes sont établies à leur compte. La proportion est de 10 % pour les diététistes.

RÉUSSITE OU ÉCHEC

Le rapport à la réussite et à l'échec est central dans ces quatre professions. Quand on parvient à améliorer le sort de son patient, le travail est très valorisant. Par contre, les échecs et l'absence de progrès font partie du quotidien. Ce sont des professions qui demandent une patience infatigable et beaucoup de dévouement.

Les résultats ne sont pas toujours à la hauteur des efforts consentis, et cela peut miner le moral.

RECONNAISSANCE SOCIALE

Ces professions sont bien perçues, mais elles ne sont pas reconnues à leur juste valeur. Ce sont des professions exigeantes, qui demandent beaucoup de dévouement. Malheureusement, la société ne reconnaît pas la valeur et le mérite de ceux et celles qui travaillent au service des autres.

DEGRÉ DE POUVOIR

Ce sont des emplois où l'on peut jouer un rôle très important dans la vie d'autrui. En contrepartie, ces professionnelles ont peu de pouvoir dans leur organisation. Comme elles sont, la plupart du temps, peu nombreuses, elles sont marginalisées et participent rarement aux décisions. Elles vivent aussi dans l'ombre des médecins qui, eux, ont beaucoup de pouvoir.

MOBILITÉ ET AVANCEMENT

Les possibilités de mobilité et d'avancement sont limitées. Comme le nombre d'employeurs n'est pas très élevé et que, surtout, les postes sont presque tous identiques, la mobilité est restreinte. Même si on change d'emploi, on se retrouve à faire les mêmes tâches.

Les possibilités d'avancement sont également minces. Au mieux, on développe une pratique spécialisée ou on devient chef d'équipe.

Le stress et les charges de travail sont raisonnables, dans la mesure où on ne se laisse pas envahir par les invraisemblables délais d'attente imposés à la population pour avoir accès à ces services. Il est fréquent que les patients aient dû attendre des mois, voire des années, avant de rencontrer la professionnelle dont ils avaient besoin. Trop souvent, leur état s'est dégradé durant cette attente et le travail à accomplir est d'autant plus difficile.

Il existe également des restrictions frustrantes sur le temps que les professionnelles peuvent accorder à leur patient. C'est le cas en particulier des orthophonistes. On leur demande parfois de faire des miracles dans des délais trop courts.

Les physiothérapeutes peuvent être vulnérables à des blessures d'usure. Elles doivent être particulièrement vigilantes.

Le travail des physiothérapeutes, des ergothérapeutes et des orthophonistes s'effectue en relation très directe avec une clientèle qui est en difficulté et qui, justement, peut se montrer difficile, agressive et ingrate ou qui peut dénigrer les tentatives d'aide. Ces tensions peuvent devenir blessantes et jouer sur le moral. Dans ces quatre professions, les cas d'épuisement professionnel sont fréquents.

À l'inverse, ces professions peuvent aussi générer des contacts humains riches et nourrissants. Le dévouement et les compétences de ces professionnelles les mettent en situation de jouer un rôle déterminant dans la vie de leurs patients, ce qui fait de leur travail un des plus valorisants qui soient. Pour en tirer pleinement les bénéfices, par contre, il faut posséder une certaine maturité et un bon équilibre psychologique.

Professions semblables

Sage-femme

La pratique de sage-femme est officiellement reconnue au Québec depuis une dizaine d'années et on peut désormais accéder à la profession par l'entremise de la formation offerte à l'Université du Québec à Trois-Rivières. Cette profession pourrait certainement se classer parmi les plus intéressantes si ce n'était de deux problèmes majeurs. Le premier tient aux relations difficiles entre les sages-femmes et le système de santé. Celui-ci n'accueille pas toujours les sages-femmes à bras ouverts, mais en revanche, elles contribuent aussi à maintenir les conflits en adoptant des positions parfois indéfendables. Les sages-femmes se définissent trop volontiers en opposition au système médical, alors qu'elles devraient en faire partie.

Le deuxième problème est que la formation offerte n'est pas encore au point. Malgré une grande qualité, elle est teintée par des préjugés idéologiques qui la marginalisent. Celles qui ne sont pas en accord avec certains préceptes naturalistes, par exemple, n'ont pas beaucoup de chances d'être admises.

C'est pour ces raisons que la profession de sage-femme, répandue et reconnue dans de nombreux pays d'Europe, notamment, se développe ici beaucoup plus lentement qu'elle le devrait. C'est malheureux parce que son utilité est indéniable et qu'elle touche une dimension sociale essentielle.

Évaluation globale

Les professions de physiothérapeute, d'ergothérapeute, d'orthophoniste, d'audiologiste et de nutritionniste sont intéressantes, mais peu valorisées. Pour y avoir accès, il faut arriver à s'inscrire dans des programmes très contingentés et suivre une formation poussée et exigeante pour, au bout du compte, bénéficier de conditions de travail et d'un salaire semblables à ceux d'un plombier ou d'un technicien de la santé. Si on considère les résultats scolaires qu'il faut obtenir pour accéder à la formation, on peut supposer qu'une candidate qui choisirait à la place le droit ou l'administration des affaires aurait des perspectives salariales équivalant au double. En ce sens, ces professions sont une très mauvaise affaire.

Les membres de ces professions ne sont pas en situation de pouvoir et ne sont pas assez nombreuses pour s'imposer et obtenir la reconnaissance qu'elles méritent. C'est le cas, malheureusement, de toutes les professions à majorité féminine où on se dévoue pour autrui. Comme le montrent les

▶

chapitres suivants, les professions liées à la relation d'aide et celles de l'enseignement ne sont guère plus valorisées.

Les principaux avantages de ces professions sont l'abondance de travail, la qualité des horaires et la facilité de la conciliation travail-famille, le sentiment d'utilité et le degré d'humanisme, de même que la stimulation intellectuelle. Elles permettent un réel dépassement de soi et offrent la chance de contribuer au mieux-être d'autrui, ce qui est un facteur important dans le bonheur au travail.

Si les conditions de travail s'amélioraient, ces professions pourraient figurer parmi les plus attrayantes, car leurs qualités intrinsèques sont réelles. Malheureusement, dans le contexte actuel, elles restent peu avantageuses et je recommande même de considérer d'autres options avant de se diriger vers ces domaines. Le prix à payer pour aider les autres me semble exagéré.

Parmi les quatre professions analysées ici, celle de nutritionniste me paraît la moins intéressante. Les conditions de travail équivalent aux autres, mais les tâches et les possibilités d'évolution sont plus restreintes. C'est pour cette raison que je lui attribue une note de trois étoiles.

Les professions de physiothérapeute, d'ergothérapeute et d'audiologiste me semblent objectivement équivalentes. La somme de leurs avantages et de leurs inconvénients se vaut et je leur accorde trois étoiles et demie.

La profession d'orthophoniste est la plus avantageuse des quatre. Les possibilités d'emploi sont meilleures, de même que les salaires. Il est facile de s'établir en pratique privée. L'intérêt intrinsèque de la tâche est plus grand et les possibilités d'apprentissage et de développement professionnel sont plus intéressantes. Le fait d'aider directement de jeunes enfants est également un facteur positif. La profession obtient une note de trois étoiles et demie, mais elle n'est vraiment pas loin de sa quatrième étoile. ∎

Les professionnels de la relation d'aide

Les quatre professions dont il est question ici, c'est-à-dire conseiller d'orientation, psychologue, travailleur social et psycho-éducateur, ont pour points communs la relation d'aide et les compétences en psychologie. Leurs ressemblances sont plus importantes que leurs différences et il faut savoir que les frontières qui existent entre elles n'ont rien d'étanche. Pour ne citer que cet exemple, en France, l'orientation est une spécialité de la psychologie. Les orienteurs français sont donc des psychologues spécialisés en orientation. Ces quatre professions peuvent conduire à la pratique de la psychothérapie.

La psychologie est la discipline qui est à l'origine des trois autres. Les psychologues s'intéressent à tous les aspects de la psyché, de la petite enfance à la vieillesse, de la maladie mentale jusqu'à la performance sportive. Les deux traits spécifiques de la profession sont l'évaluation et la psychothérapie. Des quatre professions, c'est la psychologie qui offre le spectre de pratiques et de compétences le plus large.

La tâche principale des conseillers d'orientation (eh oui, c'est mon métier!) est d'aider leurs clients à choisir une carrière. Pour y parvenir, ils doivent les aider à mieux se connaître. Les problèmes liés à l'orientation de carrière touchent toujours des dimensions très intimes de la personnalité, ce qui amène les conseillers d'orientation à développer avec leurs clients des relations proches de celles qu'ont les psychologues avec leur client.

Les travailleurs sociaux ont pour fonction d'aider certains types de clientèles à traverser différentes situations critiques de l'existence. Il peut s'agir d'aider des familles fragiles à éduquer leurs enfants, de soutenir des victimes de violence conjugale, d'encadrer des personnes âgées devant s'adapter à des changements, etc. Les travailleurs sociaux aident leurs clients à trouver en eux ou dans leur entourage les ressources qui leur permettront de surmonter les épreuves. Ils leur apportent un soutien à la fois psychologique et technique.

Comme le nom l'indique, les psychoéducateurs sont des éducateurs de la psyché. Leur rôle est d'aider leurs clients à développer des habiletés qui leur font défaut – autonomie, sobriété, persévérance, harmonie, etc. – et à mener une vie épanouie. Leurs interventions sont à la fois éducatives et thérapeutiques.

Coup d'œil

PROFESSION		PROFESSIONNELS / FINISSANTS	RATIO	SALAIRE ANNUEL MOYEN[13]
Conseiller d'orientation	★ ★ ★ ★ ★	2 200 / 110	1 / 22	55 000 $
Psychologue	★ ★ ★ ★ ★	8 000 / 200	1 / 40	55 000 $
Travailleur social	★ ★ ★ ★ ★	12 000 / 690	1 / 18	47 000 $
Psychoéducateur	★ ★ ★ ★ ★	2 400 / 130	1 / 19	50 000 $

FORMATION

Les psychologues doivent faire un baccalauréat en psychologie suivi d'un doctorat d'au moins quatre ans. Il est important de savoir qu'il existe un goulot d'étranglement entre le baccalauréat et le doctorat. Chaque année au Québec, on diplôme plus de 1 000 personnes au baccalauréat alors qu'on n'admet que 200 étudiants au doctorat. Cela veut dire que les 800 autres diplômés doivent se réorienter.

Pour devenir conseiller d'orientation, la formation exigée est un baccalauréat et une maîtrise spécialisés. L'admission à ces programmes n'est pas contingentée.

Pour accéder à la profession de psychoéducateur, il faut également réussir un baccalauréat et une maîtrise. Toutefois, comme en psychologie, il y a deux fois plus de diplômés au baccalauréat qu'il y a de places en maîtrise.

Un baccalauréat de trois ans permet d'obtenir le titre de travailleur social, ce qui fait de cette formation une aubaine, car elle mène à un marché comparable à celui des trois autres professions. Il y a fort à parier qu'on exigera sous peu une maîtrise.

DEGRÉ D'HOMOGÉNÉITÉ

Il est variable selon les milieux de travail et les approches adoptées.

---

13. Les salaires indiqués ici ne concernent que de 50 à 60 % de travailleurs, ceux qui occupent un poste permanent à plein temps. Les autres gagnent des salaires moins élevés.

HOMMES-FEMMES

On compte environ un quart d'hommes et trois quarts de femmes dans ces professions. La proportion de femmes devrait augmenter au cours des prochaines années parce qu'elles sont majoritaires à 90 % dans les programmes de formation, à l'exception de la psychologie, où on dénombre encore 20 % d'hommes.

TAUX DE CHÔMAGE

Le chômage est très bas dans ces quatre professions. Avec l'ajout de l'exigence du doctorat en psychologie et de la maîtrise en psychoéducation, on a fortement diminué le nombre de nouveaux arrivants sur le marché, ce qui a créé une sérieuse pénurie de main-d'œuvre, particulièrement criante dans le cas des psychologues. On peut espérer que cette situation permettra à ces professionnels d'améliorer leurs conditions de travail et leurs salaires.

GÉOGRAPHIE

Ce sont des professions très bien réparties sur le territoire, mais certaines régions éloignées connaissent de graves pénuries de candidats.

EMPLOYEURS

Le réseau de la santé et le système d'éducation emploient pratiquement tous les membres de ces professions, qui travaillent donc presque tous dans le secteur public. Les psychologues font bande à part : 40 % d'entre eux sont en pratique privée.

SYNDICALISATION

Ceux qui travaillent dans le secteur public sont syndiqués.

QUALITÉ DES EMPLOIS

Les commentaires que je fais dans le chapitre précédent sur les physiothérapeutes et les autres professionnels de la santé s'appliquent ici. Le sous-emploi et les contrats à durée déterminée sont très fréquents dans les professions d'aide, surtout en début de carrière. Ce sont les premiers emplois à être touchés en cas de compressions budgétaires. On soupçonne également que la proportion de femmes dans ces professions influence à la baisse les conditions de travail et les salaires[14].

---

14. Il est difficile de comprendre exactement pourquoi, mais on constate que plus la proportion de femmes dans une profession est élevée, moins les salaires le sont.

INSERTION PROFESSIONNELLE

L'insertion professionnelle est longue dans ces professions pour deux raisons. Tout d'abord, il faut parfois jusqu'à 10 ans avant d'obtenir un emploi stable et permanent. Le temps partiel, les contrats et l'instabilité sont le lot de bien des jeunes professionnels.

Ensuite, il faut aussi de nombreuses années avant d'être réellement à l'aise dans sa pratique professionnelle. Les emplois de relation d'aide sont difficiles sur le plan psychologique, et il faut acquérir de l'expérience et continuer à se former pendant des années pour atteindre la maturité professionnelle. Beaucoup n'y arrivent jamais, parce qu'il existe un écart important entre les pratiques de formation continue et ce qu'il serait nécessaire d'investir pour que les professionnels puissent se perfectionner adéquatement[15]. L'insertion est alors un échec et le jeune professionnel se dirige vers une autre profession.

Avenir de la profession

PÉRENNITÉ

Les facteurs de compression technologique et de transfert à l'étranger sont inexistants. Par ailleurs, ces quatre professions sont encore relativement jeunes et en croissance. Elles deviendront plus importantes à l'avenir. Les connaissances progressent sans cesse dans ces domaines et on découvre de nouvelles manières d'intervenir. De plus, les effets positifs des interventions sont de mieux en mieux connus et documentés, ce qui provoquera une augmentation de la demande de services en relation d'aide. La culture autour de la misère psychique est en train de se modifier dans notre société. Les personnes en difficulté consultent plus volontiers que dans le passé et attendent moins longtemps avant de demander de l'aide.

---

15. Pour ne donner qu'un exemple : la supervision professionnelle est absolument indispensable pour les professionnels de la relation d'aide. Or, l'immense majorité des employeurs refuse de rembourser ces frais, qui peuvent s'élever à plus de 4 000 $ par année. Étant donné la nature très particulière du travail en relation d'aide, c'est entre 10 et 20 % de la masse salariale qui devrait être investie en formation continue et en supervision pour que les professionnels puissent développer leurs pleines capacités. En réalité, les employeurs atteignent rarement le dixième de cette somme. Bien des professionnels de la relation d'aide paient de leur poche plus de 5 000 $ par année pour leur formation continue.

L'emploi est abondant pour les professionnels de la relation d'aide. Toutefois, les conditions de travail ne sont pas toujours bonnes et les salaires sont peu avantageux pour des emplois qui nécessitent de si longues études. Ceux qui réussissent à décrocher un emploi à plein temps dans le système scolaire ou le réseau de la santé bénéficient d'assez bonnes conditions de travail. Ceux qui aboutissent dans les organismes communautaires vivent des situations plus difficiles.

Le marché qui s'offre aux psychologues est plus varié, alors que, pour les autres professionnels, les possibilités sont restreintes à deux ou trois types d'employeurs. Certains psychologues et conseillers d'orientation améliorent leur situation en combinant la pratique privée à un travail à plein temps.

Dans les conditions d'emploi des professionnels de la relation d'aide, il faut aussi tenir compte de certaines dépenses nécessaires au travail. Pour être bien à l'aise dans ces emplois, on doit souvent avoir soi-même recours aux services d'un psychothérapeute. On doit également consulter un superviseur, sorte de mentor qui aide à développer sa pratique professionnelle. Enfin, il faut continuer à se former. Ces démarches peuvent représenter des dépenses de quelques milliers de dollars par année qui sont majoritairement assumées par les travailleurs eux-mêmes.

Les perspectives d'avenir sont excellentes pour les psychologues. Elles sont bonnes pour les psychoéducateurs, les travailleurs sociaux et les conseillers d'orientation.

Influence sur le bonheur, la santé et la vie quotidienne

L'autonomie est importante, tout en étant encadrée par les exigences et les restrictions des employeurs. Certains milieux sont très structurés, alors que d'autres le sont très peu.

HORAIRES

Les travailleurs sociaux, les psychologues et les psycho-éducateurs travaillent parfois le soir ou la nuit, mais rarement. Ce sont des professions où l'on travaille plutôt le jour, en semaine, et en fonction d'horaires de 35 à 40 heures par semaine.

INDICE FAMILLE

Le plus gros problème vient du fait que l'insertion profession-nelle est longue, ce qui incite beaucoup de professionnels à remettre à plus tard leur projet de famille. Dans le cas des psycho-logues, il est difficile d'envisager de fonder une famille avant la trentaine.

DURÉE DES CARRIÈRES

On estime qu'au moins le quart des diplômés dans les domaines de la relation d'aide ne pratiqueront plus leur profession après 10 ans. Dans le cas des conseillers d'orientation, cette proportion est plus élevée.

Les difficultés d'insertion professionnelle et, surtout, les problèmes liés au travail même font que de nombreux profes-sionnels migrent vers d'autres types d'emploi ou se cantonnent à des tâches administratives. Beaucoup de jeunes profession-nels se sentent mal préparés devant l'ampleur de la tâche qui les attend.

En contrepartie, ce sont des professions qu'on peut pratiquer très longtemps. Elles sont peu exigeantes sur le plan physique et l'expérience rend le travail plus facile. Des psychologues réputés de plus de 70 ans reçoivent encore des patients.

DÉPLACEMENTS

Ceux qui travaillent dans les centres locaux de services communautaires (CLSC) peuvent être appelés à se déplacer au domicile des bénéficiaires.

Dans le milieu de l'enseigne-ment, il arrive fréquemment que des professionnels offrent des services à plusieurs écoles d'une commission scolaire. Les nombreux déplacements peuvent alors devenir une importante source d'inconfort.

SENTIMENT D'UTILITÉ

Ce sont des domaines où l'on peut rendre de grands services et avoir une influence déterminante sur la vie des gens. Par contre, les résultats du travail sont souvent intangibles et diffi-ciles à évaluer. Dans ce contexte, il est fréquent que des aidants aient le sentiment de travailler pour rien.

Chez les psychoéducateurs et les travailleurs sociaux, les contraintes organisationnelles et légales peuvent également miner le sentiment d'accomplissement.

Ces professionnels doivent surmonter beaucoup de déceptions et parfois renoncer à certains objectifs.

DEGRÉ D'HUMANISME

Ce sont bien sûr des professions à caractère profondément humain. C'est la raison pour laquelle on les choisit.

PLAISIR INTRINSÈQUE

Bien que les problèmes soient nombreux et les clients souvent difficiles, la relation d'aide peut quand même se révéler une source intarissable de plaisir et de joie. Pour que le plaisir puisse émerger, toutefois, il faut réunir les conditions nécessaires de formation et d'encadrement, ce qui est ardu. Ce n'est qu'après plusieurs années que ces emplois deviennent aussi plaisants qu'ils peuvent l'être.

STIMULATION INTELLECTUELLE

On peut – et on doit – se former tout au long de sa carrière tellement la relation d'aide présente des défis complexes. Il n'y a pas de limite aux connaissances qu'on peut acquérir. Ces professions peuvent donc être très stimulantes intellectuellement.

En même temps, il faut aussi admettre que beaucoup d'emplois dans ces domaines finissent par devenir techniques ou routiniers. Dans les cas où le travail est plus standardisé, la stimulation intellectuelle est moins importante.

CRÉATIVITÉ

Les professions de relation d'aide mobilisent beaucoup la créativité. Chaque situation est différente et demande qu'on s'y adapte. Le travail ne peut jamais être uniformisé.

INDICE BUREAUCRATIE

La bureaucratie n'est pas envahissante pour les psychologues. Les travailleurs sociaux, les conseillers d'orientation et les psychoéducateurs composent avec un peu plus de bureaucratie.

SOLITAIRE / EN ÉQUIPE

La profession vise à aider des personnes, et le travail d'équipe est fréquent. Toutefois, ces professions sont également solitaires parce que l'essentiel du travail se fait en rencontres individuelles avec un client. En cas de pépin ou d'incertitude, le professionnel est seul pour affronter la situation.

TRAVAILLER À SON COMPTE

Les travailleurs sociaux, les psychoéducateurs et les conseillers d'orientation travaillent rarement en pratique privée. Moins de 5 % d'entre eux gagnent leur vie de cette façon. À l'opposé, environ 40 % des psychologues sont travailleurs autonomes.

RÉUSSITE OU ÉCHEC

Le travail se situe à la frontière de la réussite et de l'échec, l'un et l'autre n'étant jamais clairement définis. Ces professionnels se heurtent constamment à leurs propres limites et à leur impuissance. Certaines des personnes qui choisissent ces professions nourrissent le fantasme de sauver le monde. Or, le fossé est grand entre le fantasme et la réalité.

RECONNAISSANCE SOCIALE

Les psychologues jouissent d'une aura de magie et de prestige. La profession a déjà une tradition de plus d'un siècle et des personnages célèbres ont contribué à asseoir sa réputation. La profession est également très présente dans la fiction et les médias.

À l'opposé, les conseillers d'orientation manquent passablement de crédibilité au Québec. C'est une profession qui n'a pas atteint sa pleine maturité. La profession essaie tant bien que mal de rétablir sa réputation depuis des décennies, mais il reste bien du chemin à faire.

Les professions de travailleur social et de psychoéducateur occupent un peu moins de place dans l'imaginaire collectif. Généralement, les gens en ont une assez bonne perception, bien qu'ils ne sachent pas trop ce que font vraiment ces professionnels.

DEGRÉ DE POUVOIR

À l'échelle individuelle, les professionnels de la relation d'aide ont beaucoup de pouvoir. La qualité de leur travail peut avoir une incidence directe sur la qualité de vie de leurs clients.

Dans les organisations, par contre, ces professionnels ont généralement peu de pouvoir. Que ce soit dans les hôpitaux ou les écoles, ils sont toujours minoritaires par rapport à d'autres professionnels et souvent marginalisés. Cette situation est un peu différente dans les CLSC et les centres jeunesse où leur poids relatif est plus important.

MOBILITÉ ET AVANCEMENT

Ce sont des professions où il existe une certaine hiérarchie et où on peut modifier ses pratiques si on le désire. On peut changer d'emploi, de clientèle, d'approche ou de milieu d'intervention. Il y a aussi des postes de cadre ou de superviseur pour ceux qui sont attirés par des fonctions de direction. Dans l'ensemble, les possibilités de mobilité et d'avancement sont acceptables.

NIVEAU DE STRESS

Le paradoxe des professions de la relation d'aide est que, vues de l'extérieur, elles donnent l'impression d'être plutôt faciles à accomplir. Il ne s'agit, après tout, que de parler avec des gens.

Nul besoin de compétences particulières…

Il ne faut pas se fier aux apparences! Le propre de ces professions est qu'on fait appel à leurs membres précisément lorsqu'on ne sait plus quoi faire, qu'on souffre et qu'on est dans une impasse. Dans ces circonstances, la pression est grande pour le professionnel, qui doit composer avec des demandes et des attentes parfois irréalistes et difficiles à gérer.

Ces professions ont aussi la particularité de n'avoir recours qu'à peu d'artifices. Alors que dans beaucoup de métiers on utilise des outils ou des appareils pour accomplir son travail, les professionnels de la relation d'aide n'ont à leur disposition que leur parole et leur personnalité. Cette caractéristique fait que le niveau d'identification au travail est très élevé. En cas d'échec ou de problème, on n'a que soi à blâmer.

Un autre aspect problématique concerne le volume de demandes de service par rapport aux ressources disponibles. Il n'est pas rare qu'une personne doive attendre plusieurs mois avant de pouvoir consulter un de ces professionnels pour ne finalement bénéficier que de quelques rencontres à cause du manque de disponibilité. Dans ces circonstances, les professionnels vivent toujours avec l'impression de ne pas pouvoir en faire suffisamment.

EN VRAC

L'épuisement professionnel est endémique dans ces professions. La plus grande difficulté pour ceux qui choisissent une profession de relation d'aide est de se donner les moyens d'avoir encore le goût de pratiquer après 10 ou 15 ans. Les professionnels sont trop peu sensibles aux dangers qui les guettent et ils sont trop nombreux à s'imaginer qu'ils pourront échapper aux risques d'épuisement. Lorsque la réalité les rattrape, il est malheureusement trop tard. Choisir une profession de relation d'aide, c'est s'engager dans une démarche où l'implication personnelle est très importante et où il faut apprendre à bien se protéger. Ceux qui négligent cet aspect finissent ou bien par se diriger vers d'autres types de tâches, ou bien par accumuler les congés de maladie.

Sur les plans du développement humain, de la qualité de relation et de l'intimité, ces professions sont parmi les plus belles. On a la chance d'aller au cœur de la vie des gens. Les patients et clients confient aux professionnels des secrets que, parfois, ils n'avaient jamais révélés à personne d'autre. Ce type de travail est intense sur le plan des échanges émotionnels. Les relations que les professionnels de la relation d'aide développent avec leurs clients sont uniques, elles ne ressemblent à aucune autre. Aider une personne à mieux se comprendre et à résoudre des problèmes jusqu'ici insurmontables est une expérience fascinante. C'est du travail, mais c'est également très personnel.

Professions semblables

Psychothérapeute

La psychothérapie est, littéralement, une thérapie de la psyché. Un psychothérapeute apporte donc des soins à la psyché des personnes qui en ressentent le besoin. Les psychologues (et les médecins) peuvent revendiquer le titre de psychothérapeute dès qu'ils ont terminé leurs études. Pour les conseillers d'orientation, les psychoéducateurs et les travailleurs sociaux, il faut ajouter quelques années de formation continue dans un institut reconnu pour accéder à ce titre. Les infirmières et les sexologues peuvent également devenir psychothérapeutes. Il n'est pas inutile pour les médecins et les psychologues non plus de s'astreindre à cette formation. La psychothérapie consiste à aider des gens à résoudre différents problèmes personnels qui les empêchent de s'épanouir et d'être bien dans leurs relations avec les autres. Il existe différentes approches. Les principales sont l'approche analytique, l'approche humaniste-existentielle, l'approche systémique et l'approche cognitivo-comportementale.

Sexologue

Il n'y a pas d'ordre professionnel des sexologues au Québec. Par contre, l'Université du Québec à Montréal (UQAM) offre un baccalauréat et une maîtrise en sexologie. Les perspectives d'emploi sont moins bonnes, parce que les employeurs préfèrent embaucher des professionnels appartenant à un ordre. De plus, les sexologues n'ont pas un avantage concurrentiel décisif par rapport aux psychologues et aux psychothérapeutes, qui peuvent également traiter les problèmes liés à la sexualité.

Je suggère à ceux qui sont intéressés par la sexologie d'acquérir un titre professionnel avant de se spécialiser. On peut, par exemple, suivre une formation initiale dans une des professions membres d'un ordre professionnel, puis s'inscrire à l'un des programmes de l'UQAM. Il faut préciser qu'il est aussi possible de se spécialiser en sexologie dans le cadre de la formation en travail social ou en psychologie. En procédant ainsi, on joue de prudence au chapitre de l'emploi tout en acquérant la spécialisation souhaitée.

Toutes les professions de relation d'aide bénéficient d'un marché qui leur est favorable. Leurs membres n'ont pas de difficulté à trouver du travail. Par contre, les salaires sont décevants pour des emplois aussi qualifiés et aussi exigeants. Si les salaires se redressaient, je serais tenté d'accorder une demi-étoile de plus à chacune de ces professions.

Ces professions peuvent être très valorisantes et très agréables, à condition de faire le nécessaire pour développer et maintenir ses qualifications et son équilibre mental. Pour ceux qui négligent cet aspect, elles peuvent devenir un enfer.

La profession de travailleur social représente actuellement une aubaine parce que la formation pour y avoir accès ne dure que trois ans alors qu'elle jouit d'un statut et d'un marché comparable aux autres professions de relation d'aide. De plus, le nombre de travailleurs sociaux est important, ce qui leur permet d'atteindre une masse critique de main-d'œuvre dans le réseau de la santé qui leur confère un certain pouvoir. Les possibilités de mobilité et d'avancement sont donc meilleures. Mon évaluation finale est de trois étoiles et demie.

En instituant l'obligation d'obtenir un doctorat pour devenir psychologue, on a créé une grave pénurie de main-d'œuvre. Les psychologues bénéficient par conséquent d'un marché qui leur est très favorable. De plus, les débouchés qui leur sont offerts sont variés. Ils peuvent opter pour la clinique privée, la neuropsychologie, la psychologie scolaire ou organisationnelle et une foule d'autres spécialités. Ils ont aussi accès à de nombreux postes d'enseignement au collégial, ce qui représente une autre voie de carrière intéressante. La profession jouit d'une réputation établie, ce qui peut être un avantage dans le déroulement d'une carrière. En dernier lieu, il faut malgré tout se demander si tous ces points positifs compensent pour la longueur des études exigées. Par exemple, les psychologues gagnent en moyenne moins que les policiers qui ont une formation collégiale. Malgré tout, comme

▶

cette profession offre d'excellentes possibilités, je lui attribue trois étoiles et demie.

Les professions de conseiller d'orientation et de psycho-éducateur sont moins importantes en nombre et elles sont un peu moins bien établies sur le marché. Le contingentement entre le baccalauréat et la maîtrise en psychoéducation tout comme l'absence de contingentement en orientation devraient toutefois faire réfléchir les candidats. Dans le premier cas, on court le risque de ne pas pouvoir terminer sa formation dans le domaine. Dans le second, on doit se questionner sur la valeur de la formation offerte. Avoir un diplôme c'est bien, mais si les compétences ne sont pas acquises, on est en mauvaise position quand on arrive sur le marché du travail. Les orienteurs et les psychoéducateurs sont concentrés dans le milieu scolaire où ils sont marginaux à cause de leur faible nombre. Malgré tout, il s'agit de deux professions honorables et je leur attribue trois étoiles. ∎

Enseignant au préscolaire et au primaire / Enseignant au secondaire

On sait ce que font les enseignants, mais précisons que ceux du primaire enseignent presque toutes les matières à un seul groupe d'élèves dont ils ont la responsabilité toute l'année, alors que ceux du secondaire sont spécialisés dans une matière, qu'ils enseignent à plusieurs groupes d'élèves. De plus en plus d'emplois sont créés dans la formation secondaire aux adultes.

Coup d'œil

PROFESSION	PROFESSIONNELS / FINISSANTS	RATIO	SALAIRE ANNUEL MOYEN
Enseignant au préscolaire et au primaire ★ ★ ★ ★ ★	51 000 / 1 700	1 / 30	48 000 $
Enseignant au secondaire ★ ★ ★ ★	43 000 / 1 100	1 / 40	50 000 $

La différence de salaire entre les enseignants du primaire et ceux du secondaire est un hasard statistique sans doute attribuable à l'ancienneté moyenne dans les deux professions. Tous reçoivent exactement le même salaire, établi en fonction de leur scolarité et de leurs années d'expérience.

Si l'on considère les ratios professionnels-diplômés, cela donne un marché qui est pratiquement équilibré au primaire alors qu'il y a pénurie au secondaire. C'est d'ailleurs ce que l'on constate : il manque d'enseignants au secondaire et les écoles doivent embaucher de plus en plus de candidats qui n'ont pas leur brevet d'enseignement.

FORMATION

Dans les deux cas, un baccalauréat de quatre ans est nécessaire pour obtenir le brevet d'enseignement au Québec.

Étant donné la pénurie de main-d'œuvre au secondaire, le ministère de l'Éducation accorde depuis quelques années des centaines de dérogations pour que des bacheliers spécialisés dans certaines matières (anglais, français, mathématiques, etc.) puissent enseigner temporairement. Jusqu'à tout récemment, ceux qui voulaient obtenir leur brevet d'enseignement devaient reprendre le baccalauréat en enseignement presque au complet pour y parvenir. Pour certains, la meilleure solution était d'aller suivre la formation d'un an en Ontario pour obtenir le brevet dans cette province et le faire transférer ensuite ici.

Depuis 2009, l'Université de Sherbrooke offre un programme de maîtrise en enseignement qui permet d'obtenir le brevet dans un délai plus raisonnable. Ce nouveau programme crée une brèche dans le système aberrant actuel qui ne permet pas à des gens pourtant compétents d'obtenir le brevet. Espérons que d'autres universités offriront bientôt des solutions semblables.

DEGRÉ D'HOMOGÉNÉITÉ

Ces professions sont très homogènes.

Analyse du marché de l'emploi

HOMMES-FEMMES

Au primaire, on dénombre 88 % de femmes, 12 % d'hommes. Comme les programmes de formation en enseignement au primaire comptent plus de 90 % d'étudiantes, la proportion de femmes dans la profession devrait augmenter. Au secondaire, la proportion est de 60 % de femmes pour 40 % d'hommes.

TAUX DE CHÔMAGE

En début de carrière, il arrive fréquemment que les enseignants alternent entre des contrats et des périodes de chômage.

GÉOGRAPHIE

Les emplois sont assez bien répartis sur le territoire. Par contre, certaines régions manquent d'enseignants alors que d'autres en ont trop. Il est très important de vérifier l'état de la demande dans la région où on souhaite s'installer. Les meilleures régions présentement en ce qui a trait à l'emploi sont l'Outaouais, les couronnes de Montréal et certaines régions éloignées.

EMPLOYEURS

En fait, les employeurs sont les commissions scolaires et les écoles privées. De 5 à 10 % des enseignants du primaire et de 10 à 20 % des enseignants du secondaire travaillent au privé. La tendance est à la hausse dans les deux cas.

SYNDICALISATION

Les enseignants sont pratiquement tous syndiqués. Au privé, certains ne le sont pas, mais leurs conditions de travail sont conformes aux conventions collectives de l'école publique.

QUALITÉ DES EMPLOIS

La proportion d'emplois atypiques est importante. Les salaires sont fixés par les conventions, mais les commissions scolaires multiplient les emplois à durée déterminée et à temps partiel pour économiser.

INSERTION PROFESSIONNELLE

Les enseignants du primaire et ceux du secondaire qui enseignent dans les matières qui ne sont pas en pénurie, comme le français et l'éducation physique, peuvent parfois attendre une dizaine d'années avant d'avoir enfin accès à un poste permanent à plein temps. Il va sans dire que plusieurs finissent par se décourager.

Il faut aussi compter de nombreuses années avant de se sentir vraiment à l'aise dans son travail. Enseigner est un travail difficile et complexe dont on ne maîtrise toutes les facettes qu'après plusieurs années d'expérience. L'insertion est d'ailleurs d'autant plus difficile qu'on doit travailler dans les pires conditions en début de carrière. On est appelé en remplacement et on doit enseigner aux groupes les plus difficiles. Rien pour aider les débutants!

L'enseignement est certainement une des professions universitaires pour laquelle l'insertion professionnelle est la plus difficile.

Avenir de la profession

PÉRENNITÉ

La compression d'emplois due à la technologie et le transfert à l'étranger ne représentent pas des dangers. Ce sont plutôt les enjeux démographiques qui seront déterminants dans l'avenir de la profession. Comme la natalité n'est pas très élevée depuis quelques décennies, le volume de main-d'œuvre devrait s'ajuster à la baisse. Avec un peu de chance, la baisse démographique sera compensée par une diminution de la quantité d'élèves par classe, ce qui ne serait pas une mauvaise idée. Cette baisse sera par ailleurs amortie par le léger redressement qu'enregistre le taux de natalité depuis cinq ans et compensée par l'immigration. La principale conséquence est que, dans la région métropolitaine, une partie de plus en plus importante des élèves sont d'origine étrangère.

PERSPECTIVES D'EMPLOI

La situation est très bonne au secondaire, et plutôt bonne au primaire. Pour les enseignants du primaire, il faut soit s'établir dans une région où la demande est forte ou avoir la patience d'attendre un poste dans les régions où la demande est faible.

Les conditions de travail sont généralement bonnes si on fait abstraction des salaires peu élevés. Le salaire des enseignants est bien en deçà de celui d'autres professionnels qui ont une scolarité équivalente.

Les perspectives d'avenir sont bonnes pour les enseignants au secondaire et passables pour les enseignants au primaire.

Influence sur le bonheur, la santé et la vie quotidienne

DEGRÉ D'AUTONOMIE

Le degré d'autonomie des enseignants a diminué depuis une trentaine d'années. Les réformes se succèdent à un rythme impressionnant, les écoles se lancent dans des projets pédagogiques toujours plus sophistiqués et les réglementations sont de plus en plus complexes. Devant tout cela, les enseignants se sentent de plus en plus coincés.

HORAIRES

On enseigne évidemment de jour et en semaine. Il faut toutefois aussi compter quelques soirées ou du temps pendant les week-ends pour faire de la correction ou de la planification.

Les enseignants ont le privilège d'avoir un peu plus d'un mois de congé l'été. Par contre, leur salaire est ajusté en conséquence.

INDICE FAMILLE

Les conventions collectives sont assez favorables à la conciliation travail-famille, à condition d'avoir un emploi permanent. L'obtention de la permanence semble d'ailleurs un important facteur de fécondité chez les enseignantes...

DURÉE DES CARRIÈRES

Il a été beaucoup question dans les médias du fait qu'environ 20 % des jeunes enseignants quittent la profession au cours des cinq années qui suivent l'obtention de leur diplôme. Ce taux d'abandon est attribuable, d'une part, aux difficultés d'insertion professionnelle et, d'autre part, à l'ampleur de la tâche.

On assiste d'ailleurs à un nouveau phénomène depuis quelques années. De plus en plus d'étudiants des programmes en enseignement poursuivent leurs études tout en affirmant qu'ils ne prévoient pas faire carrière en enseignement. Ils tiennent à obtenir le diplôme, mais le travail auquel il donne accès ne les intéresse pas. Une fois qu'ils ont leur diplôme, ils doivent repartir à zéro dans un autre domaine.

SENTIMENT D'UTILITÉ

Le sentiment d'utilité est plus facile à concevoir pour les enseignants au primaire. Ils ont un contact plus étroit avec leurs élèves qu'ils suivent de plus près. De plus, ils jouent un rôle très important dans le début de la scolarité des enfants.

Les enseignants au secondaire voient moins les résultats de leur travail. Ils enseignent à tellement d'élèves qu'il leur est difficile de suivre les progrès de chacun.

Les enseignants vivent une perte du sentiment d'utilité pour deux raisons. La première est liée aux réformes, qui donnent l'impression que leur travail est vidé de son sens. À force de se concentrer sur les méthodes pédagogiques, les enseignants en viennent à se demander quelle importance on doit accorder à la matière.

La deuxième raison a trait aux difficultés en classe. Dans certains milieux sensibles, les élèves sont peu disposés à apprendre. Bien des enseignants affirment investir tellement de temps dans la gestion des comportements et des problèmes des élèves qu'ils ne trouvent plus le temps de transmettre la matière. Ils ont l'impression de jouer les policiers ou les travailleurs sociaux, mais pas d'enseigner.

DEGRÉ D'HUMANISME

Le caractère humain dans le travail enseignant est très important. Des liens très étroits et très riches se tissent entre les élèves et les professeurs.

PLAISIR INTRINSÈQUE

Enseigner et aider des jeunes à grandir sont des tâches qui sont difficiles, mais qui peuvent être très stimulantes et très plaisantes.

STIMULATION INTELLECTUELLE

En ce qui a trait à la matière qui doit être enseignée, le travail des enseignants n'est pas complexe. On finit par en avoir une connaissance assez complète en quelques années. C'est sur le plan de la pédagogie et des relations humaines qu'il y a le plus de possibilités d'apprentissage et de perfectionnement.

Le plus difficile en enseignement est de trouver un équilibre qui permet de maintenir le travail vivant et intéressant, tout en préservant son niveau d'énergie.

CRÉATIVITÉ

La créativité est moyennement importante.

INDICE BUREAUCRATIE

La bureaucratie peut s'avérer assez envahissante, surtout si on inclut les obligations de planification et la correction. Avec les réformes, il faut régulièrement revoir ses façons de faire, ce qui entraîne chaque fois beaucoup de travail de préparation.

Les élèves en difficulté ou qui vivent une situation particulière nécessitent très souvent des suivis bureaucratisés.

SOLITAIRE / EN ÉQUIPE

Les premières années de la carrière, surtout si l'on n'a pas d'emploi stable, peuvent s'avérer très solitaires. On peut difficilement être plus seul que devant une classe. Peu à peu, au cours de la carrière, les relations avec les élèves et les liens avec les collègues se bonifient et l'impression de solitude s'atténue.

RÉUSSITE OU ÉCHEC

Les enseignants doivent avoir la patience et l'humilité d'accepter que leur travail porte ses fruits des années plus tard. Ils voudraient que tous leurs élèves réussissent. La réalité est que bien des élèves ont des difficultés et que les reculs sont presque aussi fréquents que les progrès. Enseigner est une lutte.

RECONNAISSANCE SOCIALE

Elle se situe bien en deçà du mérite de la profession. La société est très prompte à souligner les faiblesses des enseignants et bien lente à reconnaître le courage et l'abnégation dont ils font preuve, ainsi que la noblesse de leur travail.

DEGRÉ DE POUVOIR

Il est modeste. Les enseignants n'ont pas beaucoup de contrôle sur leur situation. On leur impose des classes trop nombreuses ou des élèves qui ont des besoins particuliers sans qu'ils aient leur mot à dire. On ne leur demande pas leur avis non plus sur les innombrables réformes pédagogiques qui émanent des ministères.

La marge de manœuvre des enseignants est aussi réduite

dans leur classe. Ils évoluent dans un cadre de plus en plus légaliste, devant des élèves de plus en plus revendicateurs. Dans un tel contexte, ils ne peuvent que se sentir à l'étroit.

MOBILITÉ ET AVANCEMENT

La mobilité professionnelle est pratiquement inexistante. Tous les emplois en enseignement se ressemblent et le nombre d'employeurs est très limité.

L'avancement est rare, la seule possibilité étant de se diriger vers l'administration scolaire. Seule une minorité d'enseignants choisissent cette voie. Pour les autres, la carrière débute dans une classe et se termine dans une classe.

NIVEAU DE STRESS

Trop d'élèves, trop de parents, trop de réformes, trop de travail, trop de problèmes... trop de stress! La pression est très grande parce qu'on accorde énormément d'importance à la réussite scolaire dans la société et les enseignants sont pratiquement investis d'une mission. La société est très exigeante envers eux.

En outre, les obstacles sont innombrables : troubles de comportement, intégration des élèves ayant des besoins particuliers, réalités de l'immigration, enfants-rois, indiscipline, taille des classes, manque de ressources spécialisées, drogue, etc.

Les enseignants font ce qu'ils peuvent, mais ce qui leur est demandé est impossible en fonction des ressources dont ils disposent.

DANGER ET POLLUTION

Les enseignants sont très vulnérables à l'épuisement professionnel. Une minorité importante d'entre eux connaîtront un épisode d'épuisement au cours de leur carrière et nombreux sont ceux qui ne s'en remettront jamais complètement.

EN VRAC

On a assisté, au cours des dernières années, à une hausse de la judiciarisation qui ne facilite pas le travail des enseignants, surtout les hommes. Il suffit d'un geste de travers ou même du désir de nuire de la part d'un élève pour que des accusations de voie de fait ou de harcèlement sexuel soient portées. Ce type de menace peut faire basculer la vie d'un enseignant. Les cas sont relativement rares, mais les enseignants sont parfaitement au courant de ce danger qui s'ajoute aux difficultés déjà nombreuses qu'ils éprouvent.

Enseignant en adaptation scolaire et orthopédagogue

Il s'agit en fait de la même profession. Tous ceux qui l'exercent ont une formation en enseignement en adaptation scolaire. Ceux qui travaillent par la suite avec des groupes spécialisés sont enseignants en adaptation scolaire, alors que ceux qui travaillent individuellement avec des élèves sont désignés comme orthopédagogues. Les pratiques sont différentes d'une commission scolaire à l'autre et d'une école à l'autre. Dans certains lieux d'enseignement, on privilégie le travail en groupe et, dans d'autres, le travail individuel.

Chaque année, au Québec, on forme environ 400 spécialistes en adaptation scolaire. Ils n'ont pas de difficulté à trouver un emploi et leurs conditions de travail sont exactement les mêmes que celles des enseignants au primaire et au secondaire.

Comme ils travaillent auprès de jeunes en difficulté qui demandent énormément d'énergie, leur travail est très exigeant et même éprouvant. Ceux qui choisissent d'aller dans ce domaine doivent le faire par goût, et non parce qu'ils craignent d'enseigner aux classes régulières. Les difficultés qu'ils affronteront en adaptation scolaire sont certainement aussi graves, sinon plus, que celles que leurs collègues éprouvent en classe.

Évaluation globale

Les conditions de travail en enseignement se détériorent depuis une trentaine d'années. Ce n'est pas un hasard si les programmes de formation en enseignement au secondaire n'affichent pas complet bien qu'il ne manque pas d'emploi et que 20 % des nouveaux enseignants quittent rapidement la profession. Et ce n'est pas non plus un hasard si presque tous les pays développés connaissent une pénurie d'enseignants qualifiés, surtout au secondaire. Les salaires et les conditions de travail sont difficiles, la tâche est épuisante et la profession est mal reconnue. Choisir de devenir enseignant aujourd'hui est un acte presque téméraire, particulièrement au niveau secondaire. C'est pourquoi j'accorde à cette profession deux étoiles et demie.

Le travail d'enseignant est sans doute moins pénible et moins ingrat au niveau primaire. C'est pour cette raison que je lui décerne une demi-étoile de plus, pour un total de trois étoiles. ∎

Professeur au collégial

Les professeurs au collégial enseignent une ou des matières à différents groupes d'élèves, soit en formation générale, soit en formation professionnelle, dite technique.

Coup d'œil

PROFESSION	PROFESSIONNELS / FINISSANTS	RATIO	SALAIRE ANNUEL MOYEN
Professeur au collégial ★ ★ ★ ★ ★	16 000 / s.o.	s.o.	55 000 $

Il est impossible de déterminer le nombre de diplômés dans le domaine, car ils proviennent d'autant de programmes qu'il y a de matières au collégial.

FORMATION

La formation minimale exigée pour enseigner au collégial est le baccalauréat spécialisé. Dans les disciplines où les candidats sont peu nombreux, particulièrement en sciences, ce diplôme est généralement suffisant pour trouver du travail.

À la formation professionnelle, on accepte dans certaines disciplines des candidatures de personnes n'ayant qu'une formation collégiale.

Dans les matières où la main-d'œuvre est plus abondante, les collèges se montrent plus sélectifs. Ils préfèrent alors les candidats qui possèdent une maîtrise dans leur domaine.

Depuis quelques années, certaines universités offrent une maîtrise spécialisée en enseignement au collégial. Au départ, cette maîtrise s'adressait aux professeurs déjà en poste souhaitant se perfectionner. Au fil des ans, des candidats s'y sont inscrits pour se démarquer et augmenter leurs chances de trouver du travail. Depuis quelques années, de plus en plus d'étudiants choisissent de faire cette maîtrise en enseignement. Elle reste pertinente, mais ne permet plus de se distinguer.

La maîtrise en enseignement est surtout pertinente pour les futurs candidats à l'enseignement qui n'ont pas de connaissances en pédagogie et qui veulent acquérir des compétences dans ce domaine. Pour les autres, une maîtrise dans son champ de spécialité peut s'avérer plus profitable. Dans tous les cas, il est utile de s'informer des préférences d'embauche auprès des cégeps où l'on souhaiterait travailler.

DEGRÉ D'HOMOGÉNÉITÉ

Ces professions sont très homogènes. Les matières changent, mais le travail demeure le même.

Analyse du marché de l'emploi

HOMMES-FEMMES

On dénombre à peu près le même nombre d'hommes et de femmes parmi les enseignants du collégial.

TAUX DE CHÔMAGE

Le chômage est très présent, surtout en début de carrière. On peut alterner longtemps les périodes de travail et les périodes de chômage.

GÉOGRAPHIE

La répartition géographique des emplois est très inégale. Il faut s'assurer qu'il y a de l'emploi dans la matière que l'on souhaite enseigner et dans la région où l'on veut s'établir.

EMPLOYEURS

On compte environ 70 établissements d'enseignement collégial au Québec. Ils sont majoritairement publics, mais il y a des collèges privés. Les conditions de travail sont semblables dans les deux secteurs.

SYNDICALISATION

Tous les enseignants des collèges publics sont syndiqués. Au privé, qu'ils soient syndiqués au non, leurs conditions de travail sont calquées sur celles du public. Les enseignants au collégial ont la réputation de jouir de la meilleure convention collective au Québec, ce qui est défendable.

QUALITÉ DES EMPLOIS

Depuis le tournant des années 1990, la qualité des emplois s'est détériorée à vue d'œil dans les collèges. L'usage des contrats de travail à durée déterminée et le recours au travail à temps partiel par l'entremise de la création de « charges d'enseignement » se sont multipliés. Il en résulte qu'il est de plus en plus long et difficile d'obtenir un poste permanent à plein temps, tant et si bien qu'aujourd'hui, à peine 50 % des enseignants au collégial occupent un tel poste.

Elle est interminable. Comme je l'ai indiqué plus haut, 50 % des enseignants n'ont pas de poste permanent. Parmi ceux qui en ont un, 60 % ont plus de 50 ans.

De plus, l'entrée dans la carrière ne se fait pas sans heurts à cause de la difficulté de la tâche. Une très forte proportion des nouveaux enseignants, particulièrement en sciences, ne persistent pas parce qu'ils se sentent mal à l'aise devant une classe. Je recommande fortement aux diplômés de mathématiques et des autres disciplines scientifiques de faire la maîtrise en enseignement au collégial avant de se lancer. Enseigner est une occupation qui s'apprend.

Avenir de la profession

PÉRENNITÉ

Il est impossible de comprimer des emplois d'enseignant par le recours à la technologie ou de transférer du travail à l'étranger. Le volume de travail est déterminé par la démographie et la demande de formation. Or, bien que l'on constate actuellement une légère contraction de la demande, il n'y a pas lieu de croire que le volume de travail diminuera significativement dans les prochaines décennies.

Par ailleurs, malgré des rumeurs cycliques, il n'y a pas non plus de raison de penser que l'aventure de l'enseignement au collégial ou celle de l'enseignement de la philosophie soient à la veille de s'achever. De toute façon, s'il advenait qu'un gouvernement ferme les cégeps, le personnel enseignant serait redistribué ailleurs dans le réseau de l'enseignement.

En somme, on peut s'engager dans une carrière en enseignement au collégial sans craindre que son emploi disparaisse un jour.

PERSPECTIVES D'EMPLOI

La situation de l'emploi est très inégale en fonction des matières. Ceux qui ont une formation en chimie, en physique, en mathématiques et en philosophie n'ont pas trop de difficulté à trouver du travail.

Par contre, en art, éducation physique, français, littérature, sociologie, psychologie, histoire, géographie et économie, le nombre de candidats dépasse largement le nombre de postes disponibles. L'insertion professionnelle peut donc être longue et difficile.

Du côté de la formation technique, la situation est très variable. En règle générale, il est assez difficile de décrocher un emploi d'enseignant parce que l'offre excède amplement la demande. Comme un poste d'enseignant est souvent plus avantageux que les emplois offerts dans ces disciplines, beaucoup de candidats tentent leur chance.

Les perspectives d'avenir sont passables.

Influence sur le bonheur, la santé et la vie quotidienne

DEGRÉ D'AUTONOMIE

Les enseignants au collégial sont très autonomes dans leur travail, même s'ils doivent s'assurer de respecter les objectifs déterminés par le ministère de l'Éducation dans leurs cours. Ils ont beaucoup de latitude par rapport au contenu de cours et à la manière d'enseigner. L'enseignement collégial est beaucoup moins encadré que l'enseignement au primaire ou au secondaire.

HORAIRES

Le travail se fait surtout le jour, en semaine. L'horaire habituel d'un professeur au collégial comporte 35 heures de travail réparties comme suit : 15 heures d'enseignement, 20 heures de préparation de cours, de disponibilité et de correction. Toutefois, la motivation, l'expérience de même que la matière enseignée ont une influence sur le temps de travail.

INDICE FAMILLE

La période de congé des enseignants du collégial est plus longue que celles des enseignants du primaire et du secondaire. De plus, l'horaire de travail est très flexible. En dehors des 15 heures d'enseignement obligatoire, les enseignants peuvent aménager leur horaire selon leurs besoins. Une partie de leur travail de correction et de planification peut même se faire à la maison. Le seul bémol est que l'insertion professionnelle est très longue, ce qui retarde souvent d'autant les projets de famille.

Somme toute, on peut conclure que l'enseignement au collégial offre des conditions presque parfaites pour la conciliation travail-famille.

DURÉE DES CARRIÈRES

Je l'ai précisé, plusieurs enseignants quittent la profession en début de carrière parce qu'ils se sentent incapables d'accomplir le travail. Une certaine proportion de professeurs se découragent aussi en cours de route et, après des années d'incertitude, se dirigent vers d'autres domaines.

Ceux qui franchissent ces deux barrières d'insertion ont de bonnes chances de terminer leur carrière comme enseignant. Ceux qui migrent vers l'enseignement universitaire représentent les rares exceptions.

DÉPLACEMENTS

Ils sont sans importance, sauf pour ceux qui ont des charges d'enseignement dans plusieurs cégeps.

SENTIMENT D'UTILITÉ

Les jeunes qui fréquentent le collégial ne font pas toujours preuve de grande motivation pour les études. On peut avoir l'impression de prêcher dans le désert.

DEGRÉ D'HUMANISME

Il varie de moyen à important en fonction de la matière enseignée. La proximité avec les étudiants est plus grande en formation technique. Les relations avec les étudiants peuvent aussi être intéressantes dans les matières plus humaines comme la psychologie et la philosophie et dans le cadre des projets spéciaux qui sont de plus en plus nombreux.

PLAISIR INTRINSÈQUE

Enseigner est un travail plaisant. Par contre, la correction et les nombreuses réunions administratives sont beaucoup moins amusantes.

STIMULATION INTELLECTUELLE

En début de carrière, on doit consacrer beaucoup de temps et d'énergie à la préparation de cours qu'on n'a jamais offerts. Une fois cette période passée, le travail est relativement simple. La matière change peu et on finit par en avoir une excellente connaissance. Il faut tout de même maintenir une vie intellectuelle active si l'on veut éviter de tomber dans l'obsolescence. Certains professeurs sont encore très allumés à 50 ans. D'autres, malheureusement, deviennent presque des automates de l'enseignement.

CRÉATIVITÉ

Elle est assez importante et peut aider à mieux enseigner.

INDICE BUREAUCRATIE

La quantité de paperasse est généralement acceptable, mais peut devenir envahissant au moment de la correction. Les exigences organisationnelles peuvent aussi être lourdes. Les professeurs de cégep doivent souvent faire partie de différents comités administratifs. Les tâches bureaucratiques et administratives sont plus nombreuses dans les établissements privés.

SOLITAIRE / EN ÉQUIPE

On peut se sentir seul devant une classe ou une pile de copies à corriger. Par contre, une bonne partie du travail se fait en équipe. La solidarité et l'esprit de corps sont importants chez les enseignants.

RÉUSSITE OU ÉCHEC

Les enseignants au collégial sont plus dans un climat de réussite que leurs confrères du primaire et du secondaire. Comme la scolarité n'est plus obligatoire à leur niveau, il n'est plus nécessaire que les élèves réussissent à tout prix. Les échecs sont aussi moins dramatiques parce qu'ils ne représentent souvent qu'un indice selon lequel l'étudiant n'est pas dans le bon programme.

RECONNAISSANCE SOCIALE

Les professeurs de cégep sont bien perçus et ils sont respectés.

DEGRÉ DE POUVOIR

L'enseignant règne en maître dans sa classe. Par contre, son pouvoir s'arrête à peu près là. Il peut exercer une grande influence sur ses élèves, mais son pouvoir dans la société est limité.

MOBILITÉ ET AVANCEMENT

Les possibilités de mobilité ou d'avancement sont très limitées. Le plus souvent, l'étape après le poste d'enseignant est la retraite. Les possibilités de modifier sa tâche sont faibles, on enseigne toujours la même matière, répartie en trois ou quatre cours différents.

NIVEAU DE STRESS

Les enseignants au collégial sont à peine moins nombreux que leurs collègues au secondaire à connaître des périodes d'épuisement professionnel.

Ce sont surtout les contacts difficiles avec les étudiants et le désir d'offrir une bonne prestation dans un contexte parfois problématique qui finissent par user. Le travail des enseignants peut aussi être ingrat parce que les jeunes ne sont pas toujours respectueux et ne se montrent pas souvent reconnaissants.

Évaluation globale

La profession d'enseignant au collégial présente trois points faibles : les salaires sont plutôt bas, le travail est parfois épuisant et l'insertion professionnelle est difficile, voire interminable. Certains enseignants n'ont toujours pas de poste permanent à 40 ans.

La profession offre aussi des avantages considérables. Le travail se fait à l'échelle humaine, il est le plus souvent plaisant et utile. L'atmosphère dans les collèges est généralement conviviale et stimulante. Ceux qui aiment leur matière et le contact avec les étudiants adorent leur travail. Enfin, l'horaire est particulièrement avantageux. Ceux qui ont des obligations familiales ou d'importants projets en dehors de leur travail peuvent s'y consacrer de manière satisfaisante.

C'est pour toutes ces raisons que mon évaluation globale de la profession est positive, même si les points faibles m'empêchent de lui attribuer les quatre étoiles qu'elle pourrait avoir si le contexte s'améliorait. J'en arrive donc à une note de trois étoiles et demie. ∎

Professeur d'université / Chargé de cours

La tâche des professeurs est différente de celle des chargés de cours. En plus d'enseigner, les professeurs doivent encadrer des étudiants de maîtrise et de doctorat, effectuer du travail de recherche et participer à une foule d'activités administratives.

Un professeur à plein temps enseigne environ trois heures par semaine au baccalauréat ou à la maîtrise, alors qu'un chargé de cours peut enseigner 12 heures par semaine pour gagner un revenu acceptable, mais non comparable à celui d'un professeur.

Coup d'œil

PROFESSION		PROFESSIONNELS / FINISSANTS RATIO	SALAIRE ANNUEL MOYEN
Professeur d'université	★ ★ ★ ★ ★	6 000 /s.o.	88 000 $
Chargé de cours	★ ★ ★ ★ ★	7 000 / s.o.	40 000 $

Le revenu des chargés de cours tient compte de périodes de travail et de périodes de chômage, l'été surtout.

FORMATION

Un baccalauréat suffit pour avoir le droit d'offrir des charges de cours, mais on exige la plupart du temps une maîtrise ou un doctorat.

Pour obtenir un poste de professeur d'université, un doctorat est généralement nécessaire. Une maîtrise peut suffire dans les domaines où les candidats sont rares. Dans la majorité des disciplines, le doctorat n'est que le point de départ de la candidature. Il faut en plus avoir un *curriculum vitae* bien rempli pour être considéré comme candidat, c'est-à-dire avoir fait des études postdoctorales, publié des articles scientifiques, avoir participé à des projets de recherche, etc. L'expérience en enseignement compte peu.

DEGRÉ D'HOMOGÉNÉITÉ

Les emplois sont très homogènes.

HOMMES-FEMMES

On dénombre actuellement 38 % de femmes et 62 % d'hommes chez les professeurs d'université. La proportion de femmes devrait augmenter dans les années qui viennent, étant donné leur nombre de plus en plus important aux études supérieures.

TAUX DE CHÔMAGE

Les professeurs en devenir et les chargés de cours sont des abonnés de l'assurance-emploi. Sans le recours possible aux prestations de chômage, il est probable que le système universitaire s'effondrerait.

GÉOGRAPHIE

L'emploi est concentré dans quelques grandes villes : Montréal, Québec et Sherbrooke. Les universités ont de plus en plus de succursales dans d'autres villes, ce qui répartit d'autant plus le travail des chargés de cours, mais pas vraiment celui des professeurs.

Une portion significative des personnes qui se destinent à l'enseignement universitaire trouvera du travail à l'extérieur de la province. Dans certains domaines, les sciences en particulier, les possibilités d'emploi peuvent s'avérer meilleures à l'étranger.

EMPLOYEURS

Il n'y a qu'une dizaine d'universités au Québec.

SYNDICALISATION

Les professeurs et les chargés de cours sont syndiqués, mais leurs conditions de travail sont très différentes. Alors que les professeurs jouissent d'excellentes conditions de travail et de tous les avantages sociaux possibles, les chargés de cours sont beaucoup moins bien protégés et ils sont pratiquement considérés comme des sous-traitants par les universités. Au cours des dernières années et, à force de revendications, ils sont parvenus à arracher quelques avantages.

QUALITÉ DES EMPLOIS

Les professeurs ont tous des emplois typiques et à plein temps. À l'opposé, le travail à temps partiel, la précarité et les contrats à durée déterminée caractérisent la situation des chargés de cours.

INSERTION PROFESSIONNELLE

On peut commencer à offrir des charges de cours durant ses études universitaires et espérer continuer à en donner par la suite. L'insertion de ce côté est donc assez courte.

À l'opposé, l'insertion professionnelle pour les postes de professeur est excessivement longue. C'est vers l'âge de 35 ou 40 ans que la plupart des professeurs sont embauchés. Auparavant, les futurs candidats ont vécu de charges de cours, de contrats de recherche et de bourses d'études.

Une fois embauchés, les professeurs doivent aussi traverser une période de trois ans pendant laquelle ils doivent faire leurs preuves avant d'obtenir un statut permanent de professeur agrégé. Bien que la pression soit grande, il est plutôt rare que les professeurs échouent à cette étape.

Avenir de la profession

PÉRENNITÉ

L'emploi ne peut être comprimé, ni transféré à l'étranger. L'avenir de l'emploi dans les universités dépend surtout du financement gouvernemental, de la démographie et de la capacité à convaincre les jeunes de poursuivre leurs études. Le financement gouvernemental est difficile à prévoir. En ce qui a trait à la démographie, il y a de légères baisses, mais elles sont largement compensées par l'augmentation de la fréquentation scolaire des jeunes. Cette progression devrait atteindre un plateau d'ici une dizaine d'années et se maintenir par la suite.

Si le travail des enseignants n'est pas transférable à l'étranger, on constate par contre que de plus en plus d'étudiants de l'étranger viennent étudier au Québec.

Les établissements comptent sur ces étudiants pour assurer leur croissance.

PERSPECTIVES D'EMPLOI

Dans les domaines où l'emploi est très abondant, comme le génie ou le droit, il est assez facile d'accéder à des emplois de professeur. À l'opposé, dans les domaines où l'emploi se fait rare, la quantité de postes de professeur disponibles est beaucoup moins élevée que le nombre de candidats potentiels. Dans certaines disciplines, l'enseignement est pratiquement la seule issue de carrière, ce qui rend la compétition féroce.

Le volume d'emploi est aussi tributaire des politiques gouvernementales et des préférences des gestionnaires. Depuis quelques décennies, les universités tablent sur une expansion importante, mais l'effectif des professeurs évolue très peu.

Les perspectives d'avenir sont passables.

Influence sur le bonheur, la santé et la vie quotidienne

DEGRÉ D'AUTONOMIE

Ce sont des emplois où l'on est très autonome. Les professeurs sont libres d'orienter leurs projets de recherche en fonction de leurs intérêts et de choisir la manière dont ils présentent leurs cours. Les chargés de cours ont beaucoup de latitude également.

HORAIRES

Les chargés de cours doivent être présents à leur lieu de travail pour leurs cours. Ils effectuent leurs autres tâches où et quand ils le veulent, soit à l'université, soit ailleurs. Certains ont accès à un bureau, d'autres non.

Les professeurs sont aussi assez libres de leur horaire de travail, qui a pour principales caractéristiques d'être surchargé et envahissant! Avec leurs responsabilités d'enseignement, de recherche et de services à la communauté, les professeurs ont une charge de travail énorme. La pression est grande pour qu'ils allongent leur temps de travail.

Tous les sept ans, les professeurs ont la possibilité de

prendre une année sabbatique pour se consacrer à des projets particuliers. Il n'est pas rare qu'ils travaillent encore plus durant cette année.

INDICE FAMILLE

Les chargés de cours sont disponibles pour la vie familiale. Le problème est que leur situation est précaire, ce qui rend la planification de projets familiaux plus difficile.

Pour les professeurs, la conciliation travail-famille est difficile. Les exigences du travail et l'atmosphère d'intense compétition dans les universités laissent bien peu de place à la vie de famille. De plus, comme on n'a accès aux postes permanents que très tard, les professeurs ont leurs enfants à un âge avancé.

DURÉE DES CARRIÈRES

La plupart des carrières de chargé de cours sont courtes. C'est un travail que l'on fait en attendant d'obtenir un poste de professeur ou un autre emploi dans son domaine. Les professeurs sont beaucoup plus stables. Quand ils parviennent enfin à décrocher un poste permanent, il est assez rare qu'ils se réorientent.

DÉPLACEMENTS

Les chargés de cours n'ont pas à se déplacer dans le cadre de leur travail. Les professeurs bougent plus. Ils assistent régulièrement à des congrès et ils multiplient les échanges internationaux.

SENTIMENT D'UTILITÉ

Les universités ont augmenté leur clientèle très rapidement au cours des dernières années. Chemin faisant, elles ont assoupli les critères d'admission et d'évaluation. Il en résulte que de plus en plus de professeurs ont le sentiment de faire de la production de masse de mauvaise qualité. Le sentiment d'utilité demeure, mais il s'est érodé depuis les années 1980.

DEGRÉ D'HUMANISME

La qualité des rapports humains s'est détériorée avec le temps. Comme il arrive qu'on doive enseigner à des groupes de 150 étudiants ou plus, il va sans dire que le contact est moins personnalisé. L'arrivée des nouveaux appareils électroniques n'arrange rien. Les étudiants partagent leur attention entre leur cellulaire, leur tablette électronique, leur portable et l'enseignant.

Les professeurs ont la chance de nouer des rapports plus étroits avec leurs éludiants des cycles supérieurs. La relation maître-élève demeure l'une des plus riches de l'expérience humaine.

PLAISIR INTRINSÈQUE

Le plus grand plaisir des universitaires réside dans leur vie intellectuelle. Enseigner et diriger des étudiants peut également être agréable.

Au cours des dernières années, le milieu universitaire s'est éloigné de l'idéal humaniste de vie intellectuelle pour devenir une arène de la compétition et de la productivité. Une partie du plaisir s'est perdue en cours de route.

STIMULATION INTELLECTUELLE

Évidemment, le travail dans les universités est un de ceux qui permettent d'atteindre les plus hauts sommets intellectuels. Les possibilités d'apprendre sont infinies.

CRÉATIVITÉ

Le travail des chargés de cours est modérément créatif. Pour ce qui est des professeurs, c'est en recherche qu'ils peuvent le plus exprimer leur créativité.

INDICE BUREAUCRATIE

Il est modéré pour les chargés de cours et élevé pour les professeurs. En plus des nombreuses obligations administratives qu'on leur impose, ils doivent consacrer une grande partie de leur temps à rédiger des demandes de subventions et gérer leur budget de recherche. Bien des professeurs ont plutôt l'impression de diriger une petite PME de la recherche que de faire un travail intellectuel ou de transmettre leurs connaissances.

SOLITAIRE / EN ÉQUIPE

On travaille régulièrement en équipe dans les universités. Toutefois, la solitude et l'isolement sont omniprésents. Le climat universitaire crée de la compétition entre les enseignants. L'individualisme est exacerbé. Il en résulte beaucoup de solitude.

Le travail des chargés de cours est encore plus solitaire. Il est fréquent qu'un chargé de cours puisse remplir toutes ses obligations sans jamais avoir à interagir avec ses collègues. Ses seuls contacts humains sont ceux qu'il entretient avec les étudiants et, hormis de rares réunions, tous les rapports avec l'université se font par téléphone ou par courriel.

TRAVAILLER À SON COMPTE

Certains professeurs d'université créent des entreprises à partir des résultats de leur travail de recherche.

RÉUSSITE OU ÉCHEC

Les échecs sont plutôt rares et la réussite, présente. Pour les professeurs, la réussite est toutefois bien relative. Le système universitaire stimule continuellement l'ambition des professeurs, qui se comparent entre eux. Tous aspirent à devenir une sommité, peu y parviennent. Certains ruminent des sentiments d'échec et d'amertume.

RECONNAISSANCE SOCIALE

Le titre de chargé de cours a peu d'existence sociale. C'est un emploi récent et peu connu. Si on veut bomber le torse, il faut plutôt affirmer qu'on enseigne à l'université. Les professeurs jouissent d'une excellente reconnaissance sociale.

DEGRÉ DE POUVOIR

Il est assez important. Les professeurs ont de l'influence sur le parcours de leurs étudiants et les destinées des universités, et ils ont un rôle social important à jouer. Ils prennent part au débat public et on les consulte pour de nombreuses décisions.

De leur côté, les chargés de cours ont beaucoup moins de pouvoir. Ils ne comptent pour à peu près rien dans les décisions prises par les établissements.

Les possibilités de mobilité professionnelle et d'avancement sont relativement bonnes. Les chargés de cours peuvent se diriger vers des emplois dans leur champ d'expertise ou obtenir un poste de professeur. Il existe plusieurs niveaux hiérarchiques dans le personnel enseignant, depuis le professeur adjoint jusqu'au titulaire de chaire ou professeur honorifique. C'est parmi ceux-ci que les universités recrutent leurs dirigeants.

Les professeurs peuvent se déplacer d'une université de seconde zone vers un établissement plus prestigieux. Il arrive aussi que des professeurs soient embauchés par l'entreprise privée ou le gouvernement dans des postes d'expert-conseil ou de cadre supérieur.

NIVEAU DE STRESS

Un chargé de cours qui souhaite avoir un salaire décent doit travailler beaucoup. Il doit préparer et donner quatre cours par semaine et, à la fin de chaque semestre, être enseveli sous les copies à corriger.

Un professeur a moins de charges d'enseignement qu'un chargé de cours, mais il doit faire de la recherche, ce qui requiert beaucoup de gestion, d'encadrer des étudiants aux cycles supérieurs et de participer à une foule de comités universitaires. Il doit également publier régulièrement et obtenir le plus de subventions de recherche possible. Bref, il doit travailler comme un fou. Ses chances de parvenir à la retraite sans lésion professionnelle, avec une vie de famille épanouie et sans avoir eu recours aux drogues et à l'alcool ne sont pas très élevées. Le travail de professeur à l'université est un des plus lourds qui existe présentement sur le marché.

EN VRAC

En plus des problèmes évoqués plus haut, il faut mentionner deux autres phénomènes qui contribuent à ce que les conditions de travail des professeurs d'université se détériorent. Il y a d'abord le sous-financement chronique des établissements d'enseignement supérieur, qui oblige les enseignants à travailler dans des contextes difficiles. Il y a ensuite la sélection moins sévère des étudiants, qui entraîne une diminution du niveau général. On favorise davantage la quantité que la qualité.

S'ajoute le fait que les professeurs sont de moins en moins libres d'évaluer leurs étudiants comme ils l'entendent. Ces derniers sont de plus en plus revendicateurs et s'offusquent lorsqu'ils n'obtiennent pas les résultats escomptés. Les étudiants se perçoivent de plus en plus comme des clients, avec les exigences et les droits que cela implique. Seuls face à la meute, les enseignants se sentent obligés de céder et de revoir leurs critères d'évaluation à la baisse. Il en découle un sentiment de perte de sens pour ces professionnels dont tout le travail est voué à la connaissance.

Évaluation globale

Le travail des chargés de cours est simple à circonscrire. Ils sont payés à la tâche, pour dispenser des cours à des groupes d'étudiants au premier cycle universitaire. Ils jouent un rôle complémentaire et subordonné aux professeurs. Toutefois, bien que leur rôle soit essentiel et leur travail considérable, ils n'obtiennent pratiquement aucune reconnaissance. Ils ne bénéficient pas non plus de bonnes conditions salariales ou d'avantages sociaux. Il s'agit en principe d'emplois temporaires, mais de plus en plus de chargés de cours cumulent plus de 10 ans de métier, ce qui montre que la profession tend à se pérenniser. En tant que carrière, la profession de chargé de cours est assez peu avantageuse pour le niveau d'études exigé. C'est pourquoi je ne lui accorde que deux étoiles et demie.

La situation des professeurs d'université est très différente. Ils jouissent d'un poste permanent avec tous les avantages que cela suppose. De plus, leur salaire est bon. Il n'est pas proportionnel à la scolarité, mais il est souvent le meilleur emploi qu'un spécialiste puisse obtenir dans son domaine. La vie sur les campus comporte de nombreux avantages. On a accès aux infrastructures sportives et culturelles en plus d'évoluer dans un milieu stimulant. Les professeurs jouissent de beaucoup d'autonomie et ils peuvent mettre sur pied des projets qui leur tiennent à cœur. Leur emploi est rarement routinier.

La qualité de la profession s'est toutefois détériorée. Le salaire stagne depuis les années 1980, alors que les exigences de la tâche augmentent sans cesse. Ce sont des emplois qui sont de plus en plus productivistes, de plus en plus compétitifs et de moins en moins humains. Si les conditions de travail des professeurs ne s'étaient pas ainsi détériorées, cette profession se serait rangée parmi les deux ou trois les mieux cotées de ce guide. Dans les circonstances actuelles, elle est encore intéressante, mais elle n'est pas au sommet et je ne peux lui attribuer que quatre étoiles. ■

Les professions artistiques

Maîtriser, pratiquer et approfondir une ou plusieurs disciplines artistiques, et gagner sa vie à le faire, c'est ça être un artiste. C'est une profession qui est au service de l'esthétique ou du divertissement. Le grand économiste Adam Smith parlait d'une « race peu prospère d'hommes » (il écrivait au 19e siècle) pour qui l'« admiration publique forme toujours une part de leur rémunération ».

Évidemment, la profession artistique est particulière. On débat encore chez les sociologues à savoir s'il s'agit vraiment d'une profession ou d'autre chose. En ce qui me concerne, je dirai que les métiers artistiques sont une profession, mais ils sont bien plus que cela. Ils sont surtout un mode de vie, une manière d'être au monde. Il n'est pas rare que les revenus artistiques soient insuffisants pour gagner sa vie. Ainsi, une proportion importante de ceux qui ont des activités artistiques ont également d'autres sources de revenus.

Coup d'œil

PROFESSION	PROFESSIONNELS / FINISSANTS RATIO	SALAIRE ANNUEL MOYEN
Producteur, réalisateur et chorégraphe ★ ★ ★ ★ ★	7 000 / s.o.	50 000 $
Chef d'orchestre et compositeur ★ ★ ★ ★ ★	500 / s.o.	36 000 $
Musicien et chanteur ★ ★ ★ ★ ★	7 000 / 354	22 000 $
Danseur ★ ★ ★ ★ ★	1 000 / s.o.	30 000 $
Comédien ★ ★ ★ ★ ★	2 500 / 100	27 000 $
Peintre et sculpteur ★ ★ ★ ★ ★	4 000 / s.o.	16 000 $

Le salaire moyen ici est trompeur parce qu'il ne tient compte que des artistes qui travaillent à plein temps, et ils sont loin d'être majoritaires.

Les statistiques sur les salaires dans les domaines artistiques montrent à l'évidence que la seule pratique des arts n'est pas très payante. Ce n'est pas pour rien que tant d'artistes travaillent dans des cafés ou des petits commerces. En art comme en sciences, les meilleurs emplois sont dans l'enseignement. Ceux qui réussissent à décrocher un emploi d'enseignant s'assurent un revenu stable tout en évoluant dans le domaine qui les passionne.

Les peintres et les sculpteurs aménagent souvent leur carrière autrement. Ils sont nombreux à avoir une autre carrière, parallèle à leur carrière d'artiste. Ainsi, plusieurs peintres québécois sont aussi pharmaciens, ingénieurs ou professeurs au secondaire.

FORMATION

Les programmes de formation dans le domaine des arts sont nombreux. Ceux qui aspirent à une carrière artistique ont tout avantage à suivre une formation rigoureuse avant de se lancer. La qualité de la carrière artistique est largement tributaire de la qualité de la formation accomplie.

Dans le domaine des arts visuels, il existe des programmes de formation spécialisés au collégial et à l'université. On peut même faire une maîtrise et un doctorat dans ces domaines et trouver du travail en enseignement.

L'offre de formation est aussi abondante dans le domaine des arts de la scène et du cinéma. Il existe des programmes collégiaux et universitaires en danse, en art dramatique, en musique et en cinéma. On peut aussi poursuivre ses études au niveau de la maîtrise et du doctorat. C'est dans le domaine du cinéma que les possibilités d'emploi sont les meilleures.

On trouve au Québec quelques grandes écoles de formation artistique comme les conservatoires d'art dramatique, l'École nationale de théâtre et l'École nationale de ballet du Canada. Ces institutions offrent des programmes du plus haut niveau. L'admission dans ces écoles est contingentée.

Dans les dernières années, quelques cégeps se sont aussi lancés dans les programmes de formation en chanson populaire. Ces programmes n'ont pas encore atteint leur pleine maturité, mais ils représentent des options dignes de mention.

DEGRÉ D'HOMOGÉNÉITÉ

Ces emplois sont évidemment très hétérogènes.

HOMMES-FEMMES

La proportion d'hommes et de femmes est à peu près la même.

TAUX DE CHÔMAGE

Il est élevé et fréquent. Les artistes chôment régulièrement. Cependant, étant donné la nature de leurs revenus, ils ont très rarement accès aux prestations de l'assurance emploi.

GÉOGRAPHIE

Il y a des artistes et des événements artistiques partout au Québec. Les grands centres urbains constituent par contre des pôles puisque les grandes salles de concert et de spectacle, les musées, les galeries et les établissements culturels s'y trouvent. Les peintres choisissent souvent de s'établir à la campagne.

Les comédiens, les musiciens et les danseurs peuvent aussi être appelés à faire leurs valises et à partir en tournée au Québec, au Canada ou ailleurs dans le monde.

EMPLOYEURS

Les employeurs sont très diversifiés selon les secteurs artistiques. Le milieu artistique fonctionne beaucoup par projets. Ainsi, les comédiens, les musiciens et les danseurs travaillent le plus souvent pour des productions artistiques ponctuelles. Ce sont les producteurs du projet qui sont alors les employeurs.

On trouve aussi dans le domaine quelques grandes compagnies qui emploient des artistes. Les orchestres symphoniques de Montréal et des autres grandes villes québécoises, par exemple. Le domaine du théâtre compte également plusieurs compagnies qui embauchent régulièrement des comédiens. On trouve de nombreuses compagnies de production au Québec qui créent les contenus pour la télévision, le cinéma et la publicité. Les chaînes radiophoniques embauchent également des comédiens, des musiciens et des humoristes.

Les artistes peintres et les sculpteurs n'ont pas à proprement parler d'employeurs. Ils créent des œuvres qu'ils tentent par la suite de vendre par l'entremise du réseau des galeries d'art, des musées et des collections privées.

SYNDICALISATION

Il existe des associations d'artistes, comme la Guilde des musiciens et musiciennes du Québec ou l'Union des artistes, qui veillent à l'amélioration des conditions de travail des artistes. Les contrats d'embauche des comédiens et des musiciens sont régis par ces organisations.

 QUALITÉ DES EMPLOIS

Les emplois sont presque exclusivement atypiques et temporaires. C'est un milieu qui dépend largement des subventions gouvernementales et qui fonctionne par projets et par contrats de travail.

 INSERTION PROFESSIONNELLE

Pour devenir producteur, réalisateur ou chorégraphe, il faut déjà avoir un important parcours professionnel derrière soi. Pour ce qui est des musiciens, des chanteurs, des comédiens et des danseurs, l'insertion peut être relativement courte. Elle n'est toutefois jamais complètement acquise. Tout au long de sa carrière, il faut se battre pour maintenir ses acquis. Dans le cas des peintres et des sculpteurs, il faut compter au moins une dizaine d'années avant d'obtenir notoriété et reconnaissance et que le prix de ses œuvres puisse enfin augmenter[16].

Avenir de la profession

PERSPECTIVES D'EMPLOI

Évidemment, le domaine artistique est très atypique. On n'y trouve que très peu de postes permanents. Ce sont des carrières où il est long et difficile de faire sa place. Malgré tout, ceux qui ont du talent, de la persévérance et une bonne capacité d'organisation y parviennent. La qualité de la formation acquise est aussi déterminante sur le déroulement d'une carrière artistique. Mieux on est formé, meilleures sont les chances de réussite.

Les perspectives d'avenir sont passables.

---

16. Voir Nathalie Heinich, *La gloire de Van Gogh : Essai d'anthropologie de l'admiration*, Paris, Éditions de Minuit, 1991.

Influence sur le bonheur, la santé et la vie quotidienne

DEGRÉ D'AUTONOMIE

La liberté est l'essence même de l'activité artistique. Elle est totale pour les peintres et les sculpteurs. En ce qui concerne les autres artistes, l'autonomie dans le travail est très importante, mais elle est tout de même continuellement mise en rapport avec les impératifs des productions artistiques. Par exemple, un comédien qui tient un rôle dans une pièce de théâtre compose son personnage en fonction de son point de vue personnel, mais également en conformité avec la vision du metteur en scène de la pièce. Il y a espace de création, mais cela se fait dans une dynamique de production collective.

HORAIRES

Ils sont atypiques, instables, imprévisibles.

INDICE FAMILLE

Avec la précarité et l'instabilité du travail, la conciliation travail-famille est difficile.

DURÉE DES CARRIÈRES

La carrière des danseurs est souvent courte. Le corps devient usé dans la trentaine ou la quarantaine et il faut revoir ses plans de carrière. La danse contemporaine offre quelques exceptions notables.

Pour les comédiens, les musiciens et les chanteurs, la difficulté est de survivre à la première décennie. Très souvent, ceux qui avaient choisi ces formations revoient leurs projets afin de trouver des moyens de mieux gagner leur vie. Certains continuent à graviter autour du domaine artistique, tandis que d'autres choisissent simplement de changer de domaine.

En ce qui concerne les artistes des arts visuels, la carrière peut durer indéfiniment. Chacun oscille entre des périodes de plus grande production et des périodes plus calmes, consacrées à d'autres projets.

Les réalisateurs, les producteurs et les chorégraphes sont généralement bien établis au cœur du domaine artistique et leur carrière s'étire tant qu'ils sont en santé. Beaucoup sont encore actifs après 80 ans.

DÉPLACEMENTS

Tournages, tournées, concerts, représentations, etc. Les musiciens, les danseurs et les comédiens peuvent passer beaucoup de temps à trimballer leur vie dans des valises.

Les peintres, les réalisateurs et les producteurs sont plus stables. Certaines de leurs activités requièrent toutefois des déplacements, que ce soit pour des impératifs de production et de représentation.

Paradoxalement, même si l'art est souvent vu comme le contraire de l'utile, au sens le plus strict du terme, les artistes n'entretiennent que peu de doutes sur l'utilité de leur travail. Au contraire, ils ont presque unanimement la conviction de l'importance de ce qu'ils font.

Lorsqu'ils sont occupés, tous les artistes sont ravis et se sentent utiles. Pour ceux qui sont pigistes, c'est-à-dire les artistes de la scène, un grand sentiment de vide peut s'installer si le temps devient trop long entre deux contrats. Pour bien des artistes, il s'agit de l'aspect le plus dur de leur métier.

DEGRÉ D'HUMANISME

Ultimement, le travail artistique s'adresse précisément à l'âme. D'une manière ou d'une autre, son degré d'humanisme est élevé.

PLAISIR INTRINSÈQUE

Si tant de gens acceptent les aléas de la carrière artistique, c'est certainement parce qu'ils y trouvent leur compte. Le plaisir dans ces professions est incommensurable.

STIMULATION INTELLECTUELLE

C'est peut-être un des aspects les moins connus des carrières artistiques. Les bons artistes sont des gens curieux, très ouverts et qui cherchent à développer leurs connaissances continuellement. Ils ont généralement une vie intellectuelle active. Autrement dit, la réalité artistique est aux antipodes de la fainéantise que certains imaginent.

CRÉATIVITÉ

Évidemment que la créativité est importante. Si importante en fait que les artistes doivent constamment la nourrir et la préserver.

INDICE BUREAUCRATIE

Presque tous les projets artistiques dépendent de subventions. Par conséquent, beaucoup d'artistes, surtout en début de carrière, doivent consacrer du temps à rédiger des demandes ou à concocter des projets. Quand le succès arrive, ils peuvent déléguer toute cette bureaucratie à d'autres.

SOLITAIRE / EN ÉQUIPE

Les artistes travaillent dans une certaine solitude à l'étape de la création. Quand un projet en arrive à l'étape de la réalisation ou de la production, par contre, il implique le plus souvent la collaboration de toute une équipe.

Beaucoup d'artistes vivent de petits deuils après la tournée d'un spectacle ou le tournage d'un film ou d'une télésérie : après avoir travaillé de façon intense avec un groupe, ils se retrouvent seuls et cette transition est parfois difficile à vivre. Les relations nouées dans le cadre de la création artistique sont très fortes.

TRAVAILLER À SON COMPTE

Il y a beaucoup de travailleurs autonomes ou à leur compte chez les artistes. En fait, le sens des affaires et l'esprit d'entreprise sont des qualités quasiment essentielles pour survivre et s'épanouir dans ces domaines. D'une certaine façon, tous les artistes sont aussi des entrepreneurs. Ceux qui ne le sont pas s'associent à des entrepreneurs, des gestionnaires ou des administrateurs.

RÉUSSITE OU ÉCHEC

En fait, il est inévitable, même pour les artistes établis, de connaître parfois des échecs. Cela fait partie du jeu. Persévérance et tolérance à l'échec sont des qualités nécessaires à tous ceux qui envisagent une carrière artistique.

RECONNAISSANCE SOCIALE

Les artistes établis et connus bénéficient d'une reconnaissance sociale énorme. Le domaine artistique est valorisé dans la société et ceux qui réussissent bien sont presque traités comme des dieux. La reconnaissance varie toutefois selon les milieux et les disciplines artistiques, elle est liée à la popularité et au succès commercial.

DEGRÉ DE POUVOIR

Les artistes bien établis ont du pouvoir sur leur destinée et, en plus, ils peuvent avoir une grande influence sur la société.

MOBILITÉ ET AVANCEMENT

La mobilité fait partie intégrante des carrières artistiques. Chacun cherche à varier son travail pour peaufiner son art. Pour ce qui est de l'avancement, les possibilités sont de gagner en notoriété, ou de migrer vers des activités de production ou de réalisation.

NIVEAU DE STRESS

Les artistes surchargés sont les plus heureux. Évidemment, il y a le trac qui peut être pénible pour certains, mais qui est aussi en même temps délicieux. Le vrai stress dans le domaine artistique est d'ordre financier. Il n'y a rien d'inspirant dans le fait de se demander constamment d'où arrivera le prochain chèque.

Les carrières de danseur sont excessivement éprouvantes pour le corps. Presque tous les anciens danseurs ont des lésions permanentes. Très souvent, l'entraînement des danseurs débute à la petite enfance, ce qui fait que certains dommages causés à la structure osseuse peuvent être profonds. Les musiciens ont des problèmes de posture qui créent aussi des blessures.

Du côté des autres artistes, c'est un fait connu que l'usage de l'alcool et de la drogue est assez répandu, ce qui peut parfois mettre fin à une carrière ou du moins l'interrompre.

Professions semblables

Artiste du cirque, humoriste
Nous n'avons malheureusement pas de données sur les professionnels du cirque ou les humoristes. Les carrières des premiers sont plus courtes et plus difficiles. Dans le cas des humoristes, le marché est encore bon et les perspectives de carrière se comparent avantageusement à celles d'autres professions. Pour ceux que ça intéresse, il peut s'agir d'une voie de carrière prometteuse, à condition de suivre la formation de l'École nationale de l'humour, d'une des écoles de théâtre ou d'une école de cirque.

Mannequin
Il n'y a pas de données non plus sur la profession de modèle (mannequin). C'est une profession qui ne dure pas longtemps, mais elle peut être intéressante pendant le temps où elle dure.

Évaluation globale

Il faut bien du courage pour choisir de faire une carrière artistique. Il y a beaucoup d'appelés, mais peu d'élus. Les écoles de musique et d'art dramatique et les conservatoires de danse forment beaucoup plus d'artistes que ce que le marché est en mesure d'absorber, sans compter tous ceux qui tentent de faire carrière dans le domaine artistique sans passer par une des écoles de formation reconnues. Le cimetière des carrières ratées est bien rempli.

En contrepartie, ceux qui ont les muses de leur côté ne regrettent pas leur choix. Même si les conditions économiques sont difficiles, même si la précarité et la pauvreté guettent toujours, les carrières artistiques offrent des satisfactions que peu d'autres peuvent offrir. Ce sont des professions où l'on a la chance de se développer pleinement et d'aller au bout de soi-même. Ce sont des milieux qui sont toujours très stimulants et où l'on a l'impression d'être toujours au cœur de l'action.

Il faut admettre que ceux qui se dirigent dans les carrières artistiques ne sont pas si déraisonnables, après tout. Malgré tous les risques que ces carrières comportent, le bilan est positif. Pour ceux qui ont la vocation, elles peuvent s'avérer d'excellents choix. Mon évaluation finale des carrières artistiques est donc de trois étoiles et demie. Par contre, je recommande à quiconque en rêve d'avoir un bon plan B à portée de la main. ∎

Journaliste

Les journalistes travaillent à rapporter, décrire, commenter ou analyser les événements de l'actualité pour différents médias comme les journaux, les magazines, la radio, la télévision et Internet. Les journalistes travaillent sous différents titres d'emploi tels que reporter, chroniqueur, correspondant, éditorialiste, animateur, etc.

Coup d'œil

PROFESSION		PROFESSIONNELS / FINISSANTS	RATIO	SALAIRE ANNUEL MOYEN
Journaliste	★ ★ ★ ★ ★	4 500 / 400	1 / 11	57 000 $[17]

La profession de journaliste attire annuellement environ 400 candidats, ce qui est beaucoup plus que ce qu'elle peut absorber.

FORMATION

La formation de base consiste le plus souvent en un baccalauréat spécialisé en communication. Il peut être aussi pertinent de faire des études dans le domaine que l'on souhaite couvrir. Par exemple, une formation en droit, en science politique ou en sciences peut être utile pour devenir un journaliste spécialisé. Les programmes du collégial n'ouvrent pas de très bonnes perspectives d'emploi.

DEGRÉ D'HOMOGÉNÉITÉ

La profession est assez homogène. Les journalistes travaillent dans différents médias, mais leurs tâches sont toujours assez semblables. Ce sont les sujets qui changent.

---

17. Les écarts salariaux sont grands dans la profession. La médiane des salaires est sans doute nettement moins élevée que la moyenne. Il y a une élite journalistique qui gagne des salaires dans les six chiffres, ce qui entraîne la moyenne à la hausse. Les salaires sont directement proportionnels à la notoriété des professionnels de même qu'à l'auditoire rejoint.

HOMMES-FEMMES

La proportion d'hommes et de femmes est à peu près la même.

TAUX DE CHÔMAGE

Il est élevé. Près de la moitié des journalistes connaissent des épisodes de chômage.

GÉOGRAPHIE

Il y a du travail en région, mais les meilleurs emplois sont concentrés à Montréal.

EMPLOYEURS

Les employeurs sont assez nombreux dans le secteur privé. Les médias sont de plus en plus diversifiés, ce qui crée de nouvelles possibilités de carrière.

Les emplois sont partagés entre de moyennes et de grandes entreprises. Toutefois, le mouvement de convergence que l'on observe dans l'industrie des médias fait en sorte que de plus en plus de professionnels sont à l'emploi de quelques consortiums.

SYNDICALISATION

Seuls ceux qui ont les meilleurs emplois sont syndiqués, ce qui représente à peine 20 % des journalistes.

QUALITÉ DES EMPLOIS

Environ la moitié des journalistes travaillent à temps partiel, ont un statut précaire ou sont à la pige.

INSERTION PROFESSIONNELLE

Il est long et pénible de se tailler une place dans la profession. Moins d'une personne sur deux se destinant au journalisme y arrive. Il faut en moyenne une bonne dizaine d'années pour arriver à une certaine stabilité. Plus de la moitié des candidats renoncent en cours de route. Le domaine journalistique opère une sélection impitoyable et seuls les plus doués parviennent à s'établir.

Avenir de la profession

PÉRENNITÉ

Les facteurs de transfert à l'étranger sont nuls. L'élément d'incertitude principal concerne Internet et les nouvelles technologies médiatiques. La quantité de contenus ne risque pas vraiment de diminuer au cours des prochaines années. La question qui se pose est de savoir comment seront distribués les reportages à l'avenir et d'où proviendra l'argent pour rémunérer ceux qui créent des contenus. L'hypothèse la plus plausible est que, en plus des grands groupes qui existent en ce moment, on verra émerger une foule de plus petits projets dont certains parviendront à s'établir de manière durable.

À cause du climat d'incertitude actuel, les grands groupes de presse québécois ont récemment revu à la baisse les conditions de travail qu'ils offrent à leurs employés. Ces derniers ne sont pas en position de force dans les négociations.

À cause de l'émergence des nouveaux médias, les médias imprimés se trouvent devant beaucoup d'incertitude. Il est impossible de savoir comment le secteur se renouvellera. Toutefois, on peut raisonnablement supposer que les besoins d'information ne diminueront pas et que grâce aux nouvelles plateformes médiatiques, le secteur connaîtra une certaine croissance dans les années à venir. Il y a tout de même surabondance de main-d'œuvre.

Les perspectives d'avenir sont passables.

Influence sur le bonheur, la santé et la vie quotidienne

Les journalistes sont très autonomes dans leur travail. C'est d'ailleurs une condition indispensable pour réussir dans ce domaine. Il faut être capable de générer du contenu par soi-même.

Tout, sauf normal et typique. Les horaires varient en fonction de l'actualité, selon les besoins du moment et suivant la personnalité de chacun. Il est fréquent que des événements spéciaux obligent à un surcroît de travail ou à des heures supplémentaires.

La conciliation travail-famille est difficile pour la plupart des journalistes à cause, d'une part, de l'instabilité de l'emploi et des revenus et, d'autre part, parce que c'est un métier exigeant qui requiert toute l'attention de celui qui l'occupe. Les journalistes qui parviennent à un équilibre satisfaisant entre leur vie professionnelle et leur vie familiale sont rares.

DURÉE DES CARRIÈRES

Il existe un véritable goulot d'étranglement à l'entrée de la profession. Ceux qui arrivent à bien franchir cette étape sont satisfaits de leur sort et peu nombreux à changer d'orientation. En fait, bien des journalistes ont l'impression de pratiquer le plus beau métier du monde.

DÉPLACEMENTS

Évidemment, les journalistes se déplacent énormément. Certains sont affectés à l'étranger, où ils peuvent séjourner pendant des années. Les postes de correspondant à l'étranger sont parmi les plus prestigieux de la profession.

SENTIMENT D'UTILITÉ

Les journalistes sont parfois un peu missionnaires. Ils ont la conviction que leur travail – informer le public – est essentiel à la société. Ils n'ont sans doute pas tort.

DEGRÉ D'HUMANISME

Le degré d'humanisme est assez important dans le travail des journalistes. La capacité à entrer en relation et à comprendre la nature humaine est cruciale dans leur travail.

PLAISIR INTRINSÈQUE

Il y a beaucoup de plaisir dans le travail des journalistes. Ils ont la joie de créer du contenu et de jouer avec la langue. De plus, leur travail leur permet de s'intéresser à toutes sortes de phénomènes et d'événements différents. Enfin, ils suivent l'actualité de près, ce qui leur procure le sentiment d'être au cœur de l'action.

STIMULATION INTELLECTUELLE

Le travail est très complexe et les possibilités de s'améliorer infinies. Il n'y a pas de limite à l'apprentissage, tant sur le plan de la langue que sur celui de la compréhension des sujets à traiter.

CRÉATIVITÉ

La créativité est importante, car elle figure parmi les qualités qui distinguent les bons journalistes.

INDICE BUREAUCRATIE

La bureaucratie n'est pas un facteur important.

SOLITAIRE / EN ÉQUIPE

Les journalistes jouissent d'un équilibre intéressant entre le travail d'équipe et le travail en solo. Ceux des médias imprimés sont souvent seuls pour faire leurs reportages et rédiger leurs articles, mais le média auquel ils appartiennent leur fournit un environnement social stimulant et un sentiment d'appartenance. Les pigistes sont plus isolés.

TRAVAILLER À SON COMPTE

La proportion de travailleurs autonomes est de 15 % chez les journalistes. C'est un domaine où on cumule de nombreux emplois. Ceux qui sont bien établis combinent un emploi et des contrats de pigistes.

RÉUSSITE OU ÉCHEC

La réussite est dans la recherche de la vérité et dans le plaisir d'être lu ou entendu. Le travail consiste à être le plus exact possible et à éviter les erreurs. La rigueur est importante pour les journalistes parce qu'elle leur permet d'établir leur réputation et leur crédibilité, qualités essentielles à leur travail. La réputation d'un journaliste, c'est son fonds de commerce.

RECONNAISSANCE SOCIALE

Les journalistes jouissent d'un grand prestige et certains d'entre eux sont connus et admirés. En général, leur travail est bien vu.

DEGRÉ DE POUVOIR

Le journalisme est une profession qui comporte beaucoup de pouvoir. On parle souvent des médias comme du quatrième pouvoir. Certains journalistes très réputés pèsent lourd dans l'opinion publique. Ils peuvent exercer une certaine influence sur des questions sociales et politiques.

MOBILITÉ ET AVANCEMENT

Il y a beaucoup de mouvements de carrière chez les journalistes. Ils démarrent dans des postes plus modestes pour des employeurs peu prestigieux et tentent de se diriger vers les hautes sphères. Les carrières débutent par des piges et des emplois dans des médias marginaux ou régionaux. Avec le temps, les meilleurs obtiennent des postes plus en vue, se rapprochent des grands centres et décrochent des emplois dans les médias plus connus.

Le journalisme est une de ces professions où le talent individuel détermine la carrière. Les plus doués finissent par être reconnus et accéder aux meilleurs emplois. Ceux qui ne possèdent pas les qualités essentielles risquent d'être rejetés de manière impitoyable.

NIVEAU DE STRESS

Les charges de travail peuvent être importantes parce que les journalistes multiplient les engagements pour améliorer leur revenu ou par besoin de suivre plusieurs pistes de recherche avant de publier un article ou de présenter un reportage. Beaucoup de journalistes ont un rythme de travail effréné. Ce sont des machines à performer. Ils travaillent par passion et ne perçoivent jamais leur travail comme un fardeau. Certains, toutefois, après avoir dépassé leurs limites trop longtemps, finissent par s'effondrer d'épuisement. Les échéances arrivent très rapidement dans ce domaine. Il n'y a parfois qu'un court laps de temps entre l'événement et le moment où il faut livrer son papier.

EN VRAC

Le journalisme permet de s'exprimer et de participer aux débats publics, ce qui est à la fois inestimable et excellent pour l'ego. Cela donne aussi la possibilité de faire sa marque et d'influencer l'opinion. C'est pour cette raison que cette profession attire tant de candidats, même si les conditions objectives qu'elle offre ne sont pas toujours très bonnes.

Professions semblables

Blogueur

Un nouveau métier, mélange de rédacteur, d'écrivain et de journaliste, émerge : celui de blogueur.

Bien que de plus en plus de personnes tentent leur chance de ce côté, il semble qu'assez peu d'entre elles pourront en tirer des revenus intéressants. Beaucoup des blogueurs qui se démarquent sont déjà des écrivains, des rédacteurs ou des journalistes reconnus.

Écrivain

Il y a un peu moins de 1 000 auteurs et écrivains au Québec. Leur situation est très semblable à celle des autres artistes. Il y a beaucoup plus d'appelés que d'élus et les chances de bien gagner sa vie dans le domaine sont extrêmement minces. Toutefois, pour bien des auteurs, la littérature est une nécessité. Ils le feront, qu'ils soient rémunérés ou non. Une bonne partie d'entre eux ont d'ailleurs une autre occupation pour subvenir à leurs besoins.

Une proportion importante des auteurs écrivent des ouvrages qui ne sont pas de la fiction. Ils possèdent une expertise particulière qui leur permet d'approfondir un sujet d'intérêt public qui fera l'objet d'un livre. C'est un peu le cas de l'auteur de ces lignes... La plus grande partie des livres publiés au Québec appartiennent à cette catégorie.

Évaluation globale

La carrière journalistique offre de nombreuses possibilités d'emploi et les salaires y sont un peu plus élevés que dans les autres domaines du secteur des arts, des lettres et des communications. De plus, le travail de journaliste donne une liberté et des possibilités de création importantes, en plus de conférer du prestige et du pouvoir. Pour ceux qui y réussissent, il s'agit très certainement d'une des meilleures situations dont on puisse jouir sur le marché du travail. L'accès très difficile à la profession et les conditions de travail parfois pénibles tempèrent mon évaluation, qui est tout de même de quatre étoiles. ■

Traducteur / Interprète / Terminologue / Rédacteur / Réviseur

Le travail des traducteurs est de transposer avec fidélité des textes d'une langue à une autre, alors que les interprètes traduisent oralement et simultanément des discours, des présentations ou des témoignages dans le cadre de conférences ou de procès. Les terminologues sont des professionnels linguistiques qui sont soit des généralistes, soit des spécialistes. Leur travail consiste à répertorier les termes propres à un domaine. Comme 95 % des membres de ce groupe professionnel sont des traducteurs, je concentre mon évaluation sur cette profession.

Les rédacteurs sont employés pour leur capacité à rédiger divers textes, spécialisés ou non, alors que les réviseurs sont appelés à corriger des textes sur les plans du style, de la grammaire et de la logique.

Coup d'œil

PROFESSION	PROFESSIONNELS / FINISSANTS	RATIO	SALAIRE ANNUEL MOYEN
Traducteur, interprète, terminologue ★ ★ ★ ★ ★	9 000 / 265	1 / 30	50 000 $
Rédacteur, réviseur ★ ★ ★ ★ ★	8 000 / s.o.	s.o.	48 000 $

Environ 50 % des rédacteurs, des réviseurs et des traducteurs ont des emplois permanents à plein temps. Les autres, qui sont à contrat et à temps partiel, occupent aussi souvent d'autres fonctions. Pour plusieurs, la traduction est une occupation complémentaire à un travail principal. Étant donné ces considérations, on peut estimer que le véritable bassin de traducteurs de profession compte entre 5 000 et 6 000 personnes. De la même façon, le nombre réel de rédacteurs et de réviseurs est également d'environ 5 000 professionnels.

FORMATION

Il faut être titulaire d'un baccalauréat en traduction pour obtenir un emploi de traducteur.

Parmi les traducteurs qui travaillent à leur compte, certains ont une formation en linguistique ou en lettres, et les traducteurs qui se spécialisent dans un domaine ont généralement une formation dans ce domaine.

Les réviseurs et les rédacteurs ont le plus souvent une formation en lettres ou en communications. Certains proviennent d'autres horizons de formation. La formation en rédaction-communication de l'Université de Sherbrooke est particulièrement bien adaptée aux besoins du marché, elle se distingue dans ce domaine par un taux de placement élevé.

DEGRÉ D'HOMOGÉNÉITÉ

Le degré d'homogénéité est moyen dans ces professions.

Analyse du marché de l'emploi

HOMMES-FEMMES

On dénombre 70 % de femmes et 30 % d'hommes en traduction. La proportion de femmes devrait augmenter, ces dernières formant plus de 80 % des diplômés. Chez les rédacteurs et les réviseurs, la proportion de femmes est un peu moins élevée.

TAUX DE CHÔMAGE

Le taux de chômage est très faible chez les traducteurs. L'emploi est abondant. Pour les rédacteurs et les réviseurs, c'est le contraire. Le chômage est assez fréquent.

GÉOGRAPHIE

Environ 60 % des traducteurs travaillent à Montréal ou en Outaouais. En ajoutant Québec et la Montérégie, on tient compte de près de 85 % des membres de la profession. L'emploi est légèrement mieux réparti pour les rédacteurs et les réviseurs.

EMPLOYEURS

Le nombre d'employeurs est élevé parce que presque toutes les entreprises ont besoin à l'occasion de rédacteurs ou de traducteurs.

Pour les traducteurs, le gouvernement fédéral est, de loin, l'employeur le plus important avec 10 % des membres de la profession. Les autres administrations publiques sont également de gros employeurs de rédacteurs, de réviseurs et de traducteurs.

En traduction, les salariés travaillent le plus souvent pour des services de traduction au sein de grandes entreprises ou des cabinets de traduction. Les rédacteurs et les réviseurs travaillent dans des entreprises de tailles variées.

Le niveau de syndicalisation est remarquablement peu élevé.

■ QUALITÉ DES EMPLOIS

Après d'importants mouvements d'externalisation au cours des années 1990 et 2000, les entreprises ont fini par réaliser qu'il est plus sage d'avoir recours à des travailleurs qualifiés et salariés ou à des cabinets établis, plutôt qu'à des travailleurs autonomes employés à la pige. La proportion d'emplois de mauvaise qualité devrait diminuer encore dans un avenir rapproché.

■ INSERTION PROFESSIONNELLE

Pendant de nombreuses années, l'insertion professionnelle pour les traducteurs était longue et pénible à cause du manque de travail. Elle est désormais beaucoup plus courte. Les finissants trouvent maintenant de l'emploi plus rapidement et à de meilleures conditions.

Pour les réviseurs et les rédacteurs, l'insertion professionnelle est encore difficile. Moins d'un candidat sur deux parvient à se trouver du travail permanent. La révision suppose au départ une certaine expérience. Il y a deux types de révision : révision de traductions dans un service ou un bureau de traduction – généralement confiée à un traducteur chevronné – et révision de textes écrits en français pour des entreprises ou le secteur de l'édition. Il y a plus d'emplois permanents dans la première catégorie que la deuxième.

Il faut par ailleurs compter quelques années avant d'atteindre son plein potentiel dans ces professions. Ce sont des métiers qu'on arrive à bien maîtriser qu'après cinq à dix ans.

Avenir de la profession

■ PÉRENNITÉ

Les logiciels prennent de plus en plus de place dans le travail de traduction et de révision. Ils ne remplacent pas les professionnels, mais leur permettent d'être plus précis et plus efficaces. Il n'y a pas de raison de penser que la création de nouveaux logiciels entraînera une réduction de la demande en traduction.

En ce qui concerne les transferts à l'étranger, les possibilités sont très limitées. De plus, ces transferts sont difficiles et rarement rentables.

La mondialisation de l'économie, la complexité grandissante des échanges ainsi que l'augmentation des documents à produire et à traduire provoqueront une hausse de la demande. C'est un secteur qui a connu une croissance au cours des dernières années et où la qualité des emplois s'est améliorée. Cette tendance devrait se poursuivre dans un avenir rapproché.

PERSPECTIVES D'EMPLOI

La situation globale de l'emploi pour les traducteurs n'est pas mal du tout. Alors qu'environ 50 % des candidats dans les autres secteurs liés à la langue et aux communications échouent à s'établir, c'est presque la totalité des futurs traducteurs qui y parviennent. Sur ce plan, la profession peut soutenir la comparaison avec n'importe quelle profession universitaire. Le nombre d'emplois de qualité offrant de bonnes conditions de travail et des avantages sociaux est satisfaisant.

La situation des rédacteurs et des réviseurs est nettement moins bonne. À peine 50 % des candidats réussissent dans la profession.

Les salaires sont assez bas, tant pour les traducteurs que pour les rédacteurs et les réviseurs. À 50 000 $ par année en moyenne, les salaires ne sont pas mauvais, mais ils sont plus bas que dans bien d'autres professions de niveau universitaire. Les chimistes et les informaticiens, pour ne prendre que ces deux exemples, gagnent environ 40 % de plus que les traducteurs.

Les perspectives d'avenir sont bonnes pour les traducteurs, passables pour les réviseurs et les rédacteurs.

Influence sur le bonheur, la santé et la vie quotidienne

DEGRÉ D'AUTONOMIE

Le travail en traduction et en révision est très facile à contrôler. Les employeurs peuvent savoir en temps réel exactement combien de mots un travailleur traduit ou révise à l'heure. La marge d'autonomie des traducteurs et des réviseurs est assez étroite.

Le travail des rédacteurs est légèrement plus autonome, bien qu'il doive se faire en fonction de balises claires.

HORAIRES

Le travail se fait le jour, en semaine. Les heures de travail s'allongent à l'occasion, en période de pointe.

INDICE FAMILLE

La profession ne pose pas de problème particulier de ce côté. Les horaires permettent de bien composer avec les obligations familiales. De plus, une grande partie du travail peut facilement être effectuée à la maison, ce qui facilite la conciliation travail-famille. Les rédacteurs, les réviseurs et les traducteurs qui pratiquent le télétravail sont nombreux.

DURÉE DES CARRIÈRES

Du côté des travailleurs autonomes, le roulement et les départs de la profession sont fréquents. Ceux qui ont un emploi salarié sont plus stables. Une petite proportion d'entre eux finissent par trouver leur travail routinier et cherchent à se rediriger vers d'autres emplois afin de relever d'autres défis.

Certains rédacteurs migrent vers le journalisme. Ajoutons que ce sont des métiers que l'on peut pratiquer très longtemps et où l'expérience est importante et valorisée. Il s'agit de professions où les travailleurs se bonifient avec le temps, comme les bons vins.

SENTIMENT D'UTILITÉ

Le travail est utile, mais modeste. Il n'y a rien de spectaculaire. La satisfaction vient du travail bien fait.

DEGRÉ D'HUMANISME

Paradoxalement, on trouve un certain humanisme dans ces professions même s'il y a peu de contact direct avec la population. Cela vient du fait que le travail porte sur la langue et lorsqu'on travaille avec elle, on n'est pas si loin de l'âme humaine. Dans certains cas, les traducteurs et les réviseurs tissent des liens assez étroits avec leurs clients.

PLAISIR INTRINSÈQUE

Le plaisir vient de deux sources. Premièrement, il y a l'amour de la langue et le plaisir technique de trouver des solutions à des problèmes. Les tâches ressemblent à un subtil casse-tête. Il s'agit de trouver la formule juste pour rendre l'idée le plus clairement possible.

Ensuite, il y a le plaisir du travail bien fait. Le travail d'un rédacteur, d'un réviseur ou d'un traducteur s'assimile à celui d'un artisan. Ce sont de petits gestes, de la patience et le simple plaisir de travailler qui en font le charme.

STIMULATION INTELLECTUELLE

Le travail est complexe. Il exige une solide connaissance de la langue de départ et de la langue d'arrivée et d'excellentes capacités de recherche et de résolution de problèmes. Toutefois, dans certains domaines où les textes se suivent et se ressemblent, le travail peut devenir routinier.

Les traducteurs spécialisés finissent par développer une connaissance approfondie de leur domaine. Ce sont les professionnels les plus compétents et spécialisés dans les domaines pointus qui gardent le plus de verdeur intellectuelle. Le travail des rédacteurs et des réviseurs est aussi stimulant intellectuellement. Ils abordent des sujets variés et ils apprennent continuellement des nouvelles choses.

CRÉATIVITÉ

Le travail requiert un mélange de précision et de créativité. La langue pose toutes sortes de problèmes et il faut faire preuve de souplesse et d'inventivité pour parvenir à exprimer ce qui doit l'être de façon claire et concise.

INDICE BUREAUCRATIE

Le travail n'est pas très bureaucratisé.

SOLITAIRE / EN ÉQUIPE

Les travailleurs autonomes et ceux qui font du télétravail peuvent éprouver un sentiment de solitude parfois lourd.

Dans les cabinets et les services spécialisés, le travail est organisé pour favoriser les échanges et le sentiment d'appartenance. Ainsi, même si une grande partie du travail se fait seul, les professionnels ont tout de même l'impression de collaborer.

TRAVAILLER À SON COMPTE

Les travailleurs autonomes comptent pour 40 % des professionnels du domaine. Une bonne partie d'entre eux offrent des services dans plusieurs domaines.

Après quelques années sur le marché du travail, beaucoup de traducteurs et de réviseurs choisissent de s'établir à leur compte pour avoir plus de liberté dans leur travail, leurs horaires et le choix de leurs clients.

RÉUSSITE OU ÉCHEC

Certains textes sont mieux rédigés ou mieux traduits que d'autres et on peut toujours se tromper. Toutefois, les échecs sont assez rares et on a plutôt l'impression de réussir. L'enjeu est souvent de respecter des échéances serrées tout en fournissant un travail de qualité.

En traduction, la qualité du travail passe trop souvent inaperçue. On est rarement félicité pour une bonne traduction. Les traducteurs n'entendent parler de la qualité de leur travail que quand ils font une erreur.

RECONNAISSANCE SOCIALE

Ces professions se déroulent loin du public. Peu de gens soupçonnent que des armées de rédacteurs, de réviseurs et de traducteurs travaillent sur des montagnes de textes chaque jour, ce qui fait que ces professions restent dans l'ombre.

Toutefois, même si elles sont très mal connues, ces professions inspirent le respect à cause des vastes connaissances qu'il faut posséder pour les pratiquer.

DEGRÉ DE POUVOIR

Est-ce que le fait d'avoir du pouvoir sur les mots compte ? Le pouvoir de ces professions est limité.

MOBILITÉ ET AVANCEMENT

L'avancement est limité : en entreprise, dans un service linguistique, on peut passer à traducteur principal, réviseur et chef du département. Ouvrir son propre cabinet peut être de l'avancement. Pour la mobilité, on peut changer de domaine et changer d'univers : un emploi de traductrice dans un grand magasin a peu à voir avec le même poste dans une banque, une entreprise ou un musée.

NIVEAU DE STRESS

Les emplois dans ce domaine s'assimilent à un travail de marathonien. Il est important de maintenir le rythme. Il y a des pointes de stress lors de certaines périodes où le travail est urgent, mais elles ne peuvent durer longtemps. C'est la capacité à être constant qui compte le plus.

DANGER ET POLLUTION

Comme on passe de longues heures rivé à son écran d'ordinateur, ce sont la sédentarité et l'immobilité qui constituent les principales menaces à la santé. Il est très important que les personnes qui choisissent ce type de profession soient très vigilantes quant à leur hygiène de vie. Sinon, elles risquent de développer toutes sortes de problèmes de santé.

EN VRAC

La quantité de travailleurs autonomes et la tentation des entreprises à rogner sur la qualité du travail sont les deux plus grands défauts de la profession. Parfois, les entreprises accordent plus d'attention aux coûts qu'à la qualité des textes.

Bibliothécaire

On compte 2 000 bibliothécaires au Québec qui gagnent en moyenne 52 000 $ par année. Il faut être titulaire d'une maîtrise en bibliothéconomie pour accéder à la profession. Les quelque 130 finissants du programme réussissent à trouver assez facilement du travail après leurs études. La bibliothéconomie représente une voie de carrière fiable dans le domaine des arts et lettres. C'est une option à considérer pour ceux qui terminent un baccalauréat et qui souhaitent améliorer leurs chances de trouver du travail.

Évaluation globale

Les réviseurs et les rédacteurs ont un travail intéressant qui offre des conditions correctes, dans la mesure où ils parviennent à se trouver du travail permanent. Le niveau d'emploi est assez peu élevé par rapport au nombre de candidats. Par contre, la précarité est omniprésente. C'est un choix auquel il vaut mieux réfléchir sérieusement, mais qui est valable pour ceux qui ont de l'intérêt pour ces métiers et, surtout, qui possède les aptitudes pour réussir. Il faut travailler dur pour se tailler une place dans ces domaines, mais ceux qui réussissent regrettent rarement leur choix. C'est pourquoi j'accorde à ces professions trois étoiles.

Le travail des traducteurs est très semblable à celui des réviseurs et des rédacteurs. Il est d'ailleurs très fréquent que des professionnels pratiquent ces trois professions en même temps, au gré des contrats qu'ils obtiennent. La différence majeure entre les trois professions est que les traducteurs bénéficient d'un marché du travail qui leur est beaucoup plus favorable. C'est pour cette raison que j'attribue à la profession une demi-étoile de plus pour une note de trois étoiles et demie. ∎

Pour en savoir plus

Site Web de l'Ordre professionnel des traducteurs, terminologues et interprètes : *www.ottiaq.org*.

Professionnel des communications et des relations publiques

Les professionnels des communications et des relations publiques conçoivent et transmettent des messages de la manière la plus efficace possible. Ils créent et défendent des images de marque, que ce soit pour des entreprises, des campagnes gouvernementales ou des particuliers. Ils servent d'intermédiaires entre l'organisation qui les emploie et le monde des médias.

Ces professionnels portent divers titres d'emploi comme agent de communication, agent de liaison, responsable des communications, agent de relations publiques, etc. Étant donné la diversité de ces titres, je les réunis tous ici sous la même appellation.

Coup d'œil

PROFESSION	PROFESSIONNELS / FINISSANTS	RATIO	SALAIRE ANNUEL MOYEN
Professionnel des communications et des relations publiques ★ ★ ★ ★ ★	11 000 / 900	1 / 16	51 000 $

Comme le montre le tableau, il s'agit d'un marché où le nombre de diplômés semble de prime abord légèrement élevé par rapport à la demande de main-d'œuvre. Toutefois, il faut préciser que la moitié de ces professionnels ne sont pas formés en communications. Les diplômés de ce domaine subissent par conséquent une forte concurrence, ce qui réduit d'autant plus leurs possibilités d'insertion professionnelle. Il s'agit donc en fait d'un marché où le nombre de diplômés est nettement trop élevé pour la demande.

FORMATION

Même si bien des personnes qui occupent des postes en communications et en relations publiques sont issues d'autres domaines, la formation typique est le baccalauréat en communications.

DEGRÉ D'HOMOGÉNÉITÉ

Ces professions sont moyennement homogènes.

HOMMES-FEMMES

Les femmes sont majoritaires à 60 %.

TAUX DE CHÔMAGE

Il est élevé. On travaille souvent à contrat, avec des périodes de chômage.

GÉOGRAPHIE

L'emploi est bien réparti, mais concentré dans les grands centres. Il est plus difficile de s'insérer dans les petites municipalités et en région. La qualité des emplois est moins bonne en région.

EMPLOYEURS

Il y a beaucoup d'employeurs. Presque toutes les grandes entreprises ont désormais des besoins en communications et en relations publiques. La plupart des emplois relèvent du secteur privé, mais le public est aussi un employeur important. Les employeurs se divisent en deux grandes catégories. Soit on travaille au service des communications d'une grande entreprise, soit on travaille au sein d'une agence de communication.

SYNDICALISATION

Moins de la moitié de ces professionnels sont syndiqués.

QUALITÉ DES EMPLOIS

Les emplois à temps partiel, à durée déterminée et à bas salaire sont légion. Jusqu'à 40 % des professionnels en communications et en relations publiques ont un statut précaire.

INSERTION PROFESSIONNELLE

L'insertion est longue et difficile. Il faut compter quelques années avant de décrocher un poste intéressant. Pour ceux qui choisissent la voie du travail autonome, l'insertion peut être encore plus longue et plus ardue.

PÉRENNITÉ

Les possibilités de compression due à la technologie et de transfert à l'étranger sont inexistantes. En contrepartie, la montée de la popularité d'Internet crée de nouveaux besoins et débouchés dans le secteur. En effet, les stratégies de communication passent de plus en plus par les médias numériques et elles prennent des formes de plus en plus diversifiées.

Il serait toutefois surprenant que cette augmentation soit suffisante pour que tous les finissants dans le domaine trouvent des emplois de qualité. Le déséquilibre entre l'offre et la demande est trop important par rapport à l'impact des nouvelles technologies de communication.

PERSPECTIVES D'EMPLOI

Pour un nouveau diplômé, la probabilité de faire carrière en communications ou en relations publiques est d'environ une chance sur deux. C'est un domaine où le nombre de candidats est nettement plus élevé que le nombre réel d'emplois. L'insertion est longue et les emplois ne sont pas toujours de qualité.

Pour ceux qui parviennent à se faire une place, les emplois sont corrects. Ce sont surtout les administrations publiques et les grandes entreprises qui offrent les meilleurs emplois, assortis de bonnes conditions de travail et d'un bon salaire.

Les perspectives d'avenir sont mauvaises.

Influence sur le bonheur, la santé et la vie quotidienne

DEGRÉ D'AUTONOMIE

Par définition, c'est un travail où on fait passer les intérêts de son employeur avant ses opinions et même ses valeurs personnelles. Les organisations cherchent de plus en plus à contrôler l'information qui les concerne et, à ce titre, les agents de communication doivent se conformer à des objectifs précis et exercer un contrôle étroit sur l'information qu'ils diffusent. Il vaut mieux bien choisir l'organisation pour laquelle on travaille si on veut éviter les conflits moraux.

HORAIRES

Le travail a le plus souvent lieu le jour, en semaine. Dans les périodes de crise ou lors d'événements spéciaux, il faut être disponible pratiquement en tout temps.

INDICE FAMILLE

La conciliation travail-famille peut être difficile pour les travailleurs autonomes et pour ceux qui sont en début de carrière. Elle devient plus facile quand on obtient un poste permanent.

DURÉE DES CARRIÈRES

À cause de l'insertion professionnelle difficile, bien des diplômés du domaine des communications finissent par abandonner et se réorienter dans des professions plus faciles d'accès.

De plus, il arrive assez fréquemment que certains quittent la profession parce qu'ils sont insatisfaits. On a vu au cours des dernières années se multiplier les livres d'ex-professionnels des communications et des relations publiques qui dénoncent l'atmosphère de manipulation qui règne dans les grandes sociétés.

DÉPLACEMENTS

Les déplacements sont assez fréquents. Les agents de communication sont souvent engagés dans des campagnes de promotion qui les amènent aux quatre coins de la province. La mobilité peut être très importante dans certains postes.

SENTIMENT D'UTILITÉ

Le sentiment d'utilité est partagé. Le fait de manipuler l'information peut engendrer un sentiment de puissance grisant pendant un certain temps. Toutefois, il n'est pas rare qu'une impression de vacuité ou de cynisme s'installe. Le sentiment d'utilité est intimement lié à la capacité de s'identifier à l'organisation pour laquelle on travaille. Les agents de communication et de relations publiques sont les rhéteurs des temps modernes. Déjà, en son temps, Socrate dénonçait leurs méthodes. La controverse que suscitent leurs méthodes ne date pas d'hier!

DEGRÉ D'HUMANISME

Les relations humaines sont nombreuses en communications. Par contre, elles ne sont que superficielles. Les relations sont au service des organisations, elles ne sont pas une fin en soi. La séduction inhérente à ce type de relations est particulière parce qu'elle est toujours teintée d'intérêt.

PLAISIR INTRINSÈQUE

Le plaisir est présent dans ce travail parce que, pour être convaincant, il faut pouvoir être attirant. Les médias modernes offrent aussi une foule de moyens de travailler qui sont plutôt ludiques.

STIMULATION INTELLECTUELLE

Le travail est très stimulant intellectuellement. C'est un domaine où il y a beaucoup de changements et où on doit continuellement composer avec un environnement complexe. On peut y développer ses compétences et ses habiletés à l'infini.

CRÉATIVITÉ

La créativité est plus qu'importante dans le travail en communications, elle est essentielle. C'est la créativité qui peut rendre ces emplois intéressants, dans la mesure où l'on est au service d'une organisation où l'on peut l'exprimer. Certaines entreprises cherchent à se démarquer et encouragent leur personnel des communications et des relations publiques à être aussi original que possible. Par contre, dans certains secteurs économiques, les organisations préfèrent préserver une image rassurante. Dans ces cas, le mot d'ordre est de miser sur la discrétion et la tradition.

INDICE BUREAUCRATIE

Il est important dans ce genre de travail. Les communications et les relations publiques s'organisent au cœur des sphères du pouvoir, et les mécanismes de contrôle sont nombreux et importants.

SOLITAIRE / EN ÉQUIPE

Ce sont des emplois où il y a peu de solitude et beaucoup de relations sociales. On travaille presque toujours en équipe.

TRAVAILLER À SON COMPTE

Dans ce domaine, 13 % des travailleurs sont à leur compte. Une partie d'entre eux le sont par choix, les autres, faute d'avoir trouvé mieux.

RÉUSSITE OU ÉCHEC

Les réussites sont rarement éclatantes mais, en revanche, les échecs sont rares. On ne perçoit les résultats du travail qu'à long terme.

RECONNAISSANCE SOCIALE

D'un côté, ce sont des postes qui ont de la visibilité et du prestige. De l'autre, la population se méfie des professionnels des communications et des relations publiques parce qu'elle doute de la sincérité de leurs discours et de leurs intentions.

DEGRÉ DE POUVOIR

Il est assez important. Le travail en communications vise à influencer les opinions et les perceptions du public. C'est donc un travail où le pouvoir occupe une place centrale.

MOBILITÉ ET AVANCEMENT

La mobilité professionnelle et l'avancement sont fréquents. Ce sont des carrières où il y a plusieurs échelons à gravir et où chacun cherche continuellement à améliorer son sort. L'ambition est une motivation essentielle.

NIVEAU DE STRESS

Pour plusieurs, le stress vient de la précarité et du manque de contrats. Pour ceux qui ont de l'expérience, il provient des exigences de rendement des entreprises et de la hantise de commettre un impair. Le travail en communications s'assimile à un travail de diplomate. On doit toujours s'assurer de ne pas ternir l'image de son organisation. En règle générale, toutefois, ce sont des emplois où le niveau de stress est acceptable.

Professions semblables

Professionnel du marketing

Il n'y a pas de distinction précise entre le travail de certains diplômés en marketing et celui des professionnels en communications. Il leur arrive aussi souvent de travailler en étroite collaboration, particulièrement dans les agences de publicité et dans les services de marketing des grandes organisations. Les diplômés en communications qui souhaitent améliorer leurs chances de trouver de bons emplois et d'accéder rapidement à des postes importants peuvent compléter leurs études avec une maîtrise en marketing. On trouve aussi désormais des baccalauréats combinant des cours en communication et en marketing.

EN VRAC

Parmi les problèmes, la manipulation est l'aspect avec lequel il est le plus difficile de composer. Les professionnels des communications et des relations publiques sont tributaires des valeurs des organisations pour lesquelles ils travaillent. La plupart d'entre eux s'accommodent bien de la souplesse intellectuelle exigée par leur travail. Les situations peuvent toutefois devenir très inconfortables.

Du côté des qualités, le travail en communications peut être très stimulant et il permet d'entrer en relation avec beaucoup de personnes. Il offre la possibilité de tisser des vastes réseaux de contacts.

Le principal point faible de cette profession a trait au nombre d'emplois disponibles par rapport au nombre de candidats. On peut estimer qu'à peine la moitié des candidats réussit à se tailler une place satisfaisante, ce qui range les communications et les relations publiques parmi les pires secteurs d'emploi au niveau universitaire. De plus, les salaires et la qualité des emplois ne sont pas toujours très bons.

Le second point faible est la nature controversée du travail dans ces domaines. Pour certains, il ne pose aucun problème. Ils le perçoivent comme un outil parmi d'autres mis à la disposition des grandes organisations pour parvenir à leurs fins. Pour d'autres, le travail en communications s'assimile à de la manipulation et, par conséquent, soulève des problèmes éthiques.

C'est sur le plan de la créativité, des relations nouées avec les autres et du pouvoir que se trouvent les points forts de cette profession. Toutefois, si on veut exercer de l'influence ou développer sa créativité, il y a lieu de se demander s'il ne vaut pas mieux se diriger vers le droit ou le marketing, où les possibilités d'emploi et la qualité des postes sont nettement meilleures. Le journalisme offre également des possibilités intéressantes.

Les points faibles l'emportent sur les points forts. Le domaine des communications est un des moins avantageux du niveau universitaire. C'est pour cette raison que mon évaluation finale n'est que de deux étoiles et demie. ∎

Podium universitaire
Les trois professions les plus avantageuses

1   MÉDECIN ET MÉDECIN SPÉCIALISTE

Je n'ai pas de mal à déterminer qui montera sur la première marche de ce podium. C'est la seule profession de ce guide qui mérite cinq étoiles. Salaire, qualité de vie, conciliation travail-famille, reconnaissance, sentiment d'utilité, insertion professionnelle, stimulation intellectuelle, mobilité, autonomie, et j'en passe : la profession médicale réunit à elle seule pratiquement toutes les qualités qu'on puisse espérer. C'est un choix de carrière exigeant, mais très satisfaisant.

2   AVOCAT

Un autre choix facile. La profession d'avocat recèle de grandes qualités. D'abord, elle offre un vaste éventail de possibilités professionnelles, puisque les avocats évoluent dans de très nombreux secteurs d'activité. La mobilité et l'ascension professionnelles sont excellentes. La profession est très stimulante intellectuellement. Les avocats ont beaucoup de pouvoir dans la société, tant en politique que dans les domaines social et économique. Ils sont au centre de l'organisation sociale. Enfin, ce qui ne gâche rien, le salaire des avocats figure parmi les plus élevés sur le marché.

3   COMPTABLE AGRÉÉ

La troisième marche de ce podium appartient aux comptables agréés, qui devancent de justesse les dentistes. Le salaire annuel moyen est de 185 000 $ par année, ce qui est proprement stupéfiant – seuls les médecins font mieux. De plus, cette profession est beaucoup plus intéressante qu'on pourrait le croire. Le travail est varié et le comptable possède beaucoup de pouvoir. Contrairement à ce qu'on imagine, il fait un travail très social. Il travaille souvent en équipe et auprès de la clientèle, ce qui rend le quotidien stimulant. Et comme toutes les activités économiques ont besoin de comptabilité, il a la chance de collaborer à une grande variété de projets. Sa curiosité et son envie d'apprendre sont continuellement stimulées.

Les 10 professions auxquelles les femmes devraient s'intéresser

1. Tous les métiers de la construction, en particulier électricien, grutier et entrepreneur
2. Monteur de lignes
3. Conseiller financier
4. Économiste
5. Ingénieur en environnement
6. Camionneur
7. Chauffeur d'autobus
8. Chauffeur d'engin de chantier
9. Actuaire
10. Chef cuisinier

Les 10 professions auxquelles les hommes devraient s'intéresser

1. Professeur au primaire
2. Orthophoniste
3. Psychologue
4. Travailleur social
5. Infirmier
6. Préposé aux bénéficiaires
6. Inhalothérapeute
8. Psychoéducateur
9. Ergothérapeute, nutritionniste et physiothérapeute
10. Coiffeur

Les 10 sites Internet les plus utiles
quand on cherche un emploi

1 Google www.google.com

Eh oui! Au fond, c'est une évidence, mais personne ne pense à Google pour une recherche d'emploi. Pourtant, comme pour tout le reste, Google permet d'accéder rapidement à des tonnes de renseignements sur n'importe quelle profession. Bien sûr, comme on trouve de tout, il faut ensuite raffiner sa recherche pour avoir accès à de l'information pertinente.

2 Wikipedia www.wikipedia.org

Dans le même ordre d'idée, un passage par l'encyclopédie ouverte offre, la plupart du temps, une récolte de renseignements intéressants. Les définitions sont le plus souvent bien faites et permettent d'en apprendre plus. Par contre, il n'est pas rare que les textes proviennent de France, il faut donc adapter à la réalité québécoise.

3 YouTube www.youtube.com

On trouve de plus en plus dans YouTube de films sur les professions qui permettent de se faire une idée plus précise de la carrière qu'on envisage. Au-delà de l'information, observer des situations de travail concrètes est toujours très utile.

4 Repères www.reperes.qc.ca

Pour utiliser ce site, il faut un code d'accès qu'on peut se procurer dans son établissement d'enseignement, au Carrefour jeunesse emploi ou à Emploi-Québec. Le site présente toutes les professions et tous les programmes de formation qui existent sur le marché québécois. Il est exhaustif et facile à consulter. Il s'agit d'un complément indispensable au présent guide. On y trouve toute l'information nécessaire pour concrétiser ses projets. Par contre, les descriptions sont parfois monotones et manquent de relief.

5 Les relances du ministère de l'Éducation
www.mels.gouv.qc.ca/relance

Ce site recèle des statistiques sur le placement des diplômés des trois ordres d'enseignement. Ces renseignements peuvent être un peu difficiles à interpréter, mais ils sont complets et mis à jour régulièrement. Avec un peu de patience, on y trouve ce qu'on cherche.

6   Office des professions du Québec   www.opq.gouv.qc.ca

On trouve sur le site de l'Office des professions un lien avec le site Internet de chacune des 51 professions réglementées au Québec, ainsi que toute l'information nécessaire pour comprendre le système des professions reconnues dans la province.

Les sites de chacun des ordres professionnels permettent de se faire une idée plus juste de la profession. Par contre, l'information est toujours présentée sous un jour favorable, il faut donc utiliser son jugement.

7   IMT en ligne (Information sur le marché du travail) www.imt.emploiquebec.net

Ce site produit par Emploi-Québec offre de l'information abondante et détaillée sur le marché du travail québécois. On y trouve entre autres des statistiques très précises sur les salaires.

8   Commission de la construction du Québec   www.ccq.org

Le site de la Commission de la construction du Québec est énorme et très bien fait. On peut y passer des heures à découvrir cet univers fascinant. Ceux qui veulent en savoir plus sur les métiers de la construction cliqueront d'abord sur «Vous envisagez de devenir... travailleur», puis sur l'onglet «Métiers» où l'on répertorie tous les métiers de la construction.

9   Ministère de l'Éducation, du Loisir et du Sport www.mels.gouv.qc.ca

Ce site contient toute l'information possible et imaginable sur les programmes de formation et le système d'enseignement du Québec. Il faut une bonne dose de courage pour s'y frotter parce que le site est gigantesque et plutôt difficile à consulter. Par contre, il est exhaustif. Pour trouver de l'information plus facilement, on consulte le site Internet de l'établissement où l'on souhaite étudier.

10   La relance de l'Université de Sherbrooke www.usherbrooke.ca/sve/relance/relance2010

Ce site de l'Universite de Sherbrooke donne un aperçu de la situation de tous les diplômés de ses différents programmes. Le document est très bien fait et la présentation est claire et facile à comprendre. On s'y fait une idée juste de ce qu'il advient de tous les diplômés, quelque 18 mois après leur graduation. L'Université de Sherbrooke offre la plupart des grands programmes universitaires, on peut donc trouver des renseignements sur une variété de programmes, même si on envisage de faire ses études dans un autre établissement. Par exemple, même si on souhaite étudier à HEC Montréal, on peut quand même aller voir les débouchés en administration des finissants de l'Université de Sherbrooke.

Bibliographie

BRAVERMAN, Harry. *Travail et capitalisme monopoliste : La dégradation du travail au XXᵉ siècle*, Paris, Maspero, 1976.

CRAWFORD, Matthew B. *Éloge du carburateur*, Montréal, Éditions logiques, 2010.

CSIKSZENTMIHALYI, Mihaly. *Vivre : La psychologie du bonheur*, Paris, Robert Laffont, 2004.

DE GAULEJAC, Vincent. *La société malade de la gestion : Idéologie gestionnaire, pouvoir managérial et harcèlement social*, Paris, Seuil, 2005.

DOLTO, Françoise. *Paroles pour adolescents ou Le complexe du homard*, Paris, Hatier, 1989.

FRIEDMANN, Georges. *Le travail en miettes : Spécialisation et loisirs*, Paris, Gallimard, 1964.

GORZ, André. *Métamorphose du travail, Quête du sens, Critique de la raison économique*, Paris, Galilée, 1988.

HEINICH, Nathalie. *La gloire de Van Gogh : Essai d'anthropologie de l'admiration*, Paris, Minuit, 1991.

HOCHSCHILD, Arlie Russell. *The Managed Heart: Commercialization of Human Feeling*, Berkeley, University of California Press, 1983.

HOCHSCHILD, Arlie Russell. *The Time Bind: When Work Becomes Home and Home Becomes Work*, Berkeley, University of California Press, 2002.

LANGLOIS, Jacques. *La déqualification/requalification des agents d'assurance de dommages*, mémoire de maîtrise en éducation, Université de Sherbrooke, 1997.

LANGLOIS, Jacques. *L'orientation, mode d'emploi*, Montréal, ERPI, 2010.

MORGAN, Gareth. *Images de l'organisation*, Sainte-Foy, Les Presses de l'Université Laval/Ottawa, Éditions Eska, 1989.

Ministère de l'Éducation, des Loisirs et du Sport. *La relance au secondaire, au cégep et à l'université*. Québec, Gouvernement du Québec, 2008.

Ministère de l'Emploi et de la Solidarité sociale, 2010, Institut de la statistique du Québec. *Annuaire de l'emploi 2001-2009*, Québec, 2010.

ZUBOFF, Shoshana. *In the Age of the Smart Machine: The Future of Work and Power*, New York, Basic Books, 1989.

Index